LA ROUTE DES FLANDRES

DU MÊME AUTEUR

LE TRICHEUR, roman, 1945, épuisé.
LA CORDE RAIDE, 1947, épuisé.
LE VENT, TENTATIVE DE RESTITUTION D'UN RÉTABLE BAROQUE, roman, 1957.
L'HERBE, roman, 1958.
LA ROUTE DES FLANDRES, roman, 1960.
LE PALACE, roman, 1962.
HISTOIRE, roman, 1967.
LA BATAILLE DE PHARSALE, roman, 1969.
LES CORPS CONDUCTEURS, roman, 1971.
TRIPTYQUE, roman, 1973.
LEÇON DE CHOSES, roman, 1975.

Aux Éditions Calmann-Lévy :

GULLIVER, roman, 1952.
LE SACRE DU PRINTEMPS, roman, 1954.

Aux Éditions Maeght :

FEMMES (sur vingt-trois peintures de Joan Miró), tirage limité, 1966.

Aux Éditions Skira :

ORION AVEUGLE (avec dix-neuf illustrations), coll. « Les sentiers de la création », 1970.

CLAUDE SIMON

LA ROUTE
DES FLANDRES

LES ÉDITIONS DE MINUIT

© 1960 by les ÉDITIONS DE MINUIT
7, rue Bernard-Palissy — 75006 Paris
Tous droits réservés pour tous pays
ISBN 2-7073-0078-0

I

Je croyais apprendre à vivre, j'apprenais à mourir.

LÉONARD DE VINCI.

Il tenait une lettre à la main, il leva les yeux me regarda puis de nouveau la lettre puis de nouveau moi, derrière lui je pouvais voir aller et venir passer les taches rouges acajou ocre des chevaux qu'on menait à l'abreuvoir, la boue était si profonde qu'on enfonçait dedans jusqu'aux chevilles mais je me rappelle que pendant la nuit il avait brusquement gelé et Wack entra dans la chambre en portant le café disant Les chiens ont mangé la boue, je n'avais jamais entendu l'expression, il me semblait voir les chiens, des sortes de créatures infernales mythiques leurs gueules bordées de rose leurs dents froides et blanches de loups mâchant la boue noire dans les ténèbres de la nuit, peut-être un souvenir, les chiens dévorants nettoyant faisant place nette : maintenant elle était grise et nous nous tordions les pieds en courant, en retard comme toujours pour l'appel du matin, manquant de nous fouler les chevilles dans les profondes empreintes laissées par les sabots et devenues aussi dures que de la pierre, et au bout d'un moment il dit Votre mère m'a écrit. Ainsi elle l'avait fait malgré ma défense, je sentis que je rougissais, il s'interrompit essayant quelque chose comme un sourire mais sans doute lui était-il impossible, non d'être aimable (il désirait certainement l'être) mais de supprimer cette distance : cela étira seulement un peu sa petite moustache dure poivre et sel, il avait cette peau du visage tannée des gens qui vivent tout le temps au grand air et mate, quelque chose d'arabe en lui, sans doute un résidu d'un que Charles Martel avait oublié de tuer, alors peut-être prétendait-il descendre non seulement de Sa Cousine la Vierge comme ses nobliaux de voisins du Tarn mais encore par dessus le marché sans doute de Mahomet, il dit Je crois que nous sommes plus ou moins cousins, mais dans son esprit je suppose qu'en ce qui me concerne le mot devait plutôt signifier quelque chose comme moustique insecte moucheron, et de nouveau je me sentis rougir de colère comme lorsque j'avais vu cette lettre entre ses mains, reconnu le papier. Je ne répondis pas, il vit sans doute que j'étais en rogne, je ne le regardais pas lui mais la lettre, j'aurais voulu pouvoir la lui prendre et la déchirer, il agita un peu la main qui la tenait dépliée, les coins battirent comme des ailes dans l'air froid, ses yeux noirs sans hostilité ni dédain, cordiaux même mais distants eux aussi : peut-être était-il seulement tout aussi agacé que moi, me sachant gré de mon agacement tandis que nous continuions cette petite cérémonie mondaine plantés là dans la boue gelée, faisant cette concession aux usages aux convenances par égard tous deux pour une femme qui malheureusement pour moi était ma mère, et à la fin il comprit sans doute car sa petite moustache remua de nouveau tandis qu'il disait Ne lui en veuillez pas Il est tout à fait normal qu'une mère Elle a bien fait Pour ma part je suis très content d'avoir l'occasion si jamais vous avez besoin de, et moi

Merci mon capitaine, et lui Si quelque chose ne va pas n'hésitez pas à venir me, et moi Oui mon capitaine, il agita encore une fois la lettre, il devait faire quelque chose comme environ moins sept ou moins dix dans le petit matin mais il ne semblait même pas s'en apercevoir. Après avoir bu les chevaux repartaient en trottant, par deux, les hommes courant au milieu jurant après eux et s'amusant à se suspendre aux bridons, on pouvait entendre le bruit des sabots sur la boue gelée, lui répétant Si quelque chose ne va pas je serai heureux de pouvoir, pliant ensuite la lettre la mettant dans sa poche m'adressant de nouveau quelque chose qui dans son esprit devait être encore un sourire et qui tirailla simplement une nouvelle fois sur le côté la moustache poivre et sel après quoi il tourna les talons. Par la suite je me contentai simplement d'en faire encore moins que je n'en faisais déjà, j'avais simplifié la question à l'extrême, décrochant les deux étrivières en descendant de cheval, débouclant la sous-gorge dès que je lui avais coupé l'eau une ou deux fois et alors enlevant toute la bride d'un seul coup, trempant le tout dans l'abreuvoir pendant qu'il finissait de boire, et ensuite il rentrait tout seul à l'écurie, moi marchant à côté prêt à l'attraper par une oreille, après quoi je n'avais plus qu'à passer un chiffon sur les aciers et de temps en temps un petit coup de toile émeri quand ils étaient vraiment trop rouillés, mais de toute façon ça ne changeait pas grand'chose parce que sur ce point-là ma réputation était faite depuis longtemps et ils avaient renoncé à m'embêter et je suppose d'ailleurs qu'en ce qui le concerne il s'en fichait pas mal et que faire semblant de ne pas me voir quand il passait l'inspection du peloton

11

était une politesse faite à ma mère sans trop d'effort, à moins que l'astiquage ne fît aussi partie pour lui de ces choses inutiles et irremplaçables, de ces réflexes et traditions ancestralement conservés comme qui dirait dans la Saumur et fortifiés par la suite, quoique d'après ce qu'on racontait elle (c'est-à-dire la femme c'est-à-dire l'enfant qu'il avait épousée ou plutôt qui l'avait épousé) s'était chargée en seulement quatre ans de mariage de lui faire oublier ou en tout cas mettre au rancart un certain nombre de ces traditionnelles traditions, que cela lui plût ou non, mais même en admettant qu'il eût renoncé à un certain nombre d'entre elles (et peut-être non pas tant par amour que par force ou si l'on préfère par la force de l'amour ou si l'on préfère forcé par l'amour) il y a des choses que le pire des abandons des renoncements ne peut faire oublier même si on le voulait et ce sont en général les plus absurdes les plus vides de sens celles qui ne se raisonnent ni ne se commandent, comme par exemple ce réflexe qu'il a eu de tirer son sabre quand cette rafale lui est partie dans le nez de derrière la haie : un moment j'ai pu le voir ainsi le bras levé brandissant cette arme inutile et dérisoire dans un geste héréditaire de statue équestre que lui avaient probablement transmis des générations de sabreurs, silhouette obscure dans le contrejour qui le décolorait comme si son cheval et lui avaient été coulés tout ensemble dans une seule et même matière, un métal gris, le soleil miroitant un instant sur la lame nue puis le tout — homme cheval et sabre — s'écroulant d'une pièce sur le côté comme un cavalier de plomb commençant à fondre par les pieds et s'inclinant lentement d'abord puis de plus en plus vite sur le flanc, disparaissant le sabre toujours tenu à bout de bras derrière la carcasse de ce camion brûlé effondré là, indécent comme un animal une chienne pleine traînant son ventre par terre, les pneus crevés se consumant lentement exhalant cette puanteur de caoutchouc cramé la nauséeuse puanteur de la guerre suspendue dans l'éclatant après-midi de printemps, flottant ou plutôt stagnant visqueuse et transparente mais aurait-on dit visible comme une eau croupie dans laquelle auraient baigné les maisons de brique rouge les vergers les haies : un instant l'éblouissant reflet de soleil accroché ou plutôt condensé, comme s'il avait capté attiré à lui pour une fraction de seconde toute la lumière et la gloire, sur l'acier virginal... Seulement, vierge, il y avait belle lurette qu'elle ne l'était plus, mais je suppose que ce n'était pas cela qu'il lui demandait espérait d'elle le jour où il avait décidé de l'épouser, sachant sans doute parfaitement dès ce moment ce qui l'attendait, ayant accepté par avance ayant assumé ayant par avance consommé si l'on peut dire cette Passion, avec cette différence que le lieu le centre l'autel n'en était pas une colline chauve, mais ce suave et tendre et vertigineux et broussailleux et secret repli de la chair... Ouais : crucifié, agonisant sur l'autel la bouche l'antre de... Mais après tout n'y avait-il pas aussi une putain là-bas, à croire que les putains sont indispensables dans ces sortes de choses, femmes en pleurs se tordant les bras et putains repenties, à supposer qu'il lui ait jamais demandé de se repentir ou du moins attendu espéré qu'elle le fît qu'elle devînt autre chose que ce qu'elle avait la réputation d'être et donc attendu de ce mariage autre chose que ce qui devait logiquement s'en suivre, prévoyant même peut-être ou du

moins ayant peut-être envisagé jusqu'à cette ultime conséquence ou plutôt conclusion, ce suicide que la guerre
lui donnait l'occasion de perpétrer d'une façon élégante
c'est-à-dire non pas mélodramatique spectaculaire et sale
comme les bonnes qui se jettent sous le métro ou les ban-
quiers qui salissent tout leur bureau mais maquillé en
accident si toutefois on peut considérer comme un accident d'être tué à la guerre, profitant en quelque sorte
avec discrétion et opportunité de l'occasion offerte pour
en finir avec ce qui n'aurait jamais dû commencer quatre
ans auparavant...

J'ai compris cela, j'ai compris que tout ce qu'il cherchait espérait depuis un moment c'était de se faire descendre et pas seulement quand je l'ai vu rester là planté
sur son cheval arrêté bien exposé au beau milieu de la
route sans même se donner la peine ou faire semblant
de se donner la peine de le pousser jusque sous un pom-
mier, cet imbécile de petit sous-lieutenant se croyant
obligé de faire comme lui, s'imaginant sans doute que
c'était le dernier chic le nec plus ultra de l'élégance
et du bon ton pour un officier de cavalerie sans se douter
un instant des véritables raisons qui poussaient l'autre à
faire ça c'est-à-dire qu'il ne s'agissait là ni d'honneur ni de
courage et encore moins d'élégance mais d'une affaire
purement personnelle et non pas même entre lui et elle
mais entre lui et lui. J'aurais pu le lui dire, Iglésia aurait
pu le lui dire encore mieux que moi. Mais à quoi bon. Je
suppose qu'il devait être persuadé qu'il faisait là quelque
chose d'absolument sensationnel et d'ailleurs pourquoi
l'aurions-nous détrompé puisque comme cela il mourrait
au moins content béat même, mourant à côté de et comme

un de Reixach, mieux valait donc qu'il le croie mieux valait donc qu'il soit idiot qu'il ne se demande pas ce qu'il y avait derrière ce visage à peine légèrement ennuyé légèrement impatient attendant nous faisant ou plutôt faisant au règlement du service en campagne et aux dispositions prescrites en cas d'attaque par avion volant bas et mitraillant la concession d'attendre jusqu'à ce qu'ils se soient éloignés et que nous sortions du fossé, se tournant légèrement sur sa selle un peu impatienté mais se contenant nous montrant ce visage toujours impénétrable dépourvu d'expression attendant simplement que nous soyons de nouveau à cheval tandis qu'ils disparaissaient pas plus gros que des points maintenant au-dessus de l'horizon, puis dès que nous fûmes en selle repartant poussant son cheval d'une imperceptible pression des jambes, le cheval se remettant semblait-il en marche de lui-même et toujours au pas naturellement sans précipitation sans lenteur non plus et pas nonchalamment non plus : simplement au pas. Je suppose qu'il n'aurait pas pris le trot pour tout l'or du monde, qu'il n'aurait pas donné un coup d'éperon pas donné sa place pour un boulet de canon c'est le cas de le dire il y a comme ça des expressions qui tombent à pic : au pas donc, cela devait faire aussi partie de ce qu'il avait commencé quatre ans plus tôt et avait décidé, était en train de finir ou plutôt de chercher à terminer avançant tranquillement, impassible (de même que, d'après ce que disait Iglésia, il avait toujours fait semblant de ne s'apercevoir de rien, n'avait jamais laissé transparaître le moindre sentiment ni jalousie ni colère) sur cette route qui était quelque chose comme un coupe-gorge, c'est-à-dire pas la guerre mais le meurtre, un

15

endroit où l'on vous assassinait sans qu'on ait le temps de faire ouf, les types tranquillement installés comme au tir forain derrière une haie ou un buisson et prenant tout leur temps pour vous ajuster, le vrai casse-pipe en somme et un moment je me suis demandé s'il n'espérait pas qu'Iglésia y laisserait aussi sa peau, si tout en finissant avec lui-même il n'assouvissait pas en même temps une vengeance longtemps désirée, mais tout bien pesé je ne le crois pas je pense qu'à ce moment-là tout lui était devenu indifférent si tant est qu'il en ait jamais voulu à Iglésia puisqu'en définitive il l'avait gardé à son service et que maintenant il se souciait autant ou plutôt aussi peu de lui que de moi ou de cet idiot de sous-lieutenant, ne se sentant sans doute plus tenu à aucun devoir non pas en ce qui nous concernait personnellement mais en ce qui concernait son rôle sa fonction d'officier, pensant probablement que ce qu'il pouvait faire ou ne pas faire sur ce plan n'avait au stade où nous en étions arrivés plus aucune espèce d'importance : délivré donc libéré relevé pour ainsi dire de ses obligations militaires à partir du moment où l'effectif de son escadron avait été réduit à nous quatre (son escadron lui-même étant à peu près tout ce qui avait fini par rester du régiment tout entier avec peut-être quelques autres cavaliers démontés perdus par-ci par-là dans la nature) ce qui ne l'empêchait pas de se tenir toujours droit et raide sur sa selle aussi droit et aussi raide que s'il avait été en train de défiler à la revue du quatorze juillet et non pas en pleine retraite ou plutôt débâcle ou plutôt désastre au milieu de cette espèce de décomposition de tout comme si non pas une armée mais le monde lui-même tout entier et non pas seulement dans

sa réalité physique mais encore dans la représentation
que peut s'en faire l'esprit (mais peut-être était-ce aussi
le manque de sommeil, le fait que depuis dix jours nous
n'avions pratiquement pas dormi, sinon à cheval) était
en train de se dépiauter se désagréger s'en aller en morceaux en eau en rien, et deux ou trois fois quelqu'un lui
cria de ne pas continuer (combien je ne sais, ni qui ils
étaient : j'imagine, des blessés, ou cachés dans des maisons ou dans le fossé, ou peut-être de ces civils qui s'obsti-
naient de façon incompréhensible à errer traînant une
valise crevée ou poussant devant eux de ces voiturettes
d'enfant chargées de vagues bagages (et même pas des
bagages : des choses, et probablement inutiles : simplement sans doute pour ne pas errer les mains vides, avoir
l'impression l'illusion d'emporter avec soi, de posséder
n'importe quoi pourvu que s'y attachât — à l'oreiller
éventré au parapluie ou à la photographie en couleurs
des grands-parents — la notion arbitraire de prix, de trésor) comme si ce qui comptait c'était de marcher, que ce
fût dans une direction ou une autre : mais je ne les vis
pas véritablement, tout ce que je pouvais voir, étais
encore capable de reconnaître, comme une sorte de point
de mire, de repère, c'était ce dos osseux maigre raide et
très droit posé sur la selle, et la tunique de serge légèrement plus brillante sur la saillie symétrique des omoplates, et il y avait longtemps que j'avais cessé de
m'intéresser — de pouvoir m'intéresser — à ce qui pouvait se passer sur le bord de la route) ; des voix donc,
irréelles et geignardes criant quelque chose (mise en
garde, avertissement) et qui me parvenaient à travers
l'éblouissante et opaque lumière de cette journée de prin-

temps (comme si la lumière elle-même était sale, comme si l'air invisible contenait en suspension, comme une eau souillée troublée, cette sorte de crasse poussiéreuse et puante de la guerre), et lui (chaque fois je pouvais voir sa tête bouger et sous le casque apparaître en profil perdu le bord de son visage, la découpe sèche dure du front, du sourcil, et au-dessous l'encoche de l'orbite puis la ligne ferme sèche inaltérable, descendant tout droit de la pommette au menton) les regardant, son œil inexpressif incurieux se posant un instant (mais apparemment sans voir) sur celui (ou peut-être même pas : seulement l'endroit le point d'où venait la voix) qui l'avait interpellé, et même pas réprobateur sévère ou indigné, même pas un froncement de sourcil : simplement cette absence d'expression, d'intérêt — tout au plus peut-être un étonnement : un peu interdit, impatient, comme si dans un salon quelqu'un l'avait brusquement abordé sans lui avoir été présenté ou interrompu au milieu d'une phrase par une de ces remarques hors de propos (comme par exemple lui signaler la cendre de son cigare sur le point de se détacher ou son café en train de refroidir) et cherchant peut-être, faisant effort, montre de bonne volonté de patience de courtoisie pour essayer de comprendre les raisons ou l'intérêt de la remarque ou si celle-ci pouvait être rattachée d'une manière quelconque à ce qu'il était en train de raconter, puis renonçant à comprendre prenant son parti sans même un haussement d'épaules pensant sans doute qu'il est inévitable de rencontrer toujours partout et en toutes circonstances — dans les salons ou à la guerre — des gens stupides et sans éducation, et cela fait — c'est-à-dire remémoré — oubliant l'interrupteur, l'effaçant cessant de

le voir avant même d'avoir détourné les yeux, cessant
alors pour de bon de regarder cet endroit où il n'y avait
rien, redressant la tête et reprenant avec ce petit sous-lieutenant sa paisible conversation du genre de celles que
peuvent tenir deux cavaliers chevauchant de compagnie
(au manège ou dans la carrière) et où il devait sans doute
être question de chevaux, de camarades de promotion,
de chasse ou de courses. Et il me semblait y être, voir
cela : des ombrages verts avec des femmes en robes de
couleurs imprimées, debout ou assises sur des fauteuils de
jardin en fer, et des hommes en culottes claires et bottes
en train de leur parler, légèrement penchés sur elles, tapotant leurs bottes à petits coups de leur cravache de
jonc, les robes des chevaux et celles des femmes, et les
cuirs fauves des bottes faisant des taches vives (acajou,
mauve, rose, jaune) sur l'épaisseur verte des frondaisons,
et les femmes de cette espèce particulière non pas à
laquelle appartiennent mais que constituent à l'exclusion
de toutes autres les filles de colonels ou de noms à parti-
cules : un peu fades, un peu insignifiantes et grêles, conservant tard (même mariées, même après le deuxième ou
troisième enfant) cet air de jeunes filles, avec leurs longs
bras délicats et nus, leurs courts gants blancs de pensionnaires, leurs robes de pensionnaires (jusqu'à ce qu'elles
se muent brusquement — vers le milieu de la trentaine
— en quelque chose d'un peu hommasse, un peu chevalin (non, pas des juments : des chevaux) fumant et parlant
chasse ou concours hippiques comme des hommes), et le
bourdonnement léger des voix suspendu sous les lourds
feuillages des marronniers, les voix (féminines ou
d'hommes) capables de rester bienséantes, égales et par-

faitement futiles tout en articulant les propos les plus raides ou même de corps de garde, discutant de saillies (bêtes et humains), d'argent ou de premières communions avec la même inconséquente, aimable et cavalière aisance, les voix donc se mêlant à l'incessant et confus piétinement des bottes et des hauts talons sur le gravier, stagnant dans l'air, le chatoyant et impalpable poudroiement de poussière dorée suspendu dans le paisible et vert après-midi aux effluves de fleurs, de crottin et de parfums, et lui...

« Ouais !... » fit Blum (maintenant nous étions couchés dans le noir c'est-à-dire imbriqués entassés au point de ne pas pouvoir bouger un bras ou une jambe sans rencontrer ou plutôt sans demander la permission à un autre bras ou à une autre jambe, étouffant, la sueur ruisselant sur nous nos poumons cherchant l'air comme des poissons sur le sec, le wagon arrêté une fois de plus dans la nuit on n'entendait rien d'autre que le bruit des respirations les poumons s'emplissant désespérément de cette épaisse moiteur cette puanteur s'exhalant des corps emmêlés comme si nous étions déjà plus morts que des morts puisque nous étions capables de nous en rendre compte comme si l'obscurité les ténèbres... Et je pouvais les sentir les deviner grouillant rampant lentement les uns sur les autres comme des reptiles dans la suffocante odeur de déjections et de sueur, cherchant à me rappeler depuis combien de temps nous étions dans ce train un jour et une nuit ou une nuit un jour et une nuit mais cela n'avait aucun sens le temps n'existe pas Quelle heure est-il dis-je est-ce que tu peux réussir à voir l', Bon sang dit-il qu'est-ce que ça peut foutre qu'est-ce que ça changera quand il fera jour tu tiens à voir nos sales gueules

20

de lâches de vaincus tu tiens à voir ma sale gueule de
juif ils, Oh dis-je ça va ça va ça va), Blum répétant :
« Ouais. Et alors il a dégusté à bout portant cette rafale
de mitraillette. Peut-être qu'il aurait été plus intelligent
de sa part de

— Non : écoute... Intelligent ! Oh bon Dieu qu'est-
ce que l'intell... Ecoute : à un moment il nous a payé à
boire. C'est-à-dire, je pense, pas exactement pour nous :
à cause des chevaux. C'est-à-dire qu'il a pensé qu'ils
devaient avoir soif et alors par la même occasion... » Et
Blum : « Payé à boire ? », et moi : « Oui. C'était... Ecoute :
on aurait dit une de ces réclames pour une marque de
bière anglaise, tu sais ? La cour de la vieille auberge avec
les murs de brique rouge foncé aux joints clairs, et les
fenêtres aux petits carreaux, le châssis peint en blanc,
et la servante portant le pichet de cuivre et le groom en
jambières de cuir jaune avec les languettes des boucles
retroussées donnant à boire aux chevaux pendant que le
groupe des cavaliers se tient dans la pose classique :
les reins cambrés, l'une des jambes bottées en avant, un
bras replié sur la hanche avec la cravache dans le poing
tandis que l'autre élève une chope de bière dorée en
direction d'une fenêtre du premier étage où l'on aperçoit,
entrevoit à demi derrière le rideau un visage qui a l'air
de sortir d'un pastel... Oui : avec cette différence qu'il
n'y avait rien de tout cela que les murs de brique, mais
sales, et que la cour ressemblait plutôt à celle d'une
ferme : une arrière-cour de bistrot, d'estaminet, avec des
caisses de limonade vides entassées et des poules errantes
et du linge en train de sécher sur une corde, et qu'en
fait de tablier blanc à bavette la femme portait un de ces

sarreaux de toile à petites fleurs comme on en vend sur les marchés en plein vent et qu'elle était jambes nues dans de simples pantoufles et apparemment pas tellement étonnée de ce qu'elle et nous étions en train de faire là, comme si c'eût été une chose normale de vider tranquillement, debout et tout équipés, chacun notre cannette de bière, lui et le sous-lieutenant un peu à l'écart comme il sied (et je ne sais même pas s'il a bu, je ne le crois pas, je ne le vois pas vidant une cannette de bière au goulot), et nous tenant d'une main notre bouteille et de l'autre les rênes des chevaux en train de boire à l'abreuvoir, et cela à côté de cette route sur le bord de laquelle il y avait un type mort (ou une femme, ou un enfant), ou un camion, ou une voiture brûlée à peu près tous les dix mètres, et quand il a payé — car il a payé — j'ai pu voir sa main descendre tranquillement dans sa poche, sous le moelleux tissu gris vert de l'élégante culotte, les deux bosses formées par l'index et le majeur repliés tandis qu'il saisissait son porte-monnaie, l'extirpait et comptait les pièces dans la main de la femme aussi paisiblement que s'il avait réglé une orangeade ou une de ces boissons chic au bar d'un quelconque pesage à Deauville ou Vichy... » Et de nouveau il me semblait voir cela : se détachant sur le vert inimitable des opulents marronniers, presque noir, les jockeys passant dans le tintement de la cloche pour se rendre au départ, haut perchés, simiesques, sur les bêtes graciles et élégantes, leurs casaques multicolores se suivant dans les pastilles de soleil, comme ceci : Jaune, bretelles et toque bleues — le fond vert noir des marronniers — Noire, croix de Saint-André bleue et toque blanche — le mur vert

noir des marronniers — Damier bleu et rose toque bleue
— le mur vert noir des marronniers — Rayée cerise et
bleue, toque bleu ciel — le mur vert noir des marronniers
— Jaune, manches cerclées jaune et rouge, toque rouge
— le mur vert noir des marronniers — Rouge, coutures
grises, toque rouge — le mur vert noir des marronniers
— Bleu clair, manches noires, brassard et toque rouges —
le mur vert noir des marronniers — Grenat, toque grenat
— le mur vert noir des marronniers — Jaune, cercle et
brassards verts, toque rouge — le mur vert noir des marronniers — Bleue, manches rouges, brassard et toque
verts — le mur vert noir des marronniers — Violette,
croix de Lorraine cerise, toque violette — le mur vert
noir des marronniers — Rouge, pois bleus, manches et
toque rouges — le mur vert noir des marronniers —
Marron cerclé bleu ciel, toque noire... les casaques étincelantes glissant, le mur vert sombre des feuilles, les casaques étincelantes, les pastilles de soleil dansant, les chevaux aux noms dansants — Carpasta, Milady, Zeida,
Naharo, Romance, Primarosa, Riskoli, Carpaccio, Wild-
Risk, Samarkand, Chichibu — les jeunes pouliches posant l'un après l'autre leurs sabots délicats et les retirant
comme si elles se brûlaient, dansant, semblant se tenir,
suspendues et dansantes, au-dessus du sol, sans toucher
terre, la cloche, le bronze tintant, n'en finissant plus de
tinter, tandis que l'une après l'autre les chatoyantes casaques glissaient silencieusement dans l'élégant après-midi
et Iglésia passant sans la regarder avec sur le dos cette
casaque rose qui semblait laisser derrière lui comme le
sillage parfumé de sa chair à elle, comme si elle avait
pris une de ces soyeuses lingeries et la lui avait jetée

dessus, encore tiède, encore imprégnée de l'odeur de son corps, et au-dessus son profil jaune et triste d'oiseau de proie, et ses petites jambes repliées, les genoux remontés, accroupi sur cette alezane dorée à la démarche majestueuse, opulente, aux hanches opulentes (jusqu'à cette opulente raideur de l'arrière-train, des membres faits non pour marcher mais pour galoper, les longs postérieurs se mouvant l'un après l'autre avec cette raide distinction, cette hautaine maladresse, la longue queue blonde se balançant, accrochant les éclats de soleil), et les dernières casaques maintenant de dos (une bleu foncé avec une croix de Saint-André rouge, une marron à pois bleus), disparaissant derrière les balances, le bâtiment au toit de chaume, aux fausses poutres normandes, et elle (elle qui n'a pas non plus tourné la tête, pas fait mine de le voir) assise dans un de ces fauteuils de fer, sous les ombrages, avec peut-être dans une main une de ces feuilles jaunes ou roses sur lesquelles sont inscrites les dernières cotes (mais ne la regardant pas non plus), parlant distraitement avec (ou écoutant distraitement, ou n'écoutant pas) un de ces personnages, de ces colonels ou commandants à la retraite que l'on ne voit plus que dans ces sortes d'endroits, vêtus d'un pantalon rayé, coiffés d'un melon gris (et sans doute rangés quelque part, tout habillés, pendant le reste de la semaine, et ressortis uniquement le dimanche, rapidement époussetés, défroissés et posés là en même temps que les corbeilles de fleurs sur les balcons et les escaliers des tribunes, et aussitôt après rangés de nouveau dans leur boîte), et à la fin Corinne se levant nonchalamment, se dirigeant sans hâte — sa vaporeuse et indécente robe rouge oscillant, se balançant au-dessus de ses jambes — vers les tribunes...

Mais il n'y avait pas de tribunes, pas de public élégant pour nous regarder : je pouvais toujours les voir
devant nous se silhouettant en sombre (formes donqui-
chottesques décharnées par la lumière qui mordait, cor-
rodait les contours), indélébiles sur le fond de soleil
aveuglant, leurs ombres noires tantôt glissant à côté d'eux
sur la route comme leurs doubles fidèles, tantôt raccour-
cies, tassées ou plutôt télescopées, naines et difformes,
tantôt étirées, échassières et distendues, répétant en rac-
courci et symétriquement les mouvements de leurs doubles verticaux auxquels elles semblent réunies par des
liens invisibles : quatre points — les quatre sabots —
se détachant et se rejoignant alternativement (exactement à la façon d'une goutte d'eau qui se détache d'un
toit ou plutôt se scinde, une partie d'elle-même restant
accrochée au rebord de la gouttière (le phénomène se
décomposant de la façon suivante : la goutte s'étirant en
poire sous son propre poids, se déformant, puis s'étranglant, la partie inférieure — la plus grosse — se séparant,
tombant, tandis que la partie supérieure semble remonter, se rétracter, comme aspirée vers le haut aussitôt
après la rupture, puis se regonfle aussitôt par un nouvel
apport, de sorte qu'un instant après il semble que ce soit
la même goutte qui pende, s'enfle de nouveau, toujours
à la même place, et cela sans fin, comme une balle cristalline animée au bout d'un élastique d'un mouvement
de va-et-vient), et, de même, la patte et l'ombre de la patte
se séparant et se ressoudant, ramenées sans fin l'une vers
l'autre, l'ombre se rétractant sur elle-même comme le
bras d'un poulpe tandis que le sabot se soulève, la patte

décrivant une courbe naturelle, arrondie, cependant que sous elle et légèrement en arrière recule seulement un peu, compressée, la tache noire qui revient ensuite se recoller au sabot — et en raison de la pente oblique des rayons, la vitesse à laquelle l'ombre revient pour ainsi dire toucher but allant croissant, de sorte que partant lentement elle semble à la fin se précipiter comme une flèche, aspirée, sur le point de contact, de jonction) comme par un phénomène d'osmose, le double mouvement multiplié par quatre, les quatre sabots et les quatre ombres télescopées se disjoignant et se rejoignant dans une sorte de va-et-vient immobile, de piétinement monotone, tandis que sous elles défilent bas-côtés poussiéreux, pavés ou herbe, comme une tache d'encre aux multiples bavures se dénouant et se renouant, glissant sans laisser de traces sur les décombres, les morts, l'espèce de traînée, de souillure, de sillage d'épaves que laisse derrière elle la guerre, et ce dut être par là que je le vis pour la première fois, un peu avant ou après l'endroit où nous nous sommes arrêtés pour boire, le découvrant, le fixant à travers cette sorte de demi-sommeil, cette sorte de vase marron dans laquelle j'étais pour ainsi dire englué, et peut-être parce que nous dûmes faire un détour pour l'éviter, et plutôt le devinant que le voyant : c'est-à-dire (comme tout ce qui jalonnait le bord de la route : les camions, les voitures, les valises, les cadavres) quelque chose d'insolite, d'irréel, d'hybride, en ce sens que ce qui avait été un cheval (c'est-à-dire ce qu'on savait, ce qu'on pouvait reconnaître, identifier comme ayant été un cheval) n'était plus à présent qu'un vague tas de membres, de corne, de cuir et de poils collés, aux trois quarts

recouvert de boue — Georges se demandant sans exactement se le demander, c'est-à-dire constatant avec cette
sorte d'étonnement paisible ou plutôt émoussé, usé et
même presque complètement atrophié par ces dix
jours au cours desquels il avait peu à peu cessé de s'éton-
ner, abandonné une fois pour toutes cette position de
l'esprit qui consiste à chercher une cause ou une expli-
cation logique à ce que l'on voit ou ce qui vous arrive :
donc ne se demandant pas comment, constatant seulement que quoiqu'il n'eût pas plu depuis longtemps — du
moins à sa connaissance — le cheval ou plutôt ce qui
avait été un cheval était presque entièrement recouvert
— comme si on l'avait trempé dans un bol de café au
lait, puis retiré — d'une boue liquide et gris-beige, déjà
à moitié absorbé semblait-il par la terre, comme si
celle-ci avait déjà sournoisement commencé à reprendre
possession de ce qui était issu d'elle, n'avait vécu que
par sa permission et son intermédiaire (c'est-à-dire
l'herbe et l'avoine dont le cheval s'était nourri) et était
destiné à y retourner, s'y dissoudre de nouveau, le recouvrant donc, l'enveloppant (à la façon de ces reptiles qui
commencent par enduire leurs proies de bave ou de suc
gastrique avant de les absorber) de cette boue liquide
sécrétée par elle et qui semblait être déjà comme un
sceau, une marque distinctive certifiant l'appartenance,
avant de l'engloutir lentement et définitivement dans son
sein en faisant sans doute entendre comme un bruit de
succion : pourtant (quoiqu'il semblât avoir été là depuis
toujours, comme un de ces animaux ou végétaux fossilisés
retournés au règne minéral, avec ses deux pattes de
devant repliées dans une posture fœtale d'agenouille-

ment et de prière à la façon des membres antérieurs d'une mante religieuse, son cou raide, sa tête raide et renversée dont la mâchoire ouverte laissait voir la tache violette du palais) il n'y avait pas longtemps qu'il avait été tué — peut-être seulement lors du dernier passage des avions ? — car le sang était encore frais : une large tache rouge clair et grumeleuse, brillante comme un vernis, s'étalant sur ou plutôt hors de la croûte de boue et de poils collés comme s'il sourdait non d'un animal, d'une simple bête abattue, mais d'une inexpiable et sacrilège blessure faite par les hommes (à la façon dont, dans les légendes, l'eau ou le vin jaillissent de la roche ou d'une montagne frappée d'un bâton) au flanc argileux de la terre ; Georges le regardant tandis qu'il faisait machinalement décrire à sa monture un large demi-cercle pour le contourner (le cheval obéissant docilement sans faire d'écart ni presser le pas ni obliger son cavalier à le tenir serré pour le maîtriser, Georges pensant à l'agitation, l'espèce de mystérieuse frayeur qui s'emparait des chevaux lorsque, partant pour l'exercice, il leur arrivait de longer, au bout du champ de manœuvres, le mur de l'entreprise d'équarissage, et alors les hennissements, les tintements des gourmettes, les jurons des hommes cramponnés aux rênes, pensant : « Et là-bas c'était seulement l'odeur. Mais maintenant même la vue d'un de leurs pareils mort ne leur fait plus rien, et sans doute marcheraient-ils même dessus, rien que parce que ça leur ferait trois pas de moins », pensant encore : « Et moi aussi d'ailleurs... » Il le vit lentement pivoter au-dessous de lui, comme s'il avait été posé sur un plateau tournant (d'abord au premier plan, la tête renversée, présentant sa face inférieure, fixe, le cou raide, puis insensiblement, les pattes repliées s'interposant, masquant la tête, puis le flanc maintenant au premier plan, la blessure, puis les membres postérieurs en extension, collés l'un à l'autre comme si on les avait ligotés, la tête réapparaissant alors, tout là-bas derrière, dessinée en perspective fuyante, les contours se modifiant d'une façon continue, c'est-à-dire cette espèce de destruction et de reconstruction simultanée des lignes et des volumes (les saillies s'affaissant par degrés tandis que d'autres reliefs semblent se soulever, se profilent, puis s'affaissent et disparaissent à leur tour) au fur et à mesure que l'angle de vue se déplace, en même temps que semblait bouger tout autour l'espèce de constellation — et d'abord il ne vit que de vagues taches — constituée d'objets de toutes sortes (selon l'angle aussi les distances entre eux diminuant ou s'élargissant) éparpillés en désordre autour du cheval (sans doute le chargement de la charrette qu'il avait traînée mais on ne voyait pas de charrette : peut-être les gens s'y étaient-ils attelés eux-mêmes et avaient-ils continué ainsi ?), Georges se demandant comment la guerre répandait (puis il vit la valise éventrée, laissant échapper comme des tripes, des intestins d'étoffe) cette invraisemblable quantité de linges, le plus souvent noirs et blancs (il y en avait pourtant un d'un rose passé, projeté sur ou accroché par la haie d'aubépines, comme si on l'avait mis là à sécher), comme si ce que les gens estimaient le plus précieux c'étaient des chiffons, des loques, des draps déchirés ou tordus, dispersés, étirés, comme des bandes, de la charpie, sur la face verdoyante de la terre...

Puis il cessa de se demander quoi que ce fût, **cessant**

en même temps de voir quoiqu'il s'efforçât de garder les
yeux ouverts et de se tenir le plus droit possible sur sa
selle tandis que l'espèce de vase sombre dans laquelle il
lui semblait se mouvoir s'épaississait encore, et il fit
noir tout à fait, et tout ce qu'il percevait maintenant
c'était le bruit, le martellement monotone et multiple
des sabots sur la route se répercutant, se multipliant (des
centaines, des milliers de sabots à présent) au point
(comme le crépitement de la pluie) de s'effacer, se
détruire lui-même, engendrant par sa continuité, son
uniformité, comme une sorte de silence au deuxième
degré, quelque chose de majestueux, monumental : le
cheminement même du temps, c'est-à-dire invisible immatériel sans commencement ni fin ni repère, et au sein
duquel il avait la sensation de se tenir, glacé, raide sur
son cheval lui aussi invisible dans le noir, parmi les fantômes de cavaliers aux invisibles et hautes silhouettes
glissant horizontalement, oscillant ou plutôt se dandinant faiblement au pas cahoté des chevaux, si bien que
l'escadron, le régiment tout entier semblait progresser
sans avancer, comme au théâtre ces personnages immobiles dont les jambes imitent sur place le mouvement
de la marche tandis que derrière eux se déroule en tremblotant une toile de fond sur laquelle sont peints maisons arbres nuages, avec cette différence qu'ici la toile
de fond était seulement la nuit, du noir, et à un moment
la pluie commença à tomber, elle aussi monotone, infinie
et noire, et non pas se déversant mais, comme la nuit elle-
même, englobant dans son sein hommes et montures,
ajoutant mêlant son imperceptible grésillement à cette
formidable patiente et dangereuse rumeur de milliers de

chevaux allant par les routes, semblable au grignotement que produiraient des milliers d'insectes rongeant le monde (au reste les chevaux, les vieux chevaux d'armes, les antiques et immémoriales rosses qui vont sous la pluie nocturne le long des chemins, branlant leur lourde tête cuirassée de méplats, n'ont-ils pas quelque chose de cette raideur de crustacés cet air vaguement ridicule vaguement effrayant de sauterelles, avec leurs pattes raides leurs os saillants leurs flancs annelés évoquant l'image de quelque animal héraldique fait non pas de chair et de muscles mais plutôt semblable — animal et armure se confondant — à ces vieilles guimbardes aux tôles et aux pièces rouillées, cliquetant, rafistolées à l'aide de bouts de fils de fer, menaçant à chaque instant de s'en aller en morceaux ?), rumeur qui, dans l'esprit de Georges avait fini par se confondre avec l'idée même de guerre, le monotone piétinement qui emplissait la nuit semblable à un cliquetis d'ossement, l'air noir et dur sur les visages comme du métal, de sorte qu'il lui semblait (pensant à ces récits d'expéditions au pôle où l'on raconte que la peau reste attachée au fer gelé) sentir les ténèbres froides adhérer à sa chair, solidifiées, comme si l'air, le temps lui-même n'étaient qu'une seule et unique masse d'acier refroidi (comme ces mondes morts, éteints depuis des milliards d'années et couverts de glaces) dans l'épaisseur de laquelle ils étaient pris, immobilisés pour toujours, eux, leurs vieilles carnes macabres, leurs éperons, leurs sabres, leurs armes d'acier : tout debout et intacts, tels que le jour lorsqu'il se lèverait les découvrirait à travers les épaisseurs transparentes et glauques, semblables à une armée en marche surprise par un cataclysme et que le

lent glacier à l'invisible progression restituerait, vomi-
rait dans cent ou deux cent mille ans de cela, pêle-mêle
avec tous les vieux lansquenets, reîtres et cuirassiers de
jadis, dégringolant, se brisant dans un faible tintement
de verre...

« A moins que tout ça ne se mette aussitôt à pourrir
et puer, pensa-t-il. Comme ces mammouths... » Puis il fut
tout à fait réveillé (sans doute à cause du changement
d'allure du cheval, c'est-à-dire, quoiqu'il fût toujours au
pas, un déhanchement plus sec, chassant le corps vers
le pommeau de la selle, ce qui signifiait que la route
s'était maintenant mise à descendre) : mais il faisait toujours aussi noir, et même en écarquillant les yeux tant
qu'il pouvait il ne parvenait à rien distinguer, pensant
(au bruit des sabots différent maintenant, sonnant plus
creux et, pendant un moment, la sensation d'un silence
différent aussi, d'une obscurité différente, non pas plus
humide ou plus fraîche — car la même pluie tombait
toujours — mais pour ainsi dire liquide et mouvante, au-
dessous d'eux) qu'ils devaient passer sur un pont ; puis
sous les sabots le sol rendit de nouveau un son plein et
la route commença à monter.

Là où la culotte frottait contre la selle, entre le genou
et les sacoches à avoine, le patient filet d'eau qui s'infiltrait avait complètement détrempé le drap et il pouvait
sentir contre sa peau le froid de l'étoffe mouillée, et sans
doute la route s'élevait-elle en lacets car à présent le crépitement monotone arrivait de partout : non plus seulement de l'avant et de l'arrière mais encore à droite, au-
dessus, à gauche, au-dessous, et, les yeux grands ouverts
sur le noir, presque insensible maintenant (les étriers

déchaussés, penché à présent sur le pommeau, les deux jambes passées par dessus les sacoches pour soulager les genoux, se laissant ballotter comme un paquet) il croyait entendre tous les chevaux, les hommes, les wagons en train de piétiner ou de rouler en aveugles dans cette même nuit, cette même encre, sans savoir vers où ni vers quoi, le vieux et inusable monde tout entier frémissant, grouillant et résonnant dans les ténèbres comme une creuse boule de bronze avec un catastrophique bruit de métal entrechoqué, pensant à son père assis dans le kiosque aux vitres multicolores au fond de l'allée de chênes où il passait ses après-midi à travailler, couvrir de sa fine écriture raturée et surchargée les éternelles feuilles de papier qu'il transportait avec lui d'un endroit à l'autre dans une vieille chemise aux coins cornés, comme une sorte d'inséparable complément de lui-même, d'organe supplémentaire inventé sans doute pour remédier aux défaillances des autres (les muscles, les os accablés sous le monstrueux poids de graisse et de chairs distendues, de matière devenue impropre à satisfaire par elle-même ses propres besoins de sorte qu'elle semblait avoir inventé, secrété comme une sorte de sous-produit de remplacement, de sixième sens artificiel, de prothèse omnipotente fonctionnant à l'encre et à la pâte de bois); mais ce soir-là, les journaux du matin encore étalés pêle-mêle sur la table d'osier par dessus la chemise, les précieux papiers qu'il avait apportés comme chaque jour mais qui se trouvaient encore à l'endroit même où ils les avaient posés en arrivant, au début de l'après-midi, les journaux en désordre et froissés à force d'avoir été relus et retenant encore dans la pénombre du kiosque la lumière du crépuscule d'été à travers lequel parvenait le halètement paisible du tracteur, le métayer finissant de faucher la grande prairie, le bruit du moteur s'emballant, s'exaspérant quand il remontait la pente de la colline, rageur, dominant leurs voix, puis, parvenu en haut, se relâchant brusquement, s'effaçant presque tandis qu'il passait derrière le bouquet de bambous en tournant, redescendait la pente, tournait encore, longeait le bas de la colline, puis se précipitait, se ruait de nouveau, le moteur s'arc-boutant semblait-il à l'assaut de la pente, et Georges savait alors qu'il allait peu à peu le voir apparaître, s'élevant, se hissant avec cette irrésistible lenteur de tout ce qui de près ou de loin et de quelque espèce que ce soit — hommes, animaux, mécaniques — touche aux choses de la terre, le buste immobile du métayer imperceptiblement secoué par les trépidations surgissant peu à peu dans le crépuscule devant le fond de collines, les dépassant, se détachant enfin, sombre, sur le ciel pâle, et son père dans le fauteuil d'osier qui grinçait sous son poids à chacun de ses mouvements, le regard perdu dans le vide derrière les lunettes inutiles où Georges pouvait voir se refléter deux fois la minuscule silhouette découpée sur le couchant traversant (ou plutôt glissant lentement sur) la surface bombée des verres en passant par les phases successives de déformations dues à la courbure des lentilles — d'abord étirée en hauteur, puis s'aplatissant, puis s'allongeant de nouveau, filiforme, tandis qu'elle pivotait lentement et disparaissait —, de sorte que tandis qu'il écoutait lui parvenir dans la pénombre la voix fatiguée du vieil homme il lui semblait voir l'invincible image du paysan non pas simplement traverser d'un bord à l'autre chacune des deux lunes de ciel mais (à la façon de ces personnages assis sur un manège) apparaître, grossir, s'approcher et décroître de nouveau comme si elle parcourait, éternelle, tremblotante et imperturbable, la ronde et éblouissante surface du monde...

Et son père parlant toujours, comme pour lui-même, parlant de ce comment s'appelait-il philosophe qui a dit que l'homme ne connaissait que deux moyens de s'approprier ce qui appartient aux autres, la guerre et le commerce, et qu'il choisissait en général tout d'abord le premier parce qu'il lui paraissait le plus facile et le plus rapide et ensuite, mais seulement après avoir découvert les inconvénients et les dangers du premier, le second c'est-à-dire le commerce qui était un moyen non moins déloyal et brutal mais plus confortable, et qu'au demeurant tous les peuples étaient obligatoirement passés par ces deux phases et avaient chacun à son tour mis l'Europe à feu et à sang avant de se transformer en sociétés anonymes de commis voyageurs comme les Anglais mais que guerre et commerce n'étaient jamais l'un comme l'autre que l'expression de leur rapacité et cette rapacité elle-même la conséquence de l'ancestrale terreur de la faim et de la mort, ce qui faisait que tuer voler piller et vendre n'étaient en réalité qu'une seule et même chose un simple besoin celui de se rassurer, comme des gamins qui sifflent ou chantent fort pour se donner du courage en traversant une forêt la nuit, ce qui expliquait pourquoi le chant en chœur faisait partie au même titre que le maniement d'armes ou les exercices de tir du programme d'instruction des troupes parce que rien n'est pire que le silence quand, et Georges alors en colère

disant : « Mais bien sûr ! », et son père regardant toujours sans le voir le boqueteau de trembles palpitant faiblement dans le crépuscule, l'écharpe de brume en train
de s'amasser lentement dans le fond de la vallée, noyant
les peupliers, les collines s'enténébrant, et disant :
« Qu'est-ce que tu as ? » et lui : « Rien je n'ai rien Je
n'ai surtout pas envie d'aligner encore des mots et des
mots et encore des mots Est-ce qu'à la fin tu n'en as pas
assez toi aussi ? » et son père : « De quoi ? » et lui : « Des
discours D'enfiler des... », puis se taisant, se rappelant
qu'il partait le lendemain, se contenant, son père le
regardant maintenant, silencieux, puis cessant de le
regarder (le tracteur avait terminé à présent, passait
bruyamment derrière le kiosque, le métayer juché sur le
siège haut perché, la tache claire de sa chemise seule
visible dans l'ombre dense sous les arbres glissant, rattachée à rien, fantomatique, s'éloignant, disparaissant au
coin de la grange, le bruit du moteur cessant peu après,
le silence refluant alors) ; il ne pouvait plus distinguer
le visage du vieil homme, seulement un masque flou suspendu au-dessus de l'énorme et confuse masse affalée
dans le fauteuil, pensant : « Mais il a de la peine et il
cherche à le cacher à se donner lui aussi du courage
C'est pour ça qu'il parle tant Parce que tout ce qu'il a
à sa disposition c'est seulement cela cette pesante obstinée et superstitieuse crédulité — ou plutôt croyance —
en l'absolue prééminence du savoir appris par procuration, de ce qui est écrit, de ces mots que son père à lui
qui n'était qu'un paysan n'a jamais pu réussir à déchif-
frer, leur prêtant, les chargeant donc d'une sorte de pouvoir mystérieux, magique... » ; la voix de son père,

empreinte de cette tristesse, de cet intraitable et vacillant acharnement à se convaincre elle-même sinon de l'utilité ou de la véracité de ce qu'elle disait, du moins de l'utilité de croire à l'utilité de le dire, s'obstinant pour lui tout seul — comme un enfant siffle en traversant un bois dans le noir avait-il dit —, continuant à présent à lui parvenir, non plus à travers la pénombre du kiosque dans la stagnante chaleur d'août, de l'été pourrissant où quelque chose finissait définitivement de se corrompre, puant déjà, se gonflant comme un cadavre empli de vers et crevant à la fin, ne laissant plus subsister qu'un insignifiant résidu, l'amas de journaux froissés où depuis longtemps on ne distinguait plus rien (même pas des lettres, des signes reconnaissables, même plus les gros titres à sensation : à peine une tache, une ombre un peu plus grise sur la grisaille du papier), mais (la voix, les paroles) s'élevant maintenant dans les ténèbres froides où, invisibles, s'étirait interminablement la longue théorie des chevaux en marche depuis toujours semblait-il : comme si son père n'avait jamais cessé de parler, Georges attrapant au passage un des chevaux et sautant dessus, comme s'il s'était simplement levé de son siège, avait enfourché une de ces ombres cheminant depuis la nuit des temps, le vieil homme continuant à parler à un fauteuil vide tandis qu'il s'éloignait, disparaissait, la voix solitaire s'obstinant, porteuse de mots inutiles et vides, luttant pied à pied contre cette chose fourmillesque qui remplissait la nuit d'automne, la noyait, la submergeait à la fin sous son majestueux et indifférent piétinement.

Ou peut-être n'avait-il fait que fermer les yeux et les rouvrir aussitôt, son cheval manquant de buter sur celui qui le précédait, et alors se réveillant tout à fait, se rendant compte qu'à présent le bruit des sabots avait cessé et que toute la colonne était arrêtée si bien que l'on n'entendait plus maintenant que le ruissellement de la pluie tout autour, la nuit toujours aussi noire, déserte, un cheval renâclant parfois, s'ébrouant, puis le bruit de la pluie recouvrant tout de nouveau et au bout d'un moment on entendit des ordres criés en tête de l'escadron et à son tour le peloton s'ébranla pour s'immobiliser de nouveau après quelques mètres, quelqu'un descendant le long de la colonne au grand trot, la monture ferrant légèrement, faisant entendre à chaque foulée un tintement clair, métallique, et, noire sur noir, une forme surgit du néant, passa dans un froissement musculeux de bête en course, de buffleteries, de harnachement et de ferraille entrechoquée, le buste obscur incliné en avant sur l'encolure, sans visage, casqué, apocalyptique, comme le spectre même de la guerre surgi tout armé des ténèbres et y retournant, après quoi il s'écoula encore un temps assez long jusqu'à ce qu'à la fin l'ordre vint de repartir et presque aussitôt ils distinguèrent les premières maisons, un peu plus noires encore que le ciel.

Puis ils furent dans la grange, avec cette fille tenant la lampe au bout de son bras levé, semblable à une apparition : quelque chose comme une de ces vieilles peintures au jus de pipe : brun (ou plutôt bitumeux) et tiède, et, pour ainsi dire, non pas tant l'intérieur d'un bâtiment que, semblait-il, comme s'ils avaient pénétré (pénétrant en même temps dans l'odeur âcre des bêtes, du foin) dans une sorte d'espace organique, viscéral, Georges se tenant, un peu étourdi, un peu ahuri, clignant des

yeux, les paupières brûlantes, stupide, gourd dans ses
vêtements roides et pesants de pluie, ses bottes roides, sa
fatigue, et cette mince pellicule de saleté et d'insomnie
interposée entre son visage et l'air extérieur comme une
impalpable et craquelante couche de glace, de sorte qu'il
lui semblait pouvoir sentir en même temps le froid de la
nuit — ou plutôt maintenant de l'aube — apporté, entré
là avec lui, l'enserrant encore (et, pensa-t-il, l'aidant sans
doute, comme un corset, à se tenir debout, pensant encore
confusément qu'il lui fallait se dépêcher de desseller et de
se coucher avant qu'il se mette à fondre, à se désagréger)
et, d'autre part, cette sorte de tiédeur pour ainsi dire ven-
trale au sein de laquelle elle se tenait, irréelle et demi
nue, à peine ou mal réveillée, les yeux, les lèvres, toute sa
chair gonflée par cette tendre langueur du sommeil, à
peine vêtue, jambes nues, pieds nus malgré le froid dans
de gros souliers d'homme pas lacés, avec une espèce de
châle en tricot violet qu'elle ramenait sur sa chair laiteuse, le cou laiteux et pur qui sortait de la grossière
chemise de nuit, dans cette nappe de lumière jaunâtre de
la lampe qui semblait couler sur elle à partir de son bras
levé comme une phosphorescente couche de peinture,
jusqu'à ce que Wack ait réussi à allumer la lanterne, et
alors elle souffla la lampe, se détourna et sortit dans le
petit jour bleuâtre semblable à une taie sur un œil aveugle, sa silhouette se découpant un instant en sombre
tant qu'elle fut dans la pénombre de la grange, puis,
sitôt le seuil franchi, semblant s'évanouir, quoiqu'ils con-
tinuassent à la suivre des yeux non pas s'éloignant mais,
aurait-on dit, se dissolvant, se fondant dans cette chose
à vrai dire plus grisâtre que bleuâtre et qui était sans

doute le jour, puisqu'il fallait tout de même bien qu'il arrivât, mais apparemment sans aucun des pouvoirs, des vertus inhérentes au jour, quoiqu'on distinguât vaguement une murette de l'autre côté du chemin, le tronc d'un gros noyer et, derrière, les arbres du verger, mais tout ton sur ton, sans couleurs ni valeurs, comme si murette, noyer et pommiers (la jeune femme avait maintenant disparu) étaient pour ainsi dire fossilisés, n'avaient laissé là que leur empreinte dans cette matière inconsistante, spongieuse et uniformément grise qui s'infiltrait maintenant peu à peu dans la grange, le visage de Blum comme un masque gris quand Georges se retourna, comme une feuille de papier déchiré avec deux trous pour les yeux, la bouche grise aussi, Georges continuant encore la phrase qu'il avait commencée ou plutôt entendant sa voix la continuer (sans doute quelque chose comme : Dis donc tu as vu cette fille, elle...), puis la voix cessant, les lèvres persistant peut-être encore à remuer sur du silence, puis cessant elles aussi tandis qu'il regardait ce visage de papier, et Blum (il avait enlevé son casque et maintenant son étroite figure de fille semblait plus étroite encore entre les oreilles décollées, pas beaucoup plus grosse qu'un poing, au-dessus du cou de fille sortant du col raide et mouillé du manteau comme hors d'une carapace, souffreteux, triste, féminin, buté) disant : « Quelle fille ? », et Georges : « Quelle... Qu'est-ce que tu as ? », le cheval de Blum encore sellé, même pas attaché, et lui simplement appuyé au mur comme s'il avait eu peur de tomber, avec son mousqueton toujours en bandoulière, sans même avoir le courage de se déséquiper, et Georges disant pour la deuxième fois : « Qu'est-ce que tu as ? Tu

es malade ? » et Blum haussant les épaules, se détachant
du mur, commençant à déboucler la sangle, et Georges :
« Bon sang, laisse donc ce cheval. Va te coucher. Si je te
poussais tu tomberais... », lui-même dormant presque
debout, mais Blum ne résista pas lorsqu'il l'écarta :
sur les croupes cuivrées des chevaux les poils étaient
collés par la pluie, sombres, ils étaient aussi collés et
mouillés sous le tapis de selle, une odeur âcre, acide, s'en
exhalant, et tandis qu'il rangeait leurs deux paquetages
le long du mur il lui semblait toujours la voir, là où elle
s'était tenue l'instant d'avant, ou plutôt la sentir, la percevoir comme une sorte d'empreinte persistante, irréelle,
laissée moins sur sa rétine (il l'avait si peu, si mal vue)
que, pour ainsi dire, en lui-même : une chose tiède, blanche comme le lait qu'elle venait de tirer au moment où
ils étaient arrivés, une sorte d'apparition non pas éclairée
par cette lampe mais luminescente, comme si sa peau
était elle-même la source de la lumière, comme si toute
cette interminable chevauchée nocturne n'avait eu d'autre raison, d'autre but que la découverte à la fin de cette
chair diaphane modelée dans l'épaisseur de la nuit : non
pas une femme mais l'idée même, le symbole de toute
femme, c'est-à-dire... (mais était-il encore debout, défai-
sant courroies et boucles avec des gestes d'automate, ou
déjà couché, dormant, gisant dans le foin entêtant, tandis
que l'entourait, l'ensevelissait le lourd sommeil)... som-
mairement façonnés dans la tendre argile deux cuisses
un ventre deux seins la ronde colonne du cou et au creux
des replis comme au centre de ces statues primitives et
précises cette bouche herbue cette chose au nom de bête,
de terme d'histoire naturelle — moule poulpe pulpe

41

vulve — faisant penser à ces organismes marins et carni-
vores aveugles mais pourvus de lèvres, de cils : l'orifice
de cette matrice le creuset originel qu'il lui semblait voir
dans les entrailles du monde, semblable à ces moules dans
lesquels enfant il avait appris à estamper soldats et cavaliers, rien qu'un peu de pâte pressée du pouce, l'innombrable engeance sortie toute armée et casquée selon la
légende et se multipliant grouillant se répandant sur la
surface de la terre bruissant de l'innombrable rumeur, de
l'innombrable piétinement des armées en marche, les
innombrables noirs et lugubres chevaux hochant balançant tristement leurs têtes, se succédant défilant sans
fin dans le crépitement monotone des sabots (il ne
dormait pas, se tenait parfaitement immobile, et non pas
une grange à présent, non pas la lourde et poussiéreuse senteur du foin desséché, de l'été aboli, mais cette
impalpable, nostalgique et tenace exhalaison du temps
lui-même, des années mortes, et lui flottant dans les
ténèbres, écoutant le silence, la nuit, la paix, l'imperceptible respiration d'une femme à côté de lui, et au bout
d'un moment il distingua le second rectangle dessiné par
la glace de l'armoire reflétant l'obscure lumière de la
fenêtre — l'armoire éternellement vide des chambres
d'hôtel avec, pendus à l'intérieur, deux ou trois cintres
nus, l'armoire elle-même (avec son fronton triangulaire
encadré de deux pommes de pin) faite de ce bois d'un
jaune pisseux aux veinules rougeâtres que l'on n'emploie
semble-t-il que pour ces sortes de meubles destinés à ne
jamais rien renfermer sinon leur vide poussiéreux, poussiéreux cercueil des fantômes reflétés de milliers
d'amants, de milliers de corps nus, furieux et moites, de

milliers d'étreintes emmagasinées, confondues dans les glauques profondeurs de la glace inaltérable, virginale et froide —, et lui se rappelant :) « ... Jusqu'à ce que je me rendisse compte que c'était non pas des chevaux mais la pluie sur le toit de la grange, ouvrant alors les yeux découvrant la lumière filtrant en lamelles par les interstices entre les planches de la paroi : il devrait être tard et pourtant le jour était encore de ce même blanc sale dans lequel elle avait disparu, qui l'avait absorbée et pour ainsi dire épongée dans l'aube chargée d'eau ou plutôt imbibée imprégnée comme une étoffe comme nos vêtements, sentant l'odeur du drap mouillé buvard dans lesquels nous avions dormi et nous tenions maintenant mal réveillés stupides regardant dans un bout de miroir accroché au-dessus d'un seau de toile plein d'eau glacée nos visages gris sales eux aussi tirés par le manque de sommeil blafards avec leurs joues mal rasées nos tignasses mêlées de paille nos yeux aux bords trop roses et cette espèce d'étonnement de malaise de répulsion (comme celle qu'on éprouve à la vue d'un cadavre comme si la bouffissure de la décomposition s'était déjà par avance installée avait commencé son travail le jour où nous avions revêtu nos anonymes tenues de soldats, revêtant en même temps, comme une espèce de flétrissure, ce masque uniforme de fatigue de dégoût de crasse) alors j'éloignai le miroir, mon ou plutôt ce visage de méduse basculant s'envolant comme aspiré par le fond ombreux marron de la grange, disparaissant avec cette foudroyante rapidité qu'imprime aux images reflétées le plus petit changement d'angle et à la place je les vis à l'autre bout de l'écurie, palabrant ou plutôt se taisant c'est-à-

dire échangeant du silence comme d'autres échangent des
paroles c'est-à-dire une certaine espèce de silence qu'ils
étaient les seuls à comprendre et qui était sans doute
pour eux plus éloquente que tous les discours, entourant
le cheval couché sur le flanc : trois à têtes de paysans, de
ces types taciturnes méfiants renfermés qui composaient
la majeure partie de l'effectif du régiment avec cet on
ne sait quoi de douloureux dans leurs visages précocement ridés empreints de cette nostalgie de leurs champs
de leur solitude de leurs bêtes de la terre noire et avare,
et je dis Qu'est-ce qu'il y a qu'est-ce qui se passe ? mais
ils ne me répondirent même pas, pensant sans doute que
c'était inutile ou que peut-être nous ne parlions pas la
même langue alors je m'approchai et regardai à mon tour
pendant un moment le cheval respirant péniblement,
Iglésia était là lui aussi mais pas plus que les autres il
n'avait paru m'entendre quoiqu'entre lui et moi je pensais j'espérais qu'il pourrait au moins y avoir une possibilité de contact, mais sans doute que d'être jockey c'est
aussi un peu quelque chose comme paysan malgré les
apparences qui donneraient à croire qu'il, c'est-à-dire que
puisqu'il avait vécu dans les villes où tout au moins au
contact des villes il était permis de l'imaginer quand
même un peu différent d'un paysan, c'est-à-dire pariant
jouant et même plutôt affranchi comme le sont souvent
les jockeys, et ayant passé son enfance non pas à garder
les oies ou à conduire les vaches à l'abreuvoir mais à traîner sans doute dans un ruisseau et sur le pavé des villes,
mais il faut croire que c'est moins la campagne que les
bêtes la compagnie le contact des bêtes, car il était à peu
près aussi renfermé aussi taciturne aussi peu communi-

catif que n'importe lequel d'entre eux et comme eux toujours occupé absorbé (comme s'il était incapable de rester sans rien faire) dans une de ces minutieuses et lentes
besognes qu'ils ont le secret de s'inventer : de là où j'étais
(un peu en arrière de lui assis sur une vieille brouette et
me tournant aux trois quarts le dos, ses épaules remuant
un peu, sans doute déjà en train d'astiquer son harnachement ou celui de de Reixach, passant les boucles de
cuivre au kaol et sur les rênes cette cire jaune dont il
semblait transporter un stock avec lui) je pouvais voir
son grand nez, sa tête penchée comme si elle était entraî-
née vers le bas par le poids de cette espèce de bec, de truc
postiche carnavalesque comme rajouté en avant de sa
figure en lame de couteau telle qu'on n'en fabrique sans
doute plus depuis les spadassins de la Renaissance italienne enveloppés dans leurs capes d'assassins laissant
juste dépasser ce nez proéminent d'aigle lui donnant cet
air à la fois terrible et malheureux d'oiseau affligé de...
Où avais-je lu cette histoire dans Kipling je crois ce conte
sinon où, de cet animal affligé d'un bec, d'un tarin
« Va te faire tarauder l'oignon » disait-il, ou « Tu as le
cul bordé de nouilles » expression de jockeys pour « avoir
de la chance » mais il n'y avait aucun soupçon de vulga-
rité dans sa voix, plutôt une sorte de candeur, de naïveté,
d'étonnement et aussi de réprobation scandalisée comme
quand il a vu la façon dont Blum avait sellé ce cheval et
que malgré ça il n'avait pas de gonfles après une aussi longue étape, sa voix cassée enrouée et blanche étrangement
douce, au contraire de ce qu'on aurait pu attendre et
même humble avec quelque chose d'enfantin qui semblait
un paradoxal démenti à ce masque de carnaval osseux

et ridé sans compter le fait qu'il avait au moins quinze ans de plus que la moyenne d'entre nous, se trouvait là comme entouré de gamins uniquement parce que de Reixach s'était arrangé, avait probablement fait jouer ses relations pour le faire affecter à notre régiment de façon à pouvoir le garder près de lui comme ordonnance, et de fait on aurait dit qu'ils ne pouvaient pas se passer l'un de l'autre, tout autant lui de de Reixach que celui-ci de lui, cet attachement hautain du maître pour son chien et de bas en haut du chien pour son maître sans se poser la question de savoir si le maître en est digne ou non : admettant simplement, reconnaissant ne mettant pas une seconde en discussion l'état des choses, respectueux de celui-ci comme tout le montrait comme par exemple cette manière ou plutôt manie de reprendre patiemment avec cette obstination et cette fidélité domestique ceux qui écorchaient son nom prononçant comme ça s'écrit : de Reixach, et lui : « Reichac vingt dieux t'as pas encore compris : chac l'ixe comme ch-che et le ch à la fin comme k Mince alors jte jure çuilà qu'est-ce qu'il peut être cloche ça fait au moins dix fois que je lui explique t'as donc jamais été aux courses patate c'est pourtant un nom assez connu... » Fier du nom, des couleurs, de cette casaque de soie brillante qu'il portait, rose bretelles noires toque noire sur le vert billard des pistes, une livrée, et pourtant quand l'autre a pris cette rafale de mitraillette à bout portant et qu'un moment après j'ai proposé de retourner, d'aller voir s'il était mort ou non, m'examinant (comme lorsqu'un peu plus tôt de Reixach avait obligé ce soldat perdu à descendre de sur le cheval de main sur lequel il nous avait supplié de le laisser monter, me disant un moment après : C'était un espion, et moi : qui ?, et lui, haussant les épaules : Ce type, et moi : Un... Mais à quoi l'as-tu vu? et lui me dévisageant alors avec ces mêmes yeux globuleux, ce même regard interdit à la fois doux réprobateur légèrement scandalisé et étonné comme s'il s'efforçait de me comprendre, prenait en pitié mon imbécillité, tout aussi stupéfait apparemment et choqué que lorsqu'il entendait quelqu'un maudire les officiers et envoyer, vouer au diable son de Reixach qui maintenant y était sans doute — au diable — pour de bon), cherchant sans doute à percer cette pellicule cette croûte que je pouvais sentir sur mon visage comme de la paraffine, se craquelant aux rides, opaque, m'isolant, faite de fatigue de sommeil de sueur et de poussière, son visage à lui toujours empreint de la même expression incrédule réprobatrice et douce, disant : « Voir quoi ? », et moi : « S'il est mort. Après tout même comme ça à bout portant ce type a pu le rater, peut-être seulement le blesser ou seulement tuer son cheval puisque le cheval est tombé alors que nous l'avons vu dégainer son sabre et que... », puis je me tus me rendant compte que je perdais mon temps, que la question pour lui de retourner d'aller voir ne se posait même pas, non par lâcheté mais se demandant sans doute simplement pourquoi au nom de quoi (et vraiment ne trouvant pas) il aurait été risquer sa peau pour faire une chose pour laquelle on ne l'avait pas payé ni expressément commandé, problème qui sans doute le dépassait : cirer les bottes de de Reixach astiquer son harnachement soigner et faire gagner ses chevaux cela c'était son travail et il s'en acquittait avec cette scrupuleuse application dont il avait fait preuve depuis cinq ans qu'il montait pour lui, et pas seulement ses chevaux racontait-on, grimpant sautant aussi sa, mais que ne racontait-on pas sur lui sur eux... »

Et cherchant (Georges) à imaginer cela : des scènes, de fugitifs tableaux printaniers ou estivaux, comme surpris, toujours de loin, à travers le trou d'une haie ou entre deux buissons : quelque chose avec des pelouses d'un vert éternellement éclatant, des barrières blanches, et Corinne et lui l'un en face de l'autre, lui plus petit qu'elle, planté sur ses courtes pattes arquées, avec ses souples bottes à revers, sa culotte blanche et cette casaque en soie étincelante dont elle avait elle-même choisi les couleurs et qui semblait (de cette même matière brillante et satinée dont sont faits les dessous — soutien-gorge culotte et ces porte-jarretelles noirs — féminins) comme un burlesque, agressif et voluptueux travestissement : comme ces nains difformes que l'on habillait autrefois aux couleurs des reines et des princesses, de teintes précieuses et tendres, lui avec son masque de carnaval italien, sa peau jaune, son visage osseux, ascétique, son nez en coupe-vent, ses gros yeux globuleux, son air passif (pensif), réfléchi et souffreteux (apparence peut-être accusée par ce port de tête particulier aux jockeys, le col officier de la casaque sous lequel est noué un mouchoir qui ressemble à un pansement leur engonçant le cou, lui donnant cette raideur, la tête projetée en avant, comme quelqu'un qui souffre d'abcès à la nuque ou de furonculose), et elle debout en face de lui (et apparemment rien d'autre qu'un jockey déférent écoutant les ordres de sa propriétaire, patient, triturant machinalement entre ses mains la poignée de sa cravache) dans une de ces

robes de voile multicolores et transparentes dans le contre-
jour qui étire les ombres sur la pelouse, ou encore de ce
rouge qui semblait fait pour s'accorder avec la couleur de
ses cheveux, son corps dessiné à l'intérieur en transparence
(la fourche de ses jambes) par les rayons frisants du
soleil et se détachant nettement, comme si elle était nue,
en rouge foncé dans le nuage vaporeux des voiles de
sorte qu'elle faisait penser (mais pas penser, pas plus
que le chien ne pense quant il entend la sonnette fatidique qui déclenche ses réflexes : donc pas penser, plutôt quelque chose comme saliver) à quelque chose comme
un de ces sucres d'orge (et sirop, et orgeat, des mots
aussi pour elle, pour cela), de ces sucreries enveloppées
de papier cellophane aux teintes acides (papiers dont le
froissement cristallin, la couleur seule, la matière même,
avec leurs cassures où la paraffine apparaît en un fin
réseau de lignes grises entrecroisées, provoque déjà les
réflexes physiologiques), Georges pouvant voir remuer
leurs lèvres, mais pas entendre (trop loin, caché derrière
sa haie, derrière le temps, tandis qu'il écoutait (plus tard,
lorsque Blum et lui eurent réussi à l'apprivoiser un peu)
Iglésia leur raconter une de ses innombrables histoires
de chevaux, par exemple celle de ce trois ans qui souffrait
d'une lymphangite et avec lequel néanmoins il avait gagné
plusieurs... Georges disant : « Mais est-ce qu'elle... » et
Iglésia : « Elle venait surveiller quand je lui posais ce
révulsif. C'était une formule que m'avait donné mon premier patron, mais il fallait faire attention de... », et Georges : « Mais quand elle venait, est-ce que tu... je veux
dire : est-ce que vous... », et Iglésia répondant encore à
côté) ; au surplus cela n'avait pas d'importance : il n'avait

pas besoin de savoir ce que disaient la bouche, les lèvres
peintes qui remuaient doucement, ni ce que répondaient
les grosses lèvres crevassées, dures, du masque de carnaval, et pour la bonne raison que c'étaient, que ce ne pouvaient être que des mots dépourvus d'importance, anodins (parlant probablement, elle et lui, du révulsif ou du
tendon claqué, comme il le racontait avec cette espèce
d'innocente naïveté) ; probablement était-ce bien cela :
c'est-à-dire pas une idylle, une intrigue se déroulant, ver-
beuse, convenue, ordonnée, s'engageant, se fortifiant, se
développant suivant un harmonieux et raisonnable cres-
cendo coupé par les indispensables arrêts et fausses
manœuvres, et un point culminant, et après cela peut-
être un palier, et après cela encore l'obligatoire decres-
cendo : non, rien d'organisé, de cohérent, pas de mots, de
paroles préparatoires, de déclarations ni de commen-
taires, seulement cela : ces quelques images muettes, à
peine animées, vues de loin : elle lui donnant ses ordres
au pesage, ou encore lui souillé et crotté, des traînées de
terre ou d'herbe écrasée, vert-jaune, sur sa culotte, et peut-
être boitant légèrement, tenant sur le bras sa minuscule
selle de poupée d'où pendent les étriers qui s'entrecho-
quent avec un tintement argentin, marchant à côté d'elle
vers les balances derrière le cheval trempé et fumant que
mène par la bride un de ces petits lads aux cheveux sales
et trop longs, aux vêtements élimés et à la pâle figure de
voyou ; ou encore un matin ensoleillé, devant les écuries,
et lui, avec sa culotte reprisée de tous les jours et ses
vieilles bottes craquelées, et en manches de chemise,
accroupi, en train de savonner et masser les jarrets d'un
cheval, et tout à coup, sur les pavés mouillés des abords,

son ombre à elle, dans une de ces robes claires, simples, matinales, ou encore peut-être en tenue de cheval, bottée elle aussi, tapotant de sa cravache une de ses jambes, et lui restant accroupi, sans se retourner, continuant à masser le tendon malade jusqu'à ce qu'elle lui parle, et se levant alors, se tenant de nouveau devant elle, le buste légèrement incliné en avant, les bras savonneux jusqu'au coude et, aux mouvements de leurs deux têtes, au geste qu'à un moment il fait avec l'un de ses bras, on comprend qu'ils parlent du cheval, de l'emplâtre, et pas plus (sinon peut-être un clin d'œil équivoque entre deux lads, la façon sournoise de la regarder d'un de ces petits garçons malingres, dépenaillés et vicieux que l'on voit passer suspendus au bridon des bêtes étincelantes, avec leurs petites gueules de frappes mal nourries, leur air crapuleux et pitoyable, dans un électrique flamboiement de crinières, de muscles et de robes irisées), et donc pas beaucoup question d'amour, à moins que, justement, l'amour — ou plutôt la passion — ce soit cela : cette chose muette, ces élans, ces répulsions, ces haines, tout informulé — et même informé —, et donc cette simple suite de gestes, de paroles, de scènes insignifiantes, et, au centre, sans préambule, cet assaut, ce corps à corps urgent, rapide, sauvage, n'importe où, peut-être dans l'écurie même, sur une balle de paille, elle les jupes haut troussées, avec ses bas, ses jarretelles, le bref éclair de peau éblouissante en haut des cuisses, tous deux haletants, furieux, avec sans doute la terreur d'être surpris, elle guettant par dessus son épaule, l'œil fou, le cou tordu, la porte de l'écurie, et autour d'eux l'odeur ammoniacale des litières, et les bruits des bêtes dans leurs stalles, et lui aussitôt après de nou-

veau avec ce masque de cuir et d'os inchangé, impénétrable, triste, taciturne, et passif, et morne, et servile...
Cela. Et par dessus, en filigrane pour ainsi dire, cet insipide et obsédant bavardage qui, pour Georges, avait fini par être non pas quelque chose d'inséparable de sa mère quoique cependant distinct (comme, s'échappant d'elle, un flot, un produit qu'elle eût secrété), mais pour ainsi dire sa mère elle-même, comme si les éléments qui la composaient (la flamboyante chevelure orange, les doigts endiamantés, les robes trop voyantes qu'elle s'obstinait à porter non malgré son âge, mais, semblait-il, en raison directement proportionnelle à celui-ci, le nombre, l'éclat, la violence des couleurs augmentant en même temps que le nombre des années) n'avaient constitué que l'éclatant et tapageur support de ce caquetage volubile et encyclopédique à travers lequel, au milieu d'histoires de domestiques, de couturières, de coiffeur et d'innombrables relations et connaissances, les de Reixach — c'est-à-dire non seulement Corinne et son mari, mais la lignée, la race, la caste, la dynastie des de Reixach — lui étaient apparus, avant même qu'il ait jamais approché l'un d'eux, nimbés d'une sorte de prestige surnaturel, d'inaccessibilité d'autant plus intangible qu'elle ne tenait pas seulement à la possession de quelque chose (comme la simple richesse) qui se puisse acquérir et que, par conséquent, l'espoir ou la possibilité (même théoriques) de posséder soi-même un jour dépouille en grande partie de son prestige, mais bien plus (c'est-à-dire en plus de, ou plutôt avant la fortune, rehaussant d'une manière inégalable cette fortune) à cette particule, ce titre, ce sang, qui représentaient apparemment pour Sabine (la mère de Georges)

une valeur d'autant plus prestigieuse que non seulement
ils ne pouvaient être acquis (puisque essentiellement cons-
titués par quelque chose qu'aucune puissance ne peut
donner, remplacer : l'ancienneté, le temps) mais encore
qu'elle éprouvait à leur sujet le suppliciant, l'intolérable
sentiment d'une frustration personnelle du fait qu'elle
était elle-même (mais hélas, par sa mère) une de Reixach :
de là, sans doute, l'obstination, la constance ulcérée et
plaintive qu'elle mettait à rappeler sans cesse (cela —
avec son endémique jalousie, son horreur de vieillir et les
questions de cuisine ou d'office — faisait partie des trois
ou quatre thèmes autour desquels sa pensée semblait
graviter avec le monotone, opiniâtre et furieux acharnement de ces insectes suspendus dans le crépuscule, voletant, tournoyant sans trêve autour d'un invisible —
et inexistant, sauf pour eux seuls — épicentre), à rappeler
sans cesse les indiscutables liens de parenté qui l'unis-
saient à eux, liens d'ailleurs reconnus, comme l'attestait
la présence sur la photographie de son mariage d'un de
Reixach en uniforme d'officier de dragons d'avant quatorze et que corroborait au surplus la possession de
l'hôtel familial dont, à défaut du nom et du titre, elle
avait hérité à la suite d'une succession de partages et de
legs dans le détail desquels elle était la seule sans doute
à se reconnaître, comme elle était sans doute aussi la
seule à savoir par cœur l'interminable liste des alliances
et des mésalliances passées, racontant en détail comment
tel lointain ancêtre de de Reixach avait été déchu de ses
droits de noblesse pour avoir dérogé aux lois de sa caste
en se livrant au commerce, et comment tel autre dont
elle montrait le portrait... (car elle avait aussi hérité des

portraits — au moins de plusieurs — d'une abondante galerie ou plutôt collection d'ancêtres, ou plutôt de géniteurs, « Ou plutôt d'étalons, dit Blum, parce que dans une famille pareille je suppose que c'est comme ça qu'il faut les appeler, non ? Est-ce que l'armée n'a pas par là-bas un centre d'élevage réputé, un haras ? Est-ce que ce n'est pas ce qu'on appelle les Tarbais, avec les diverses variétés... — Bon, bon, dit Georges, va pour étalons, il... — ... pur-sangs, demi-sangs, entiers, hongres... — Bon, dit Georges, mais lui c'est pur-sang, il... », et Blum : « Ça se voit. Tu n'avais pas besoin de me le dire. Croisement tarbo-arabe sans doute. Ou tarno-arabe. Je voudrais seulement le voir une fois sans ses bottes », et Georges : « Pourquoi ? », et Blum : « Seulement pour voir si ce ne sont pas des sabots qu'il a à la place des pieds, seulement pour savoir de quelle race de jument était sa grand-mère... », et Georges : « Bon, ça va, tu as gagné... »). Et il lui semblait voir les feuillets, les paperasses jaunies que Sabine lui avait montré un jour, religieusement conservées dans une de ces malles poilues comme on en trouve encore dans les greniers, et qu'il avait passé une nuit à parcourir, obligé de se moucher tous les cinq minutes à cause de la poussière qui lui desséchait le nez (actes notariés à l'encre blanchie, contrats de mariage, cessions, achats de terre, testaments, brevets royaux, ordres de missions, décrets de la Convention, lettres avec leurs cachets de cire brisés, liasses d'assignats, factures de bijoutiers, relevés de redevances féodales, rapports militaires, instructions, actes de baptême, déclarations de décès, de sépulture : sillage de débris surnageants, morceaux, parchemins semblables à des fragments d'épi-

54

derme tels qu'en les touchant il lui semblait toucher au même moment — un peu racornis, un peu desséchés comme ces mains tavelées des vieillards, légères, fragiles et immatérielles, prêtes, semble-t-il, à se briser et tomber en cendres lorsqu'on les saisit, mais néanmoins vivantes — par delà les années, le temps supprimé, comme l'épiderme même des ambitions, des rêves, des vanités, des futiles et impérissables passions) et parmi lesquelles se trouvait un épais cahier à couverture bleue, râpée, fermée par des rubans vert olive, dans les pages duquel l'un des lointains ancêtres (ou géniteur, ou étalon comme le prétendait Blum) avait accumulé un effarant mélange de poèmes, digressions philosophiques, projets de tragédies, relations de voyages, dont il pouvait se rappeler mot pour mot certains titres (« Bouquet envoyé à une Vieille Dame qui dans sa jeunesse sans être jolie avait fait des passions »), ou certaines pages, comme celle-là, transcrite semble-t-il de l'italien, si l'on en jugeait par la traduction des mots en marge :

	La vingt-huitième Estampe et les trois autres semblables sont aufsi belles et aufsi
morbidezza	nobles les unes que les autres et paraifsent
molefse	être faites de la même main tout dans la
flexibilité	femme Centaure est gratieux, e délicat, et
délicatefse	tout mérite D'être regardé avec une attention particulière le nœud et la jointure ou
Candido	la partie umaine finit avec la partie cheval
blanc	est certainement admirable l'œil distingue
d'un blanc	la délicattéfse de la blanche carnation
éclatant	dans la femme de la netteté du pelage éclatant dans la bette d'un bay clair mais o.

attegiamento
geste
attitude

carnagione
carnation

ottimo
très bon

otremodo
autrement

controverfia
dispute

confond ensuite en voulant déterminer les Confins L'attitude de la main gauche avec laquelle elle touche les cordes de la lire est agréable il en est de même pour celle où Elle Semble vouloir frapper avec une partie de cimbale quelle tient dans la main droite et l'autre partie que le pintre par une idée vraiment noble de peinture (*ces deux mots barrés*) et pittoresque a placé dans la main droite Du jeune homme qui l'embrafse étroittement en pafsant fous le bras droit de cette femme fa main gauche qui Refsort fous fon épaule la robe du jeunhomme est violette et l'habit qui flotte pendant fur le bras de la femme Centaure est jaune : il est bon D'obferver encore la Coifure, les bracellets et le Colier nottapoi l'attenenza che hanno i centauri con Bacco equilimente, et con Venere...

Georges pensant : « Oui, il n'y a qu'un cheval qui a pu écrire ça », répétant : « Bon. Très bien. Etalons », pensant à tous ces morts énigmatiques, figés et solennels qui dans leurs cadres dorés fixaient leurs descendants d'un regard pensif, distant, et parmi lesquels figurait en bonne place ce portrait que pendant toute son enfance il avait contemplé avec une sorte de malaise, de frayeur, parce qu'il (ce lointain géniteur) portait au front un trou rouge dont le sang dégoulinait en une longue rigole serpentine partie de la tempe, suivant la courbe de la joue et dégouttant sur le revers de l'habit de chasse bleu roi comme si — pour illustrer, perpétuer la trouble légende dont le personnage

était entouré — on l'avait portraituré ensanglanté par le
coup de feu qui avait mis fin à ses jours, se tenant là,
impassible, chevalin et bienséant au sein d'une permanente
aura de mystère et de mort violente (comme d'autres —
les marquis poudrés, les généraux d'Empire congestionnés
et chamarrés, les épouses enrubannées de moire — de
fatuité, d'ambition, de gloriole ou de futilité) qui avait en
quelque sorte averti Georges bien avant d'avoir entendu
raconter par Sabine (poussée sans doute par la même
impulsion ambiguë qui lui faisait aussi souligner la
déchéance du négociant, c'est-à-dire animée de sentiments
contradictoires, ne sachant sans doute au juste elle-même
si, en rapportant ces histoires scandaleuses, ou ridicules,
ou infamantes, ou cornéliennes, elle désirait déprécier
cette noblesse, ce titre, dont elle n'avait pas hérité, ou
au contraire leur donner plus d'éclat encore, de façon
à mieux s'enorgueillir d'une parenté et du prestige qui en
rejaillissait) comment ce de Reixach avait pour ainsi dire
désavoué de lui-même sa qualité de noble pendant la
fameuse nuit du quatre août, comment il avait plus tard
siégé à la Convention, voté la mort du roi, puis, sans doute
en raison de ses connaissances militaires, été délégué aux
armées pour finalement se faire battre par les Espagnols
et alors, se désavouant une seconde fois, était venu se faire
sauter la cervelle d'un coup de pistolet (et non pas un
fusil comme le costume de chasse dans lequel il s'était
fait peindre, l'arme qu'il tenait négligemment au creux du
bras l'avaient fait imaginer à l'enfant, de même que la
trace sanglante qui sur le portrait descendait de son
front n'était en réalité que la préparation brun rouge de
la toile mise à nu par une longue craquelure), debout

auprès de la cheminée de la chambre devenue maintenant celle de Sabine et où, longtemps, Georges n'avait pu s'empêcher de chercher instinctivement au mur ou au plafond la trace de l'énorme balle de plomb qui lui avait emporté une moitié de la tête.

Se dessinant donc ainsi, à travers l'exaspérant bavardage d'une femme, et sans même que Georges ait eu besoin de les rencontrer, les de Reixach, la famille de Reixach, puis de Reixach lui-même, tout seul, avec, se pressant derrière lui, cette cohorte d'ancêtres, de fantômes entourés de légendes, de racontars d'alcôves, de coups de pistolets, d'actes notariés et de cliquetis d'épées, qui (les fantômes) se confondaient, se superposaient dans la bitumeuse et ombreuse profondeur des vieux tableaux craquelés, puis le couple, de Reixach et sa femme, la fille de vingt ans plus jeune que lui et qu'il avait épousée quatre ans plus tôt dans une rumeur de scandale et de chuchotement autour des tasses de thé, suscitant cette explosion de fureur, d'indignation utérine, de jalousie et de lubricité qui constitue l'inévitable accompagnement de ces sortes d'événements : auréolés donc (l'homme mûr, sec, droit — et même raide —, impénétrable, et la jeune femme de dix-huit ans que l'on pouvait voir, elle, dans ses toilettes claires, impudiques, avec cette chevelure, ce corps, cette peau qui semblaient être faits des mêmes matières précieuses, presque irréelles et presque aussi intouchables que celles — soies, parfums — dont elle était couverte, lui dans sa redingote rouge de cavalier (elle lui avait fait donner sa démission de l'armée), au moment de l'annuel concours hippique, ou passant, inaccessibles, dans cette grosse automobile noire à peu près

aussi grosse et aussi impressionnante qu'un corbillard
(que, de même qu'elle l'avait forcé à quitter l'armée elle
l'avait forcé à acheter à la place de l'anonyme voiture de
série dont il se servait jusqu'alors), ou encore elle toute
seule au volant de la voiture de course qu'il lui avait
offerte (mais cela ne dura pas, l'ennuya sans doute bien
vite), et vraiment aussi inaccessibles, aussi irréels l'un et
l'autre que s'ils appartenaient déjà à leur (du moins la
sienne à lui) collection de légendaires géniteurs immobilisés pour l'éternité dans l'or terni des cadres), auréolés
donc...

« Mais tu ne la connais même pas ! dit Blum. Tu m'as
dit qu'ils n'étaient jamais là, toujours à Paris, ou à Deauville, ou à Cannes, que tu l'avais tout juste vue une seule
fois, ou plutôt entrevue, entre une croupe de cheval et
un de ces types habillés comme un figurant d'opérette
viennoise, avec une jaquette, un chapeau gris et un
monocle vissé dans l'œil, et une moustache de vieux général... Et c'est tout ce que tu en as vu, tu... » Blum aussi
avait cette tête de noyé mal réveillé, mal ranimé : il se
tut et haussa les épaules. Il avait recommencé à pleuvoir,
ou plutôt le pays, le chemin, le verger, s'étaient remis à
fondre, silencieusement, lentement, se désagrégeant, se
dissolvant en une fine poussière d'eau qui glissait sans
bruit, délayant les arbres, les maisons, comme sur une
plaque de verre, et maintenant Georges et Blum se
tenaient debout sur le seuil de la grange, à l'abri de
l'enfoncée du mur, en train de regarder de Reixach aux
prises avec un groupe d'hommes gesticulant, s'échauf-
fant, s'affrontant, les voix se mêlant en une sorte de
chœur incohérent, désordonné, de babelesque criaillerie,

59

comme sous le poids d'une malédiction, une parodie de ce
langage qui, avec l'inflexible perfidie des choses créées
ou asservies par l'homme, se retournent contre lui et se
vengent avec d'autant plus de traîtrise et d'efficacité
qu'elles semblent apparemment remplir docilement leur
fonction : obstacle majeur, donc, à toute communication,
toute compréhension, les voix montant alors, comme si
la simple modulation des sons se révélant impuissante
elles n'avaient plus d'espoir que dans leur force, s'élevant jusqu'au cri, s'efforçant l'une l'autre de dominer, de
se surpasser... Puis elles s'effacèrent d'un coup, toutes
ensemble, laissant place à l'une d'entre elles, véhémente,
déclamatoire, puis celle-là aussi cessa et on put entendre
celle de de Reixach, seule, presque un murmure, parlant
lentement, calmement, son pâle visage (la colère, ou plutôt l'agacement, ou plus simplement l'ennui, se traduisant
— de même que dans sa voix, neutre, terne, trop basse
— par une baisse de ton pour ainsi dire, une altération
en quelque sorte négative, sa peau mate pâlissant encore
— à moins encore que la pâleur, la voix imperceptible ne
fussent simplement que lassitude, quoiqu'il se tînt toujours aussi raide, aussi droit, dans ses bottes déjà étincelantes qu'Iglésia n'avait pourtant pas pu encore cirer ce
matin, qu'il avait donc dû cirer lui-même, méticuleux, impassible, avec le même soin qu'il avait apporté à se raser
de près, à se brosser et à faire son nœud de cravate,
comme s'il n'était pas dans un village perdu des Ardennes,
comme si ce n'était pas la guerre, comme s'il n'avait pas
passé, lui aussi, la nuit entière sur son cheval et sous la
pluie), son pâle visage donc, même pas rosé par l'anima-
tion ou le froid, contrastant avec la figure très rouge, vio-

lacée, du petit homme noireaud qui se tenait devant lui sur le seuil de la maison, coiffé d'une casquette à visière de cuir, chaussé de bottes de caoutchouc réparées à l'aide de rustines, et brandissant dangereusement un fusil de chasse, et lorsqu'il fit un pas, s'avança hors de la porte, Georges et Blum purent voir qu'il boitait, Georges disant : « Mais je l'ai assez vue pour savoir qu'elle est comme du lait. Cette lampe suffisait. Bon sang : c'était exactement comme du lait, de la crème répandue... », et Blum : « Quoi ? », et Georges : « Tu n'étais tout de même pas crevé au point de ne pas t'en apercevoir, non ? Même un mort... On avait seulement envie de se mettre à ramper et à lécher, on... » et à ce moment le petit homme noireaud criant : « Ne fais pas un pas de plus ou je te descends ! », et de Reixach : « Allons, voyons », et l'homme : « Mon capitaine : s'il avance, je le descends », et de Reixach encore une fois : « Allons ». Il fit un pas de côté et se trouva de nouveau entre les deux hommes, celui au fusil et l'autre qui se tenait maintenant derrière son dos avec les deux sous-officiers et qui semblait, à une imperceptible nuance près, la réplique exacte du fermier, chaussé lui aussi de bottes noires en caoutchouc constellées de rustines, vêtu non d'un bleu, il est vrai, mais d'un informe costume gris, avec quelque chose qui ressemblait à une cravate fermant le col de sa chemise, et coiffé d'un feutre mou au lieu d'une casquette, comme un homme des villes, et tenant à la main un parapluie : un paysan aussi, mais avec quelque chose de différent toutefois, et à un moment il leva les yeux, très vite, et Georges regarda aussi ce qu'il avait regardé par dessus la tête du capitaine, mais sans doute pas assez vite car à

l'une des fenêtres du premier étage de la maison il n'eut
que le temps de voir le rideau qui retombait, un de ces
rideaux de filet bon marché comme on en vend dans les
foires et dont le motif représentait un paon à la longue
queue retombante encadré dans un losange dont les
côtés obliques dessinaient comme des marches selon
les mailles du filet, la queue du paon se balançant une
ou deux fois, puis s'immobilisant, tandis qu'au-dessous
(mais Georges ne regardait plus, épiait seulement avec
avidité le filet d'un blanc grisâtre maintenant immobile
et où le décoratif et prétentieux oiseau se tenait coi derrière l'impalpable bruine qui continuait à tomber, silencieuse, patiente, éternelle) le charivari, la cacophonie,
l'imbroglio de voix s'élevait de nouveau, véhément, incohérent, passionné : « ... aussi vrai que je suis là je le descends Entrez si vous voulez mon capitaine mais cet
homme il ne passera pas cette porte où je le descends
je — Voyons mon ami Monsieur l'adjoint veut seulement
s'assurer que cette chambre — Et d'abord pourquoi qu'il
les loge pas chez lui il a une grande maison pleine de
chambres toute vide qu'il — Voyons je ne peux pas
entrer dans ces considérations nous — Je peux mener
moi-même vos sous-officiers à la chambre Je ne refuse
pas de les loger seulement il y en a dans le village qui ont
des trois ou quatre chambres sans personne dedans alors
je voudrais savoir pourquoi il Et cesse de rigoler toi ou
je te descends tu entends je te descends raide là t'entends
nom de... », épaulant, visant, l'autre se glissant vivement
derrière les deux sous-officiers, mais même alors le paon
ne bougea pas ni rien d'autre, la façade de la maison
comme morte, toute la maison comme morte, sauf une

espèce de gémissement rythmé, monotone, tragique, qui s'élevait à l'intérieur, et certainement c'était d'une gorge de femme que cela sortait mais pas Elle : une vieille, et quoiqu'ils ne l'eussent pas vue ils pouvaient l'imaginer assise dans un fauteuil, aveugle, noire et raide, gémissant, balançant le buste d'avant en arrière. Il se débattait mais ils parvinrent à le maîtriser. « Allons ! » dit de Reixach. Il faisait tout son possible pour ne pas élever la voix. Ou peut-être n'avait-il pas d'effort à faire, se tenait-il simplement en dehors, toujours à cette distance (non pas hauteur : il n'y avait en lui rien de hautain, de méprisant : simplement distant, ou plutôt absent), disant : « Laissez donc cette arme, c'est comme ça qu'il arrive des bêtises », et l'homme : « Des bêtises ? Vous appelez ça des bêtises ? Un salaud qui profite de ce que son mari est pas là et qui maintenant veut entrer en plein jour dans une maison qu'il... Allez ! hurla-t-il, Fous le camp ! », et l'autre : « Mon capitaine ! Vous êtes témoin qu'il... » — « Allons, dit de Reixach. Venez. » — « Vous êtes tous témoins qu'il... » — « Venez, dit de Reixach. Du moment qu'il dit qu'il veut bien les loger. »

Mais Georges eut beau attendre encore pendant un long moment, elle ne reparut pas à la fenêtre, mais seulement le paon, d'un blanc grisâtre, immobile, et parvenant toujours de l'intérieur, malgré la porte fermée maintenant, la voix de la vieille femme qui continuait à faire entendre ses lamentations rythmées, monotones, comme une déclamation emphatique, sans fin, comme ces pleureuses de l'antiquité, comme si tout cela (ces cris, cette violence, cette incompréhensible et incontrôlable explosion de fureur, de passion) ne se passait pas à l'époque des fusils, des bottes de caoutchouc, des rustines et des costumes de confection mais très loin dans le temps, ou de tous les temps, ou en dehors du temps, la pluie tombant toujours et peut-être depuis toujours, les noyers les arbres du verger s'égouttant sans fin : pour la voir il fallait la regarder devant un objet foncé, ou une ombre, le rebord d'un toit, les gouttes rapides rayant d'imperceptibles stries comme des tirets le fond obscur s'entrecroisant grises parfois une goutte plus grosse ployait un brin d'herbe qui se redressait aussitôt d'une brève secousse le pré immobile agité de place en place de minuscules frémissements ; les maisons et les granges dessinaient vaguement les trois côtés d'un rectangle irrégulier autour d'un abreuvoir et d'une sorte d'auge en pierre où dans l'eau glacée Georges essayait de laver un peu de linge les doigts glacés gourds frottant le savon sur le rebord piqueté de la margelle où l'étoffe mouillée se collait du même gris que le ciel avec des poches d'air emprisonnées au-dessous dessinant des cloques des lignes des reliefs d'un gris plus clair, en passant le savon il les écrasait et ils s'accumulaient en plissements parallèles et sinueux un nuage bleuâtre se répandant dans l'eau quand il les rinça, des bulles bleuâtres se pressaient s'agglutinaient dérivaient lentement se frayant un chemin méandreux, se glissant à travers la boue noire piétinée par les bêtes où l'eau s'écoulait d'une empreinte de sabot à l'autre mais à la fin le linge était à peu près aussi gris qu'avant, et Blum dit : « Pourquoi ne lui as-tu pas demandé de te le laver ? Tu as eu peur que son mari te flanque un coup de fusil ? » — « C'est point son mari », dit Wack, puis il se tut comme s'il regrettait d'avoir parlé, baissant de nouveau son visage de paysan alsacien taciturne, hostile, vers le seau au-dessus duquel il frottait son mors et ses étriers avec du sable humide, et Georges : « Comment le sais-tu ? », et Wack continuant à astiquer ses aciers sans répondre, Georges répétant : « Comment le sais-tu ? Qu'est-ce que tu en sais ? », Wack ne relevant toujours pas la tête, le visage penché — dissimulé — au-dessus du seau, disant à la fin de mauvaise grâce, furieux : « Je l'sais ! », et Martin rigolant, disant : « Il les a aidés tout à l'heure à rentrer leurs patates. C'est le valet qui le lui a dit : ce n'est que le frère », et Blum : « Et où est le mari ? En balade à la ville? », et Wack se retournant d'une pièce, disant : « En balade comme toi, spèce de con : 'vec un casque sur la tête ! », et Blum : « T'as oublié de m'appeler sale youpin. Je ne suis pas un con : je suis un youpin. Tu devrais pourtant te le rappeler », et Georges : « Allons ! », et Blum : « Laisse. Si tu savais comme je m'en f... », et Georges : « Alors, comme ça, tu les as aidés à rentrer leurs patates et le valet t'a raconté l'histoire ? », leurs voix se détachant sur, ou plutôt à travers la pluie grise, continue, patiente (comme le multiple et secret grignotement d'invisibles insectes en train de dévorer insensiblement les maisons, les arbres, la terre entière) les étriers et les mors tintant parfois avec un son clair : simplement des soldats leurs voix lasses monotones aussi s'élevant l'une après l'autre se chevauchant s'affrontant mais comme parlent les soldats, c'est-à-dire comme ils dorment ou mangent avec cette sorte de patience de passivité d'ennui comme s'ils étaient forcés d'inventer d'artificiels motifs de dispute ou simplement des raisons de parler, la grange sentait toujours le drap mouillé le foin, chaque fois qu'ils ouvraient la bouche il s'en échappait un petit jet de buée grise qui s'effaçait presque aussitôt.

mais pourquoi voulait-il à toute force tirer des coups de fusil

peut-être parce que c'est la guerre, tout le monde

tu parles tout le monde

mais lui il est boiteux on n'a pas voulu de lui

une sacrée veine je sais pas ce que je donnerais pour l'être moi aussi et ne pas

sans doute que ce n'est pas sa manière de penser il a l'air d'aimer les fusils d'avoir envie de s'en servir peut-être qu'il donnerait n'importe quoi pour

et l'autre

quel autre

le type au parapluie

tu veux dire l'adjoint au maire

ne me raconte pas que dans un patelin de quatre maisons comme ça il y a un maire et un adjoint pourquoi pas aussi un évêque

j'ai pas vu d'église

alors comme ça elle ne peut pas aller se confesser

peut-être que

ni curé ni pharmacien ni eau courante Ça rend les choses salement définitives C'est sans doute pour ça qu'il la surveille avec un fusil

qu'est-ce que vous racontez putain comme conneries

tiens voilà Wack qui se réveille Je croyais que t'étais sourd Je croyais que tu ne voulais pas parler avec un sale youpin comme moi

allons

je m'en fous tu parles si je m'en fous il peut bien m'appeler comme il

bon Dieu arrête Alors qu'est-ce qu'elle a finalement
cette carne

Ils regardèrent le cheval toujours étendu sur le flanc
au fond de l'écurie : on avait jeté une couverture dessus
et seuls dépassaient ses membres raides, son cou terriblement long au bout duquel pendait la tête qu'il n'avait
même plus la force de soulever, osseuse, trop grosse avec
ses méplats, son poil mouillé, ses longues dents jaunes
que découvraient les lèvres retroussées. Il n'y avait que
l'œil qui semblait vivre encore, énorme, triste, et dedans,
sur la surface luisante et bombée, ils pouvaient se voir,
leurs silhouettes déformées comme des parenthèses se
détachant sur le fond clair de la porte comme une sorte
de brouillard légèrement bleuté, comme un voile, une
taie qui déjà semblait se former, embuer le doux regard
de cyclope, accusateur et humide.

le vétérinaire est venu il l'a saignée

je sais bien ce qu'elle a moi

Wack sait toujours tout il

oh arrête

c'est Martin il y fout des coups de casque sur la tête
tout le long des étapes il lui a tapé dessus toute la nuit
je l'ai vu faire je parie qu'il lui a cassé quelque chose

y a pas d'autre moyen de l'empêcher de trottiner

s'il lui foutait quelques bons coups de sonnette elle

c'est pas avec des coups de sonnette que t'empêche-
ras un cheval de trottiner ça fait que le rendre encore
plus dingue

en tout cas c'est pas permis de traiter une bête
comme ça

c'est pas non plus permis de traiter un type comme

ça Soixante kilomètres sans arrêter de sauter comme une balle il y a de quoi devenir complètement cinglé

on peut quand même faire autre chose que de l'assommer à coups de casque Iglésia a dit

moi j'suis pas jockey j'suis ajusteur

puisque tu es si malin et que tu aimes tellement les gailles pourquoi que tu changes pas avec lui t'as qu'à la monter toi il demandera pas mieux que de te la filer tu sais il

mais qu'est-ce qu'elle y peut cte pauvre bête si elle trottine

rien mais Martin non plus et c'est pas marrant pour lui alors t'as qu'à lui proposer de changer

j'ai pas à changer de cheval je monte le cheval qu'on m'a donné l'autre c'est le sien

alors ferme ta gueule

oh dis-donc

tu feras bien de la fermer

je suis pas un cafard

tant mieux pour toi

tu t'imagines pas que tu me fais peur par hasard non J'ai peut-être pas autant d'instruction que toi mais tu me fais pas peur tu sais j'aurais qu'à te pousser pour que tu tombes

alors essaye

oh là là t'est même pas capable de te tenir sur tes pattes t'es à moitié crevé tu serais pas seulement foutu de

Ils continuèrent à se disputer, leurs voix même pas hargneuses, avec quelque chose de dolent plutôt, empreintes de cette sorte d'apathie propre aux paysans et aux soldats, et en quelque sorte impersonnelles, comme leurs uniformes raides, conservant encore (c'était à peine l'automne, celui qui avait suivi le dernier été de paix, l'été éblouissant et corrompu qu'il leur semblait voir maintenant, déjà lointain, comme un de ces vieux films d'actualités mal tirés et surexposés et où, dans une lumière corrodante, des fantômes sanglés et bottés gesticulaient d'une façon saccadée comme s'ils avaient été mus non par leurs cerveaux de soudards brutaux ou idiots mais par quelque inexorable mécanisme qui les forçait à s'agiter, discourir, menacer et parader, frénétiquement portés par un aveuglant bouillonnement d'étendards et de visages qui semblait à la fois les engendrer et les véhiculer, comme si les foules possédaient une sorte de don, d'infaillible instinct qui leur fait distinguer en leur sein et pousser en avant par une espèce d'auto-sélection — ou expulsion, ou plutôt défécation — l'éternel imbécile qui brandira la pancarte et qu'elles suivront dans cette sorte d'extase et de fascination où les plonge, comme les enfants, la vue de leurs excréments), leurs uniformes, donc, conservant l'apprêt du neuf et dans lesquels on les avait pour ainsi dire fourrés : non les vieilles tenues déjà portées, usées à l'exercice par des générations de recrues, passées chaque année au désinfectant et juste bonnes, sans doute, pour le maniement d'armes, semblables à ces déguisements rapés, loués ou achetés à crédit chez un fripier et que l'on distribue pour les répétitions aux figurants en même temps que les épées de fer blanc et les pistolets à amorces, mais (les tenues, l'équipement qu'ils avaient maintenant sur le dos) absolument neufs, vierges : tout (tissu, cuir, acier) de première qualité, comme ces draps impollués que, dans les familles, on garde pieusement en réserve pour en envelopper les morts, comme si la société (ou l'état de choses, ou le sort, ou la conjoncture économique — puisqu'il paraît que ces sortes de faits sont simplement la conséquence de lois économiques) qui s'apprêtait à les tuer les avait couverts (de même que ces jeunes gens que les peuplades primitives sacrifiaient à leurs dieux) de tout ce qu'elle avait de mieux en fait d'étoffes et d'armes, dépensant sans compter avec une prodigalité, un faste barbare, pour ce qui ne serait un jour plus rien que des bouts de ferraille tordus et rouillés et quelques loques trop grandes flottant sur des squelettes (morts ou vivants), et Georges maintenant étendu dans l'opaque et puante obscurité du wagon à bestiaux, pensant : « Mais, comment est-ce déjà ? Une histoire d'os comptés, dénombrés... », pensant : « Ouais. J'y suis : ils ont numéroté mes abattis... En tout cas quelque chose dans ce genre-là. »

Il essaya de dégager sa jambe du corps qui pesait dessus. Il ne la sentait plus que comme une chose inerte, qui n'était plus tout à fait lui, et qui pourtant s'accrochait douloureusement à l'intérieur de sa hanche comme un bec, un bec d'os. Une suite d'os s'accrochant et s'emboîtant bizarrement les uns dans les autres, une suite de vieux ustensiles grinçants et cliquetants, voilà ce qu'était un squelette, pensa-t-il, réveillé maintenant (sans doute parce que le train était arrêté — mais depuis combien de temps ?), les entendant se bousculer et se disputer dans le coin où se trouvait la lucarne, l'étroit rectangle horizontal sur lequel leurs crânes se découpaient en ombres chinoises : des taches d'encre fluides et mou-

vantes se confondant et se disjoignant, et par delà lesquelles il pouvait voir les fragments du ciel nocturne et
inaltérable de mai, les lointaines et inaltérables étoiles
stagnant, immobiles, virginales, apparaissant et disparaissant dans les découpures qui s'ouvraient et se refer-
maient entre les têtes, comme une surface glacée, cristalline et inviolable sur laquelle pouvait glisser sans laisser ni traces ni souillure cette matière noirâtre, visqueuse
vociférante et moite d'où émanaient les voix à présent
plaintives et furieuses pour de bon, c'est-à-dire se disputant maintenant pour des choses réelles, importantes,
comme par exemple un peu d'air (ceux qui étaient à l'intérieur et injuriaient ceux dont les têtes obstruaient la
lucarne) ou d'eau (ceux qui étaient à la lucarne et
essayaient d'obtenir de la sentinelle au dehors qu'elle
aille leur remplir leurs bidons), et à la fin Georges
renonça à extirper, dégager ce qu'il savait être sa jambe
de l'inextricable fouillis de membres qui pesaient dessus, restant là, gisant dans le noir, s'appliquant à faire
pénétrer dans ses poumons l'air tellement épais et souillé
qu'il semblait non pas véhiculer l'odeur, le suffocant
remugle des corps, mais suer et puer lui-même, et non
pas transparent, impalpable, comme l'est habituellement
l'air, mais opaque, noir lui aussi, si bien qu'il lui semblait
essayer d'aspirer quelque chose comme de l'encre et qui
n'était rien d'autre que la matière même dont étaient
faites aussi les taches mouvantes occupant le cadre de
la lucarne et dont il lui fallait s'efforcer de s'emplir (têtes
et infimes fragments de ciel) pêle-mêle dans l'espoir de
profiter du même coup de l'un des minces et métalliques
rayons qui s'y enfonçaient comme d'étincelants, salutaires

71

et brefs coups d'épée jaillis des étoiles, et recommencer.

De sorte que tout ce qu'il pouvait faire c'était se résigner à cette fonction pour ainsi dire de filtre, pensant : « Après tout, j'ai bien lu quelque part que des prisonniers avaient bu leur urine... », restant sans bouger dans l'obscurité à sentir la sueur noire pénétrer dans ses poumons puis, dans le même moment, ruisseler sur lui, tandis qu'il lui semblait toujours voir ce buste raide de mannequin, impassible et osseux, qui s'avançait en se dandinant imperceptiblement (c'est-à-dire les hanches épousant les mouvements du cheval, le haut du corps — les épaules, la tête — aussi droit, aussi immobile que si on l'eût fait glisser horizontalement sur un fil de fer) devant le fond lumineux de la guerre, l'éclatant soleil qui faisait briller les vitres brisées, les milliers d'éclats triangulaires et éblouissants jonchant comme un tapis l'interminable rue déserte tournant lentement entre les façades de briques aux fenêtres cassées et vides dans le silence éblouissant majestueusement ponctué par le lent duel des deux canons solitaires se répondant, les bruits de départ (celui-ci quelque part sur la gauche, dans les vergers) et d'arrivée (l'obus tombant au hasard sur la ville abandonnée et morte où il faisait s'écrouler un pan de mur dans un nuage de poussière sale et lente à retomber) alternant, avec une sorte de brutale, futile et niaise ponctualité, tandis que les quatre cavaliers avançaient toujours (ou plutôt semblaient se tenir immobiles, comme dans ces truquages de cinéma où l'on ne voit que la partie supérieure des personnages, en réalité toujours à la même distance de la caméra, tandis que devant eux la longue rue tournante — un côté au soleil, l'autre à l'ombre — paraît venir, se déployer à leur rencontre comme un de ces décors que l'on peut faire repasser indéfiniment, le même (semble-t-il) pan de mur s'écroulant plusieurs fois, le nuage de poussière soulevé par l'explosion se rapprochant, s'enflant, grandissant, atteignant la hauteur du pan de mur resté debout, le dépassant, le soleil touchant alors son sommet, la masse gris noir se coiffant d'une calotte jaune qui se gonfle, montant toujours, jusqu'à ce que le nuage tout entier disparaisse sur la gauche du dernier cavalier, une autre façade basculant au même moment là-bas, dans la partie de la rue que viennent de révéler en pivotant sur elles-mêmes les façades de droite, la nouvelle colonne tournoyante de poussière et de débris (qui semble s'enfler, grossir un peu à la façon d'une boule de neige, mais en puisant au contraire sa matière à l'intérieur d'elle-même par un lent mouvement de volutes se déroulant, se bousculant, se superposant) grandissant au fur et à mesure qu'elle se rapproche — ou que les quatre cavaliers s'en rapprochent —, et ainsi de suite), pensant : « Mais même s'il en était tombé deux fois plus il n'aurait toujours pas daigné mettre ce cheval au trot. Parce que ça ne se fait sans doute pas. Ou parce qu'il avait déjà peut-être découvert une meilleure solution, résolu définitivement le problème, et pris sa décision. Comme l'autre homme-cheval, l'autre orgueilleux imbécile déjà, cent cinquante ans plus tôt, mais qui, lui, s'est servi de son propre pistolet pour... Mais c'est seulement de l'orgueil. Rien d'autre. » Et haletant faiblement dans les ténèbres, il continua à les injurier tous deux à voix basse : le dos sourd, aveugle et raide qui continuait à s'avancer devant lui parmi les ruines fumantes de la guerre, et l'autre, de face, tout aussi immobile, solennel et raide dans son cadre terni, tel que pendant toute son enfance il avait pu le voir, avec cette différence que la tache qui s'étalait, verticale et déchiquetée, à partir de la tempe, descendait sur le cou délicat, presque féminin dans l'échancrure de la chemise, venait souiller la veste de chasse, n'était plus maintenant la préparation rougeâtre de la toile mise à nu par la peinture écaillée, mais quelque chose de sombre et de grumeleux s'écoulant lentement, comme si, à travers un trou pratiqué dans le tableau, on avait pressé par derrière une sorte de confiture épaisse et sombre qui glissait, dégoulinait peu à peu sur la surface lisse de la peinture, les joues roses, les dentelles, le velours, tandis qu'avec cette impassibilité paradoxale que l'on prête aux martyrs sur les tableaux anciens, le visage immobile continuait à regarder droit devant lui, de cet air un peu niais, surpris, incrédule et doux qu'ont ceux des gens tués de mort violente, comme si au dernier moment leur avait été révélé quelque chose à quoi durant toute leur vie ils n'avaient jamais eu l'idée de penser, c'est-à-dire sans doute quelque chose d'absolument contraire à ce que peut apprendre la pensée, de tellement étonnant, de tellement...

Mais il n'était pas dans ses intentions de philosopher ni de se fatiguer à essayer de penser à ce que la pensée était incapable d'atteindre ou d'apprendre, car le problème consistait plus simplement à essayer de dégager sa jambe. Puis, avant même que Blum le lui ait demandé il songea Quelle heure peut-il bien être, et avant même d'avoir commencé à lui répondre Qu'est-ce que ça peut faire, il se l'était déjà répondu, pensant que de toute

façon le temps ne pouvait plus leur être maintenant
d'aucun usage, puisqu'ils ne se sortiraient pas de ce
wagon avant qu'il ait parcouru une certaine distance,
ce qui n'était pas une question de temps pour ceux qui
réglaient sa marche, mais d'organisation ferroviaire ni
plus ni moins que s'il eût transporté en fret de retour
des caisses vides ou du matériel avarié, choses qui en
temps de guerre viennent après toutes les autres priorités :
essayant donc d'expliquer à Blum que l'heure n'était
qu'un simple renseignement permettant de se diriger
d'après la position de son ombre et non le moyen
de savoir si le moment était venu (c'est-à-dire où il était
convenu qu'il convenait) de manger ou dormir, car, pour
ce qui était de dormir, ils le pouvaient, n'avaient même
rien d'autre à faire, dans la mesure, toutefois, où plusieurs membres étrangers, enchevêtrés et superposés
n'écrasaient pas l'un des vôtres, ou du moins quelque
chose que l'on savait être l'un de ses membres quoiqu'il
fût devenu à peu près insensible et, en quelque sorte,
séparé de vous, et quant au moment de manger il pouvait
être facilement déterminé — ou plutôt décidé — non par
le fait d'avoir faim comme cela se passe d'habitude vers
midi ou sept heures du soir, mais lorsqu'était atteint le
point critique où l'esprit (pas le corps, qui peut en supporter beaucoup plus) ne peut plus endurer une minute
de plus l'idée — le supplice — de posséder quelque
chose qui peut être mangé : il tâtonna donc dans le noir
avec lenteur jusqu'à ce qu'il eût réussi à dégager de
sous sa tête où il la tenait par précaution (de sorte que la
conscience de l'existence du morceau de pain était en
quelque sorte enfoncée en permanence dans son esprit)

75

la musette flasque d'où il sortit, à peu près comme s'il
s'était agi d'une charge d'explosif, ce que ses doigts
avaient identifié (à une certaine rugosité friable, une
forme approximativement ovale et plate — trop plate)
comme étant ce qu'ils cherchaient et dont il se mit en
devoir d'évaluer (toujours par le toucher) le plus exactement possible la forme et les dimensions jusqu'à ce qu'il
estimât en avoir une connaissance suffisante pour entre-
prendre de le rompre en deux parties égales en s'arrangeant (toujours comme s'il se fût agi de quelque chose
du genre dynamite) pour en recueillir au fur et à mesure
les miettes impondérables dont il devinait la chute dans
sa paume par un léger, presque imperceptible chatouillis
et qu'il répartit à la fin à peu près à égalité dans chacune de ses mains, incapable au surplus, quand ce fut
fait, d'aller au-delà, c'est-à-dire de trouver suffisamment
de courage, d'abnégation ou de grandeur d'âme pour donner à Blum le morceau qu'il estimait être le plus gros,
préférant tendre vers lui dans le noir les deux mains à
la recherche desquelles l'autre avança l'une des siennes,
et après cela essayant alors d'oublier au plus vite (c'est-à-
dire de faire oublier à son estomac dans lequel, à l'instant même où Blum avait choisi, quelque chose s'était
tordu, révolté, brâmait maintenant avec une espèce de
fureur sauvage et pleurarde) qu'il savait que Blum était
tombé sur la meilleure part (c'est-à-dire celle qui devait
bien peser dans les cinq ou six grammes de plus que
l'autre), s'efforçant donc de ne plus penser, tout d'abord,
qu'aux miettes qu'il faisait maintenant glisser de sa
paume dans sa bouche, puis qu'à la pâte gluante qu'il
mastiquait le plus lentement possible en essayant encore

de se figurer que sa bouche et son estomac étaient celle
et celui de Blum auquel il s'appliquait maintenant à faire
comprendre que c'était la faute du soleil qui s'était caché
à ce moment, quoique, pensa-t-il, il n'eût jamais vraiment
espéré que même avec le soleil ils eussent réussi : « Parce
que je savais parfaitement que c'était impossible qu'il n'y
avait pas d'autre issue et qu'à la fin nous serions pris :
tout cela ne menait à rien pourtant nous avons essayé j'ai
essayé continué jusqu'au bout faisant semblant de croire
que cela pouvait réussir m'obstinant non pas désespérément mais pour ainsi dire hypocritement trichant avec
moi-même comme si j'espérais réussir à me faire croire
que je croyais que c'était possible alors que je savais le
contraire, errant tournant en rond dans ces chemins
entre ces haies toutes pareillles à celle derrière laquelle
s'était embusquée sa mort, où un instant j'avais vu luire
l'éclat noir d'une arme avant qu'il tombe s'écroule comme
une statue déboulonnée basculant sur la droite, et alors
nous fîmes demi-tour partîmes au galop penchés aplatis
sur l'encolure pour offrir moins de cible tandis qu'il tirait
maintenant sur nous, entendant les détonations mesqui-
nes mortelles et dérisoires dans la vaste campagne ensoleillée comme des pétards, une arme de gosse, et Iglésia
dit Il m'a eu, mais nous continuâmes à galoper je dis Tu
es sûr où, et lui A la cuisse le salaud, je dis Peux-tu continuer encore, l'insignifiant crachotement s'affaiblissant
maintenant puis cessant complètement : sans arrêter de
galoper avec à côté de lui ce cheval de main qu'il n'avait
pas lâché il passa ses doigts en arrière sur sa cuisse puis
les regarda je regardai aussi il y avait un peu de sang
dessus je dis Tu as mal, mais il ne répondit pas conti-

nuant à passer ses doigts sur la cuisse que je ne pouvais
pas voir et les regarder, sans doute les chevaux ont-ils
un sens spécial parce que je ne me rappelle pas avoir vu
ce chemin à moins que ce ne fût lui, toujours est-il que
sans cesser de galoper ils tournèrent à droite tous les
trois en même temps et Iglésia fit Oh Oooooooh... oooh
làààà... et ils se mirent au pas, on n'entendait de nouveau
plus rien que les petits oiseaux, les chevaux soufflaient
fort renâclaient tous les trois je dis Alors ? Il regarda
encore sa main puis se tortilla sur sa selle mais je ne
pouvais pas voir puisque c'était à droite qu'il avait été
touché, quand il fut de nouveau de profil il avait seulement l'air préoccupé et endormi plutôt abruti et surtout
mécontent il fourragea dans sa poche pour en sortir un
mouchoir sale il y avait du sang sur le mouchoir quand
il le ramena toujours de ce même air abruti et de mauvaise humeur je dis Tu es très touché ? mais il ne répondit pas haussant seulement les épaules et remettant le
mouchoir dans sa poche il avait l'air déçu comme furieux
de n'être pas réellement blessé que la balle l'ait seulement
éraflé, nos ombres équestres marchaient à notre gauche
maintenant épousant la forme de la haie taillée à
l'équerre : comme c'était le printemps elles n'avaient pas
encore beaucoup poussé et la campagne avait l'air d'un
jardin bien émondé, quels sont ces arbustes buis ou plutôt conifères je crois boulingrins que l'on taille géomé-
triquement jardins à la française dessinant de savantes
courbes enchevêtrées bosquets et rendez-vous d'amour
pour marquis et marquises déguisés en bergers et ber-
gères se cherchant à l'aveuglette cherchant trouvant
l'amour la mort déguisée elle aussi en bergère dans le

dédale des allées et alors nous aurions pu le rencontrer il aurait pu se tenir là au détour du chemin, adossé à une haie placide paisible et raide mort dans son habit de chasse de velours bleu avec ses cheveux poudrés son fusil son trou au milieu du front et sa tempe d'où coulait maintenant sans arrêt comme de ces images ou ces statues de saints dont les yeux ou les stigmates se remettent à pleurer ou à saigner une ou deux fois par siècle à l'occasion des grandes catastrophes des tremblements de terre ou des pluies de feu, cette espèce de confiture rouge sombre, comme si la guerre la violence le meurtre l'avaient en quelque sorte ressuscité pour le tuer une deuxième fois comme si la balle de pistolet tirée un siècle et demi plus tôt avait mis toutes ces années pour atteindre sa deuxième cible mettre le point final à un nouveau désastre... »

Puis (toujours gisant à demi asphyxié dans ces ténèbres suffocantes) il lui sembla qu'il le voyait réellement, aussi déplacé, aussi insolite dans la verdoyante campagne que ces enterrements que l'on rencontre parfois, s'avançant au milieu des champs comme quelque mascarade sacrilège, crapuleuse et — comme toute mascarade — vaguement pédérastique, sans doute parce que (de même que la dame âgée et seule, en découvrant les godillots qui dépassent de la jupe, et le poil dur dont maintenant les joues se sont couvertes, comprend soudain avec horreur au moment où celle-ci lui apporte la soupe que la vieille bonne au visage un peu rude qu'elle a engagée le matin est en réalité un homme, se rendant compte alors et de façon irrémédiable qu'elle sera assassinée dans la nuit), parce qu'on aperçoit au-dessous des surplis

immaculés les gros souliers du prêtre et les jambes sales
de l'enfant de chœur qui marche en tête braillant les
répons sans se retourner et louchant vers les buissons
de mûres, la haute croix de cuivre fichée dans le cornet
de cuir du baudrier qui pend à hauteur de son bas-ventre
(si bien qu'il semble tenir à deux mains dans un geste
enfantin, équivoque et canaille quelque symbole priapique démesuré jailli d'entre ses cuisses, noir et surmonté
d'une croix) oscillant au-dessus des blés comme le mât
d'un bateau à la dérive, le christ de cuivre, les lourdes
broderies argentées de la chasuble lançant des éclairs
métalliques, durs, dans l'air vaporeux où persiste longtemps après comme un sillage funèbre un parfum maca-
bre de caveau et de voûtes : la mort, donc, s'avançant à
travers champs en lourde robe d'apparat et dentelles,
chaussée de godillots d'assassin, et lui (l'autre Reixach,
l'ancêtre) se tenant là, à la manière de ces apparitions de
théâtre, de ces personnages surgis d'une trappe au coup
de baguette d'un illusionniste, derrière l'écran d'un
pétard fumigène, comme si l'explosion d'une bombe, d'un
obus perdu, l'avait déterré, exhumé du mystérieux passé
dans un mortel et puant nuage non de poudre mais d'encens qui, en se dissipant, l'aurait peu à peu révélé, ana-
chroniquement vêtu (au lieu de l'omni–régnante capote
couleur de terre des soldats tués) de cette tenue aristo-
cratique et faussement négligée de chasseur de cailles
dans laquelle il avait posé pour ce portrait où le temps —
la dégradation — avait remédié par la suite (comme un
correcteur facétieux, ou plutôt scrupuleux) à l'oubli —
ou plutôt l'imprévision — du peintre, posant (et de la
manière même dont s'y était prise la balle, c'est-à-dire

en faisant sauter un morceau du front, de sorte que ce n'était pas une rectification par addition, comme eût procédé un second peintre chargé plus tard de la correction, mais en ouvrant aussi un trou dans le visage — ou la couche de couleur qui imitait ce visage — de façon à ce qu'apparût ce qu'il y avait au-dessous), posant là cette tache rouge et sanglante comme une salissure qui semblait un démenti tragique à tout le reste : cette douceur — et même langueur —, ces yeux de biche, ce négligé bucolique et familier des vêtements, et ce fusil, lui aussi semblable à un accessoire de cotillon ou de bal masqué.

Car peut-être ce viril attirail de chasseur — l'arme, la large courroie de cuir rouge d'une gibecière postulant les bêtes mortes, quelque chose où se mélangeraient des fourrures et des plumes tachetées comme dans ces natures mortes où sont entassés lièvres, perdreaux et faisans — n'était-il là que pour lui fournir une pose, une contenance comme, de nos jours, les gens se font photographier dans les foires en passant la tête à travers ces trous ovales qui tiennent lieu de visages à des personnages (aviateurs de fantaisie, clowns, danseuses) peints sur une simple toile, Georges regardant avec une sorte de fascination la main un peu grasse, féminine et soignée dont l'index avait, dans le désarroi d'une nuit lointaine, pressé la détente de l'arme dirigée contre lui-même (elle aussi il l'avait vue, touchée : l'un des deux longs pistolets aux canons guillochés et hexagonaux couchés tête-bêche au milieu de l'attirail compliqué des baguettes, moules à balles, poires à poudre et autres accessoires enchâssés chacun dans leur logement ménagé en creux dans le drap vert-billard mangé aux

mites à l'intérieur de la boîte d'acajou qui trônait toujours sur la commode du salon, grande ouverte les jours
de réception, fermée le reste du temps de crainte de la
poussière, et ceci : sa propre main tenant l'arme trop
lourde pour son bras d'enfant, relevant le chien (mais
pour cela les deux furent nécessaires, la crosse recour-
bée serrée entre ses deux genoux, les deux pouces réunis forçant pour vaincre la résistance conjuguée de la
rouille et du ressort), posant le canon contre sa tempe
et appuyant, son doigt crispé blanchissant sous l'effort,
jusqu'à ce que se produisît le bruit sec, insignifiant (on
avait remplacé le silex par un coin de bois entouré de
feutre) et mortel du chien se rabattant dans le silence
de la pièce, la même — qui était à présent celle où cou-
chaient ses parents —, et où rien n'avait été changé
excepté peut-être le papier des murs et trois ou quatre
de ces objets — vases, cadres pour photographies, lampe
électrique — posés ou plutôt introduits là, utilitaires et
trop neufs, comme de bruyants, insupportables et relui-
sants extras embauchés au bureau de placement pour
faire le service dans une assemblée de fantômes : les
mêmes meubles laqués, les mêmes rideaux aux rayures
passées, les mêmes gravures sur les murs représentant
des scènes galantes ou champêtres, la même cheminée
de marbre blanc aux pâles veines grises contre laquelle
Reixach s'était accoudé pour se faire sauter la cervelle
(disait-on, c'est-à-dire disait Sabine — ou peut-être
l'avait-elle inventé, brodait-elle, afin de rendre la scène
plus saisissante — chaque fois qu'elle racontait l'histoire) et auprès de laquelle Georges l'avait souvent imaginé, assis là, les jambes chaussées des bottes boueuses

et fumantes allongées en V vers le feu, un de ses chiens
à ses pieds, la petite main dodue et soignée émergeant
du poignet de dentelles d'une de ces chemises aux replis
bouffants, tenant cette fois non un pistolet mais quelque
chose (pour lui qui n'avait été élevé, auquel on n'avait
appris que l'exclusif et innocent maniement des chevaux
et des armes) de tout aussi dangereux, explosif (c'est-à-
dire dont le coup de pistolet n'avait peut-être été que
l'inéluctable aboutissement) : un livre, peut-être l'un des
vingt-trois tomes que remplissait l'œuvre complète de
Rousseau et sur la page de garde desquels s'étalait le
même paraphe, la carolingienne, orgueilleuse et posses-
sive écriture calligraphiant à la plume d'oie dont il lui
semblait entendre le grincement sur le papier grenu et
jauni l'invariable formule : *Hic liber* — l'H démesuré,
emphatique, en forme de deux parenthèses se tournant
le dos et reliées par un trait onduleux, les extrémités
des parenthèses s'enroulant en colimaçon comme les
motifs de ces grilles rongées de rouille qui gardent
encore l'entrée de parcs envahis par les ronces —, puis
en dessous : *pertinetadme*, d'un seul tenant, puis, en
caractères décroissants, le nom latinisé et sans majus-
cule : *henricum*, puis la date, le millésime : 1783.

L'imaginant donc, le voyant en train de lire consciencieusement l'un après l'autre chacun des vingt-trois volumes de prose larmoyante, idyllique et fumeuse, ingurgi-
tant pêle-mêle les filandreuses et genevoises leçons d'har-
monie, de solfège, d'éducation, de niaiserie, d'effusions et
de génie, cet incendiaire bavardage de vagabond touche-à-
tout, musicien, exhibitionniste et pleurard qui, à la fin, lui
ferait appliquer contre sa tempe la bouche sinistre et

glacée de ce... (et alors la voix de Blum disant : « Bien ! Donc il a trouvé, ou plutôt il a trouvé le moyen de trouver ce qu'on appelle une mort glorieuse. Dans la tradition de sa famille, dis-tu. Répétant, refaisant ce que cent cinquante ans plus tôt un autre de Reixach (qui s'appelait si je comprends bien Reixach tout court puisque, par un surcroît de noblesse, de chic, d'élégance, il avait laissé tomber cette particule que ses descendants ont été par la suite ramasser et ressuspendre devant leur nom après l'avoir fait astiquer par une armée de domestiques — ou d'ordonnances — en livrées — ou uniformes — Restauration), ce qu'un autre Reixach donc avait déjà fait en se tirant volontairement une balle dans la tête (à moins que cela ne lui soit tout bêtement arrivé en nettoyant son pistolet, ce qui se produit couramment, mais dans ce cas il n'y aurait pas d'histoire, du moins d'histoire suffisamment sensationnelle pour que ta mère t'en ait rebattu les oreilles et celles de ses invités, alors admettons, admettons que ce fût ainsi) parce qu'il s'était pour ainsi dire fait cocu lui-même, c'est-à-dire trompé : cocufié, donc, non par une perfide créature féminine comme son lointain descendant mais en quelque sorte par son propre cerveau, ses idées — ou à défaut celle des autres — qui lui avaient joué ce sale tour comme si, faute de femme (mais ne m'as-tu pas dit aussi que, par dessus le marché, il en avait une et qu'elle aussi...), donc plutôt : comme si non content d'avoir une femme à supporter il s'était encore embarrassé, encombré d'idées, de pensées, ce qui évidemment, pour un gentleman-farmer du Tarn, constitue, comme pour n'importe qui, un risque encore plus grand que le mariage... », et Georges : « Bien sûr. Bien sûr. Bien sûr. Mais comment savoir ?...)

Pensant dans le même moment à ce détail, cette chose bizarre qu'on ne racontait dans la famille qu'en baissant la voix (et Sabine disait que, quant à elle, elle n'y croyait pas, que ce n'était pas vrai, que sa grand'mère lui avait toujours affirmé que c'était une fable, une médisance répandue par les domestiques à la solde d'ennemis politiques — les sans-culottes, disait sa grand'mère, oubliant que justement il avait été de ce bord-là, c'est-à-dire que si des médisances avaient été répandues sur lui à la suite et sur les circonstances de sa mort par des calomniateurs, ce ne pouvait être que le fait des royalistes, ce qui, dans un sens, confirmait, en partie du moins, l'exactitude de ses dires : à savoir que la source de ces bruits se trouvait très vraisemblablement chez les domestiques, en vertu de cette loi qui fait que les gens liés à d'autres par des relations serviles sont farouchement partisans — comme une sorte de justification de leur condition — d'une société strictement hiérarchisée, de sorte que si les tenants de l'ancien régime avaient, comme c'était en effet probable, cherché des alliés contre Reixach, ils avaient sans doute trouvé les meilleurs d'entre eux parmi ses propres serviteurs), cette circonstance qui, vraie ou fausse, conférait à l'histoire on ne savait quoi d'équivoque, de scandaleux : quelque chose dans le style d'une de ces gravures intitulées l'Amant Surpris ou la Fille Séduite, et qui ornaient encore les murs de la chambre : le valet accouru au bruit du coup de feu se précipitant, habillé à la diable, son ample chemise pendant à demi hors de sa culotte enfournée au saut du lit, et peut-être, derrière lui, une servante à bonnet de nuit, et presque nue, une main devant la bouche pour étouffer un cri et l'autre retenant maladroitement le vêtement qui glissant de son épaule découvre un sein (et peut-être n'est-ce pas pour étouffer un cri qu'elle élève la main : plutôt, les doigts repliés en coquille, c'est devant la flamme d'une seconde chandelle (ce qui explique qu'elle soit visible quoiqu'elle soit placée en retrait, n'ayant pas encore, elle, franchi le seuil, encore dans l'ombre du corridor) qu'elle s'efforce de protéger du courant d'air provoqué par l'enfoncement de la porte (la lueur de la flamme passant entre ses doigts, de sorte qu'elle semble faire apparaître au centre de chacun l'ombre floue des os enveloppée par le rose transparent de la chair) : tenant donc en même temps d'une main ce vêtement de nuit qui cache mal sa poitrine, et la chandelle qu'elle protège de l'autre, si bien que son visage juvénile et effaré se trouve éclairé d'en bas, comme par les quinquets de la rampe d'un théâtre, les ombres étant inversées, c'est-à-dire placées non au-dessous des volumes mais au-dessus, les parties dans l'ombre étant la lèvre inférieure, l'arête du nez, le haut des joues, la paupière supérieure et le front au-dessus des sourcils), le valet de chambre se présentant, lui, de dos, la jambe droite portée en avant, à demi fléchie, la gauche en arrière (c'est-à-dire que son poids repose tout entier sur la droite : non pas une phase de la marche ou même de la course, mais plutôt la position d'un danseur au retombé d'un saut, l'attitude exprimant éloquemment ce qui vient de se passer : la ruée du corps se précipitant, l'épaule droite en avant, contre le panneau de la porte, la jambe droite repliée et levée, la der-

nière poussée, le dernier élan étant donné par la jambe
gauche, puis — à la troisième ou quatrième tentative —
le panneau (ou plutôt la serrure) cédant dans un fracas
de gâche arrachée et de bois volant en éclats, et à ce
moment le corps du domestique catapulté, en déséquilibre, retombant sur la jambe droite ployée tandis qu'il
semble tirer derrière lui sa jambe gauche, celle-ci entièrement en extension et dont la cuisse, le mollet et le pied
sont dans une même ligne, le talon levé, le pied (nu car
il — le valet — a juste pris le temps d'enfiler cette
culotte) ne touchant le sol que par l'extrémité des orteils,
le bras droit élevant bien haut maintenant la chandelle
qui se trouve à peu près au centre de l'espace-profondeur
du tableau, si bien que le valet est placé à contre-jour,
la partie de son corps que l'on peut voir — c'est-à-dire
son dos — étant presque complètement dans l'ombre
qui est figurée au burin au moyen de fines hachures
entrecroisées et plus ou moins déliées épousant le modelé
des volumes, de sorte que, vues de près, les formes, et
notamment son avant-bras musculeux, ont l'air d'être
enveloppées d'une sorte de filet aux mailles qui se res-
serrent là où l'ombre est la plus dense), toute la lumière
étant pour ainsi dire concentrée, absorbée, par le grand
corps étendu au pied de la cheminée, dessinant un léger
arc de cercle, livide et nu.

Car c'était cela (la légende, ou, au dire de Sabine, la
médisance inventée par ses ennemis) : qu'on l'avait trouvé
entièrement dévêtu, qu'il s'était d'abord dépouillé de ses
vêtements avant de se tirer cette balle dans la tête à côté
de cette cheminée au coin de laquelle, enfant, et même
plus tard, Georges avait passé combien de soirées à cher-

cher instinctivement au mur ou au plafond (quoiqu'il sût bien que, depuis, la pièce avait été plusieurs fois repeinte et retapissée) la trace de la balle dans le plâtre, ima-ginant, revivant cela, croyant le voir, dans ce trouble, voluptueux et nocturne désordre de scène galante : peut-être un fauteuil, une table renversés, et les vêtements, comme ceux d'un amant impatient, hâtivement, fiévreu-sement arrachés, rejetés, éparpillés çà et là, et ce corps d'homme à la complexion délicate, presque féminine, gisant, immense et incongru, les ombres mouvantes de la chandelle jouant sur la peau blanche et transparente, ivoirin ou plutôt bleuâtre avec, au centre, ce buisson, cette touffe, cette tache sombre, floue et bitumeuse, et le fragile sexe de statue couché, barrant l'aine, sur le haut de la cuisse (le corps, en tombant, ayant légèrement basculé vers la gauche), le tableau tout entier empreint de cet on ne savait quoi de trouble, d'équivoque, d'à la fois moite et glacé, de fascinant et de répugnant...

« Et je me demandais s'il avait alors lui aussi cet air étonné vaguement offusqué le visage d'idiot de Wack quand il avait été arraché de son cheval gisant mort la tête en bas me regardant de ses yeux grands ouverts la bouche grande ouverte sur le revers du talus, mais lui avait toujours eu une tête d'idiot et bien sûr la mort n'avait pas précisément arrangé les choses de ce point de vue, mais sans doute au contraire accentué, du fait qu'elle privait le visage de toute mobilité, cette expression ahurie stupéfaite comme par la brus-que révélation de la mort c'est-à-dire enfin connue non plus sous la forme abstraite de ce concept avec lequel nous avons pris l'habitude de vivre mais surgie ou plutôt frappant dans sa réalité physique, cette violence cette agression, un coup d'une brutalité inouïe insoupçonnée démesurée injuste imméritée la fureur stupide et stupéfiante des choses qui n'ont pas besoin de raisons pour frapper comme quand on se cogne la tête la première dans un réverbère qu'on n'avait pas vu perdu dans ses pensées comme on dit faisant alors connaissance avec l'imbécile révoltante et sauvage méchanceté de la fonte, le plomb lui emportant la moitié de la tête, alors peut-être son visage exprimait-il cette espèce de surprise de réprobation mais son visage seulement parce que je suppose qu'en ce qui concernait son esprit il devait y avoir déjà longtemps qu'il avait franchi le seuil au-delà duquel plus rien ne pouvait le surprendre ou le décevoir après la perte de ses dernières illusions dans le sauve-qui-peut d'un désastre, et déjà donc précipité dans ce néant où le coup de feu n'avait fait qu'envoyer sa carcasse le rejoindre : depuis un bon moment je ne voyais plus que son dos alors il m'était impossible de savoir si toute faculté d'étonnement ou de souffrance et même de raisonnement ne l'avait pas déjà abandonné ou plutôt libéré de sorte que ce fut peut-être seulement son corps pas son esprit qui commanda le geste absurde et dérisoire de dégainer et brandir ce sabre car sans doute était-il déjà complètement mort à ce moment-là si comme il est probable l'autre de derrière sa haie avait visé en premier le plus haut gradé et il faut moins de temps pour vous introduire dix balles de mitraillette dans le corps que pour accomplir la série d'opérations qui consiste à aller attraper de la main droite la poignée du sabre devant la cuisse gauche dégainer et lever la lame, mais on dit que les cadavres sont parfois capables de réflexes de contractions musculaires assez fortes et même assez coordonnées pour les faire se mouvoir comme ces canards dont on coupe la tête et qui continuent à marcher se sauver parcourant grotesquement plusieurs mètres avant de s'abattre pour de bon : rien qu'une histoire de cous coupés en somme puisque selon la tradition la version la flatteuse légende familiale c'était pour éviter la guillotine que l'autre l'avait fait avait été contraint de le faire Alors ils auraient dû changer leur blason depuis ce jour-là remplacer ces trois colombes par un canard sans tête j'imagine que c'eût été mieux un meilleur symbole plus explicite en tout cas puisque l'on peut dire que de toute façon ni l'un ni l'autre n'avait déjà plus sa tête : un simple canard sans tête brandissant ce sabre l'élevant étincelant dans la lumière avant de s'écrouler sur le côté, cheval et canard derrière le camion brûlé comme si on les avait fauchés comme dans ces farces où l'on tire brusquement un tapis sur lequel se trouve un personnage, les haies ici étaient faites d'aubépine ou de charme je crois petites feuilles gaufrées ou plutôt tuyautées comme on dit en termes de repassage (ou peut-être plissé-soleil) comme une collerette de chaque côté de la nervure centrale, nos hautes ombres glissant dessus se cassant en escalier à angle droit, horizontales, verticales, puis de nouveau horizontales, mon casque se déplaçant sur la partie plate au sommet de la haie, les trois chevaux (soufflant un peu moins maintenant, les naseaux de celui que montait Iglésia dilatés s'ouvrant et se contractant comme des cornets encore frémissants l'intérieur parcouru de veinules rouges gon-

flées se ramifiant en forme d'éclairs) marchant de
front remplissant presque toute la largeur du chemin, je
me penchai pour lui caresser l'encolure mais là où les
rênes frottaient elle était toute mouillée et couverte d'une
bave grisâtre de sueur et j'essuyai ma main sur la cuisse
de ma culotte il renifla et dit Quelle espèce de salaud, et
moi Ça te fait mal ? mais il ne répondit pas l'air toujours
de mauvaise humeur comme s'il m'en voulait disant à
la fin Non je crois que c'est rien, disant L'espèce de
salaud tu as vu ça, puis je vis nos ombres cette fois
devant nous Quelle connerie dit-il qu'est-ce que c'est que
ceux-là ? Arrêtés au carrefour ils nous regardaient venir
sans bouger ils avaient l'air d'aller à ou de sortir de la
messe endimanchés comme pour une cérémonie une fête,
les femmes vêtues de sombre et chapeautées certaines
tenant à la main un parapluie noir ou leur sac noir aussi
et certains des valises ou de ces paniers d'osier rectangulaires avec une poignée sur le dessus du couvercle qui
est fixé par une baguette à cadenas coulissant dans des
passants, et quand nous fûmes près d'eux un des hommes
dit Foutez le camp, leurs visages étaient sans expression,
Est-ce que vous avez vu passer des cavaliers dis-je, mais
la même voix répéta Allez-vous-en Foutez le camp, les
trois chevaux s'étaient arrêtés les ombres des casques
arrivaient presque à leurs chaussures noires du dimanche
je dis On est perdus on est tombés ce matin dans une
embuscade le capitaine vient d'être tué nous cherchons,
puis une des femmes se mit à crier puis plusieurs voix
crièrent ensemble Ils sont partout allez-vous-en s'ils vous
trouvent avec nous ils nous tueront, Iglésia répétant
encore une fois Espèce de salaud, mais sans hausser la

voix de sorte que je me demandais si c'était d'eux qu'il
voulait parler ou du type qui nous avait tiré dessus mais
je ne pouvais pas savoir s'il le disait au pluriel ou au sin-
gulier et à ce moment-là je me rappelle que j'ai entendu
le bruit de cascade qu'elle faisait en même temps qu'elle
bougeait un peu pour écarter les cuisses je me suis penché pour soulager les reins et je restai ainsi aplati en
avant regardant par terre, l'urine jaune éclaboussait partout et l'homme le plus près s'écarta de nous sans doute
pour ne pas laisser salir ses habits de fête, l'urine ser-
pentait sur le chemin tout juste empierré comme une
sorte de dragon couverte de bulles la tête hésitant tâtonnant cherchant son chemin à droite et à gauche tandis
que le corps s'enflait mais très vite la terre l'absorba et
il ne resta qu'une tache sombre humide et tentaculaire
où de minuscules points brillants comme des têtes d'épingle s'éteignaient les uns après les autres, alors je me
redressai disant Allons on ne va pas rester là, je la pous-
sai et ils s'écartèrent pour nous laisser passer solennels
roides et hostiles dans leurs habits du dimanche, Ces
salauds de paysans dit Iglésia, puis nous entendîmes crier
derrière nous et je me retournai ils n'avaient pas bougé
c'était une femme qui criait les autres avaient toujours
leurs mêmes visages hostiles et renfrognés la regardant
maintenant, elle, avec une espèce de réprobation, Qu'est-
ce qu'elle dit ? dis-je, Iglésia s'était aussi retourné, la
main qui tenait les rênes et le bridon du cheval de main
posée sur sa cuisse, elle répéta plusieurs fois le même
geste du bras A gauche dit-il elle dit qu'on prenne à gauche que par là on va se fourrer en plein dedans, ils se
mirent tous à parler et gesticuler en même temps j'enten-

dis leurs voix furieuses et contradictoires Alors par où ?
dis-je puis je trouvai ce que j'étais en train de chercher
depuis un moment depuis que je les avais vus insolites
et cérémonieux avec leurs costumes non de fête mais de
deuil pensai-je voilà pourquoi j'avais pensé à ces enterrements qu'on rencontre noirs et compassés dans les ver-
doyants chemins de campagne (il continuait à agiter
furieusement son parapluie comme pour nous chasser
comme s'il criait encore Allez-vous-en Foutez le camp
foutez le camp d'ici !) Elle a dit qu'on prenne à gauche,
dit Iglésia, mais nos ombres nous précédaient maintenant je pouvais les voir avançant devant nous comme
montées sur des échasses Mais dis-je par là on revient
vers..., et Iglésia Puisqu'elle a dit que par là on allait se
fourrer dedans elle le sait peut-être mieux que toi non,
le soleil disparut les ombres disparurent une fois encore
je regardai derrière nous et ils disparurent cachés
par la haie, sans le soleil la campagne semblait encore
plus morte abandonnée effrayante par sa paisible et fami-
lière immobilité cachant la mort aussi paisible aussi fami-
lière et aussi peu sensationnelle que les bois les arbres
les prés fleuris... »

Puis il se rendit compte que ce n'était pas à Blum
qu'il était en train d'expliquer tout ça (Blum qui était
mort depuis plus de trois ans maintenant, c'est-à-dire
dont il savait qu'il était mort parce que tout ce qu'il avait
vu c'était simplement ceci : le même visage que ce matin
pluvieux et gris dans la grange, mais encore plus réduit,
ratatiné et misérable, entre les immenses oreilles décollées qui semblaient avoir grandi au fur et à mesure que
le visage rapetissait, fondait, et le même regard fiévreux,

silencieux, luisant, où se reflétait la lumière jaune foncé
des ampoules éclairant la baraque, l'éclairant du moins
suffisamment pour ce qu'ils avaient à faire : ouvrir les
yeux, s'asseoir sur leur couchette et rester ainsi à peu
près une minute, à demi stupides jusqu'à ce qu'ils aient,
comme chaque matin, réussi à se faire à l'idée de l'endroit où ils se trouvaient et de ce qu'ils étaient, et
ensuite se lever, simplement se mettre debout sans avoir
fait autre chose que lacer leurs chaussures (puisque maintenant ils ne savaient plus du tout ce que c'était que se
déshabiller, excepté le dimanche pour chercher leur
poux) et épousseter la paille poussiéreuse de la nuit, enfiler leurs capotes pour enfin s'aligner dehors dans la nuit
en attendant l'aube jusqu'à ce qu'on les ait comptés et
dénombrés exactement comme un troupeau : donc suffisamment de lumière pour cela et pour qu'il pût voir le
mouchoir que Blum tenait devant sa bouche, et que le
mouchoir était presque noir, mais pas de saleté, c'est-à-
dire que si les ampoules avaient été plus fortes il aurait
pu voir qu'il était rouge, mais dans la demi-pénombre il
était simplement noir, et Blum se taisant toujours, avec
seulement dans ses yeux trop brillants ce quelque chose
de déchirant, de désespéré et de résigné, et Georges :
« Mais ce n'est qu'un petit peu de s... Sacré veinard ! Tu
peux dire que tu es verni : l'infirmerie, des draps, et ils
vont te rapatrier comme mal... Sacré veinard ! », et
Blum le regardant toujours sans répondre, les yeux brû-
lants dans la pénombre, noirs, agrandis, semblables à des
yeux d'enfant, et Georges disant, répétant : « Sacré veinard qu'est-ce que je donnerais pas pour crachoter moi
aussi un petit peu : rien qu'un petit crachouillis de rien

94

du tout bon sang si je pouvais aussi mais ce n'est pas moi qui aurais un pareil coup de pot... », et Blum le regardant toujours sans répondre, et il ne l'avait plus jamais revu), se rendant compte donc que ce n'était pas à Blum qu'il était en train d'essayer d'expliquer tout ça en chuchotant dans le noir, et pas le wagon non plus, l'étroite lucarne obstruée par les têtes ou plutôt les taches se bousculant criardes, mais une seule tête maintenant, qu'il pouvait toucher en levant simplement la main comme un aveugle reconnaît, et même pas besoin d'approcher la main pour savoir dans le noir, l'air lui-même sculptant, sentant la tiédeur, l'haleine, respirant le souffle sorti de l'obscure fleur noire des lèvres, le visage tout entier comme une espèce de fleur noire penché au-dessus du sien comme si elle cherchait à y lire, à deviner... Mais il lui attrapa le poignet avant qu'elle l'ait atteint, attrapant au vol l'autre main, ses seins roulant sur sa poitrine : un moment ils luttèrent, Georges pensant sans même avoir envie de rire D'habitude ce sont elles qui ne veulent pas qu'on allume, mais il y avait encore trop de lumière dans la nuit elle se pencha sur le côté sa tête glissa de la fenêtre démasquant les étoiles et il put sentir la lueur froide l'atteindre se plaquer comme du lait sur sa figure pensant Bon très bien regarde, sentant son poids le poids de toute cette chair de femme sa hanche écrasant sa jambe, la hanche luisant phosphorescente dans l'obscurité il pouvait la voir luire aussi dans la glace et les deux pommes de pin de chaque côté du fronton de l'armoire et c'était à peu près tout et elle : Continue parle-lui encore, et lui : A qui ? et elle : En tout cas pas à moi, et lui : Alors à qui ? et elle : Mais même si je n'avais plus

95

été qu'une vieille putain décatie tu, et lui : Qu'est-ce que
tu racontes ? et elle : Parce que ce n'était pas moi n'est-
ce pas c'était, et lui : Bon Dieu je n'ai fait que penser
rêver de toi pendant cinq ans, et elle : Pas à moi, et lui :
Alors ça alors je me demande à qui, et elle : Pas à qui,
tu ferais mieux de dire quoi, il me semble que ce n'est
pas difficile à deviner il me semble qu'il n'est pas très
difficile de se figurer à quoi peuvent penser pendant
cinq ans un tas d'hommes privés de femmes, à peu près
quelque chose dans le genre de ce qu'on voit dessiné sur
les murs des cabines téléphoniques ou des toilettes des
cafés je pense que c'est normal je pense que c'est la chose
la plus naturelle mais dans ces sortes de dessins on ne
représente jamais les figures ça s'arrête en général au cou
quand ça arrive jusque là quand celui qui s'est servi du
crayon ou du clou pour gratter le plâtre s'est donné la
peine de dessiner autre chose, d'aller plus haut que, et
lui : Oh bon Dieu mais alors la première venue, et elle :
Mais là-bas tu m'avais sous la main (et faisant entendre
dans le noir comme un rire, quelque chose qui la secoue
faiblement, les secoue tous les deux, les deux poitrines
soudées, les seins, de sorte qu'il lui semble l'entendre
résonner dans la sienne à lui, qu'il rit aussi, c'est-à-dire
pas vraiment un rire, en ce sens que cela n'exprime
aucune joie : seulement cette espèce de spasme, dur,
comme une toux, qui résonne en même temps dans leurs
deux corps puis s'arrête quand elle parle de nouveau :)
ou plutôt vous puisque vous étiez trois, Iglésia toi et
comment comment s'appelait..., et Georges : Blum, et
elle : ... Ce petit juif qui était avec vous que tu avais
retrouvé...

Puis Georges ne l'écoutant plus, ne l'entendant plus, enfermé de nouveau dans l'étouffante obscurité avec sur la poitrine cette chose, ce poids qui n'était pas de la tiède chair de femme mais simplement de l'air comme si l'air gisait là aussi sans vie avec cette pesanteur décuplée, centuplée, des cadavres, le cadavre pesant et corrompu de l'air noir étendu de tout son long sur lui sa bouche collée à la sienne, et lui essayant désespérément de faire pénétrer dans ses poumons cette haleine au goût de mort, de corruption, puis tout à coup l'air entra : ils avaient de nouveau fait glisser la porte, l'éclat des voix, des ordres rentrant avec l'air, Georges réveillé maintenant, pensant : « Mais ce n'est pas possible, ce n'est pas possible qu'ils en fassent encore monter, nous... » puis quelque chose de violent, des heurts, une bousculade, des jurons dans l'ombre, puis la porte glissa de nouveau, le loquet de fer se rabattant au dehors, et ce fut de nouveau le noir seulement peuplé de respirations, ceux qui venaient de monter pressés probablement contre le panneau en train sans doute de se demander combien de temps on pouvait rester là dedans sans perdre connaissance ou plutôt en train simplement d'attendre (pensant sans doute : il ne doit y en avoir que pour quelques minutes, tant mieux) le moment où ils allaient perdre connaissance, les respirations faisant dans le noir un bruit continu comme des soufflets, puis (sans doute fatigué d'attendre que cela se produisît) l'un de ceux qui venait de monter parlant, disant (mais sans colère, seulement comme avec une sorte d'ennui) : « Vous pourriez peut-être au moins nous laisser la place de nous asseoir, non ? », et Georges : « Qui est-ce qui a parlé ? », et la voix : « Georges ? », et

97

Georges : « Oui, par ici, par... Bon Dieu : alors ils t'ont
eu aussi ! Ça alors, tu... », continuant à parler tandis
qu'il essayait d'avancer à quatre pattes vers la porte malgré les jurons, sans même sentir les coups qu'ils lui
donnaient, puis une main lui attrapa la cheville et il
tomba, reçut un formidable coup de pied sur le côté de
la figure, en même temps que lui parvenait la voix de
Blum plus proche maintenant, disant : « Georges », puis
la voix du Marseillais disant : « Reste où tu es. Tu pas-
seras pas ! », et Georges : « Mais enfin quoi c'est un
cop... », et le Marseillais : « Fous le camp ! », et Georges
ruant, essayant de se mettre debout, puis alors qu'il était
à demi relevé, sentant quelque chose comme environ
une tonne d'acier lui arriver dans la poitrine, pensant dans
une sorte d'éclair : « Bon Dieu c'est pas possible, ils ont
fait aussi rentrer des chevaux, ils... », puis entendant le
panneau de fer sonner contre sa tête (ou sa tête sonner
contre le panneau de fer — à moins qu'il n'y eût pas de
panneau de fer, que sa tête sonnât toute seule), la voix de
Blum tout à côté maintenant disant sans élever le ton :
« Bande de salauds », Georges pouvant l'entendre lancer
devant lui dans le noir, patiemment en quelque sorte
quoique à toute vitesse, le plus grand nombre possible
de coups de pied et de coups de poing, Georges
essayant de taper aussi mais pas très bien parce que le
bras ou le pied rencontraient tout de suite quelque chose
de sorte qu'ils n'arrivaient pas très fort, puis sans doute
y avait-il trop peu d'air pour que l'on pût continuer
longtemps à se battre car peu à peu et comme par une
sorte d'accord tacite entre eux et leurs adversaires (c'est-
à-dire entre eux et ce noir dans lequel ils essayaient de

donner et duquel leur arrivaient des coups) cela s'arrêta,
la voix du Marseillais disant qu'ils se retrouveraient, et
Blum disant : « C'est ça », et le Marseillais : « T'es photographié », et Blum : « C'est ça, tu m'as photographié »,
et le Marseillais : « Fais toujours ton mariolle, attends
qu'il fasse jour, attends qu'on sorte d'ici », et Blum :
« C'est ça : photographie », et sans doute n'y avait-il pas
assez d'air non plus pour que l'on pût même continuer à
s'injurier car cela aussi s'arrêta et Blum dit : « Ça va ? »
et Georges tâtant dans la musette, et il y avait toujours
le morceau de pain et la bouteille n'était pas cassée,
disant : « Ça va, oui » mais sa lèvre avait l'air d'être en
bois et alors il sentit que quelque chose coulait dans sa
bouche, cherchant à tâtons sa lèvre des doigts et l'explorant avec précaution, pensant : « Bien. J'allais finir par
me demander si j'avais fait vraiment la guerre. Mais j'ai
tout de même réussi à me faire blesser, à répandre tout
de même moi aussi quelques gouttes de mon précieux
sang de sorte qu'ensuite j'aurai au moins quelque chose
à raconter et que je pourrai dire que tout l'argent qu'ils
ont dépensé pour faire de moi un soldat n'a pas été tout
à fait perdu, quoique je craigne que cela ne se soit pas
passé dans les règles, c'est-à-dire de la façon correcte,
c'est-à-dire atteint par un ennemi me visant dans la position du tireur à genou, mais seulement par une chaussure
à clous, encore que ce ne soit même pas certain, encore
que je ne sois même pas sûr de pouvoir me vanter plus
tard de quelque chose d'aussi glorieux que d'avoir été
blessé par un de mes semblables parce que ça devait plutôt être quelque chose comme un mulet ou un cheval
qu'on a dû fourrer par erreur dans ce wagon, à moins

que ce ne soit nous qui nous y trouvions par erreur puisque sa destination première est bien de transporter des
animaux, à moins que ce ne soit pas du tout une erreur
et qu'on l'ait, conformément à l'usage pour lequel il a été
construit, rempli de bestiaux, de sorte que nous serions
devenus sans nous en rendre compte quelque chose
comme des bêtes, il me semble que j'ai lu quelque part
une histoire comme ça, des types métamorphosés d'un
coup de baguette en cochons ou en arbres ou en cailloux,
le tout par le moyen de vers latins... » pensant encore
« Comme quoi il n'a donc pas entièrement tort. Comme
quoi somme toute les mots servent tout de même à quelque chose, de sorte que dans son kiosque il peut sans
doute se persuader qu'à force de les combiner de toutes
les façons possibles on peut tout de même quelquefois
arriver avec un peu de chance à tomber juste. Il faudra
que je le lui dise. Ça lui fera plaisir. Je lui dirai que j'avais
déjà lu en latin ce qui m'est arrivé, ce qui fait que je
n'ai pas été trop surpris et même dans une certaine
mesure rassuré de savoir que ç'avait déjà été écrit, de
sorte que tout l'argent qu'il a lui aussi dépensé pour me
le faire apprendre n'aura pas été non plus complètement
perdu. Ça lui fera sans doute plaisir, oui. Ça sera certainement pour lui une... » Puis il cessa. Ce n'était pas à son
père qu'il voulait parler. Ce n'était même pas à la femme
couchée invisible à côté de lui, ce n'était peut-être même
pas à Blum qu'il était en train d'expliquer en chuchotant
dans le noir que si le soleil ne s'était pas caché ils
auraient su de quel côté marchaient leurs ombres : maintenant ils ne chevauchaient plus dans la verte campagne,
ou plutôt le vert chemin de campagne avait brusquement

cessé et ils (Iglésia et lui) restaient là, stupides, arrêtés, juchés sur leurs échalas de chevaux au beau milieu de la route, tandis qu'il pensait avec une sorte de stupeur, de désespoir, de calme dégoût (comme le forçat lâchant la corde qui lui a permis de franchir la dernière muraille, se recevant, se redressant, se préparant à s'élancer, et découvrant alors qu'il vient de tomber aux pieds mêmes de son gardien en train de l'attendre) : « Mais j'ai déjà vu ça quelque part. Je connais ça. Mais quand ? Et où donc ?... »

II

Qui a bien pu donner à Dieu l'idée de créer des êtres mâles et femelles et de les faire s'unir ? L'homme, voilà qu'il lui donne la femme. Elle a deux tétons sur la poitrine et un petit pertuis entre les jambes. Mettez là une petite goutte de semence humaine, et il en naîtra un corps grand comme ça ; cette pauvre petite goutte deviendra chair, sang, os, nerfs, peau. Job l'a bien dit au chapitre dix : « Ne m'avez-vous pas trait comme du lait, et fait cailler comme du fromage ? » Dans toutes ses œuvres, Dieu a quelque chose de rigolo. S'il m'avait demandé mon avis sur la procréation des hommes, je lui aurais conseillé de s'en tenir à la motte de limon. Et je lui aurais dit de poser le soleil, comme une lampe, au beau milieu de la terre. Comme ça il aurait tout le temps fait jour.

MARTIN LUTHER.

103

Et au bout d'un moment il le reconnut : ce qui était non un anguleux amas de boue séchée mais (les pattes osseuses, jointes et repliées en posture de prière, la carcasse à demi recouverte, absorbée par sa gangue d'argile — comme si déjà la terre avait commencé à la digérer — avec, sous la croûte dure et friable, son aspect, sa morphologie à la fois d'insecte et de crustacé) un cheval, ou plutôt ce qui avait été un cheval (hennissant, s'ébrouant dans les vertes prairies) et retournait maintenant, ou était déjà retourné à la terre originelle sans apparemment avoir eu besoin de passer par le stade intermédiaire de la putréfaction, c'est-à-dire par une sorte de transmutation ou de transsubstanciation accélérée, comme si la marge de temps normalement nécessaire au passage d'un règne à l'autre (de l'animal au minéral) avait été cette fois franchie d'un coup. « Mais, pensa-t-il, peut-être est-ce déjà demain, peut-être même y a-t-il des jours et des jours que nous sommes passés là sans que je m'en aperçoive. Et lui encore moins. Parce que comment peut-on dire depuis combien de temps un homme est mort puisque pour lui hier tout à l'heure et demain ont définitivement cessé d'exister c'est-à-dire de le préoccuper c'est-à-dire de l'embêter... » Puis il vit les mouches. Non plus la large plaque de sang grumeleux et verni qu'il avait vue la première fois, mais une sorte de grouillement sombre, pensant : « Déjà », pensant : « Mais d'où sortent-elles toutes ? » jusqu'à ce qu'il se rendît compte qu'il n'y en avait pas tellement (pas au point de recouvrir la plaque) mais que le sang avait commencé à sécher, s'était maintenant terni, plutôt brun que rouge à présent (apparemment c'était la seule modification qui s'était produite depuis la première fois qu'il l'avait vu, de sorte que, pensa-t-il, il ne s'était probablement écoulé que quelques heures, ou peut-être une seule, ou peut-être même pas, et à ce moment il remarqua que l'ombre projetée par l'angle du mur de briques qui bordait la route recouvrait les membres postérieurs du cheval tout à l'heure en plein soleil, la portion d'ombre projetée par la partie du mur parallèle à la route ne cessant de s'élargir, pensant : « Mais nos ombres étaient alors sur notre droite, donc le soleil a maintenant franchi l'axe de la route, donc... », puis cessant de penser, ou plutôt d'essayer de calculer, pensant seulement : « Mais qu'est-ce que ça peut faire ? Qu'est-ce que ça peut bien lui faire maintenant dans l'endroit où il est... »), les grosses mouches bleu-noir se pressant sur le pourtour, les lèvres de ce qui était plutôt un trou, un cratère, qu'une blessure, et où le cuir entaillé commençait à se retrousser comme du carton, faisant penser à ces jouets d'enfants amputés ou crevés laissant voir l'intérieur béant, caverneux, de ce qui n'avait été qu'une simple forme entourant du vide, comme si les mouches et les vers ayant déjà achevé leur travail, c'est-à-dire ayant mangé

tout ce qu'il y avait à manger, y compris les os et le cuir,
il ne subsistait plus (comme les carapaces de ces bêtes
vidées de leur chair ou ces objets rongés de l'intérieur
par les termites) qu'une fragile et mince enveloppe de
boue séchée, pas plus épaisse qu'une couche de peinture
ni plus ni moins vide, ni plus ni moins inconsistante que
ces bulles venant crever à la surface de la vase avec un
bruit malpropre, laissant s'échapper, comme montée d'in-
sondables et viscérales profondeurs, une faible exhalaison
de pourriture.

Puis il vit ce type. C'est-à-dire, du haut de son cheval, l'ombre gesticulante faisant irruption hors d'une maison, courant vers eux sur la route à la façon d'un crabe ;
Georges se rappelant d'avoir d'abord été frappé par
l'ombre parce que, dit-il, elle était allongée, à plat, tandis
qu'Iglésia et lui voyaient l'homme de haut en bas en rac-
courci, de sorte qu'il regardait encore l'ombre (semblable
à une tache d'encre qui se serait déplacée rapidement
sur la route sans laisser de traces, comme sur une toile
cirée ou une matière vitrifiée) en train d'agiter incom-
préhensiblement ses deux pinces tandis que la voix lui
parvenait d'un autre point, les mouvements et la voix
semblant en quelque sorte séparés, dissociés, jusqu'à ce
qu'il relevât la tête, découvrît le visage levé vers eux,
empreint d'une sorte d'égarement, d'une furieuse et suppliante exaltation, Georges parvenant seulement alors à
comprendre ce que criait la voix (c'est-à-dire ce qu'elle
avait crié, car elle criait déjà autre chose, de sorte que
quand il répondit ce fut avec comme un décalage, comme
si ce que criait l'autre mettait un moment à lui parvenir,
à traverser les épaisseurs de fatigue), entendant sa pro-

pre voix sortir (ou plutôt poussée hors de lui avec effort) enrouée, rugueuse, marron foncé, et criant elle aussi, comme s'il leur avait été nécessaire à tous de hurler pour parvenir à s'entendre quoiqu'ils fussent seulement à quelques mètres (et à un moment, même pas) l'un de l'autre et qu'il n'y eût alors aucun autre bruit qu'une lointaine canonnade (parce que sans doute le type s'était mis à crier dès qu'il les avait aperçus, criant tandis qu'il dévalait en courant les marches du perron de la maison, continuant à crier sans se rendre compte que c'était de moins en moins nécessaire à mesure qu'il se rapprochait d'eux, la nécessité où il se croyait de crier s'expliquant probablement aussi par le fait qu'il n'arrêtât pas de courir, même quand il se tint un instant immobile au-dessous de Georges, lui montrant du doigt l'endroit où se cachait le tireur, toujours courant sans doute en esprit, ne s'apercevant même pas qu'il était arrêté, si bien qu'il lui était peut-être impossible de s'exprimer autrement qu'en criant comme le fait un homme en mouvement) et Georges hurlant alors aussi : « Infirmiers ? Non. Pourquoi infirmiers ? Est-ce qu'on a l'air d'infirmiers ? Est-ce qu'on a des brass... », le dialogue furieux, échangé à tue-tête sur la route ensoleillée et vide (sauf, des deux côtés, cette double traînée de détritus, d'épaves, comme si quelque inondation, quelque torrent déchaîné, foudroyant et aussitôt tari était passé par là, rejetant, laissant sur ses bords ces tas — choses, bêtes, gens morts — indistincts, sales et immobiles, tremblotant faiblement dans la couche d'air chaud qui vibrait à ras de terre sous le soleil de mai), de haut en bas et de bas en haut entre le cavalier sur son cheval arrêté et l'homme courant, criant de nou-

veau : « Des pansements... Il faut... Il y a deux gars qui
viennent de se faire descendre. Vous n'avez pas, vous
n'êtes pas... », et Georges : « Des pansements ? Bon Dieu.
D'où est-ce que... », et le type commençant à infléchir sa
course pour repartir vers la maison, ralentissant à peine,
hurlant de nouveau, comme en proie à une sorte de
colère désespérée : « Alors qu'est-ce que vous foutez là
plantés comme deux andouilles sur vos bourins au
milieu de cette route Vous savez pas qu'ils tirent sur tout
ce qui passe ? », et agitant de nouveau les bras, se retournant sans cesser de courir, montrant un point quelque
part, criant : « Il y en a un planqué là-bas, juste derrière
le coin de la bicoque ! », et Georges : « Où ? », et le type
maintenant parvenu à l'extrémité de la boucle décrite
par sa course avant de repartir vers la maison, tout près
d'eux, s'arrêtant — mais certainement sans en être cons-
cient, sa poitrine s'abaissant et se relevant rapidement,
haletant, se dépêchant de crier entre deux aspirations :
« Juste derrière le coin de cette bicoque en brique là-
bas ! » et regardant lui-même dans la direction de son
doigt pointé, et hurlant avec toujours ce même accent
de colère, de désespoir et de satisfaction : « Tiens ! Il
vient juste de sortir et de se planquer de nouveau, t'as-
vu ? », et Georges : « Où ? », et le type déjà en mouvement, repartant, se retournant, criant furieusement :
« Bon Dieu de... : la maison en briques là-bas ! », et Georges : « Mais elles sont toutes en briques », et le type :
« Pauvre con ! », et Georges : « Mais il n'a pas tiré », et le
type (s'éloignant maintenant, courant, le visage tourné
vers eux pour répondre, de sorte que tout son corps se
tord comme un tire-bouchon, la tête regardant en sens

inverse de sa course, le buste — c'est-à-dire le plan de
sa poitrine — dans l'axe du trajet suivi, et les hanches
(le plan des hanches) de biais par rapport à celui-ci, ce
qui fait qu'il court de travers, de nouveau un peu comme
un crabe, semble traîner maladroitement après lui ses
pieds, ses jambes menaçant à tout instant de s'embrouiller,
tandis que les bras écartés continuent à gesticuler) hurlant : « Pauvre con ! Il ne va pas te tirer de là-bas. Il
attend que tu sois près et alors il te tire ! », et Georges :
« Mais où... », et le type par dessus son épaule : « Pauvre
con ! », et Georges hurlant : « Mais bon Dieu où est le
front, où... », et le type s'arrêtant cette fois, un moment
ahuri, indigné, planté là, tourné vers eux, les bras en
croix, criant avec rage maintenant : « Le front ? Pauvre
con ! Le front ?... Y a plus de front, pauvre con, y a plus
rien ! », les bras écartés se joignant devant lui, puis s'écartant de nouveau, balayant tout : « Plus rien. T'entends ?
Plus rien ! », et Georges (s'époumonnant maintenant parce
que l'autre a tourné le dos, repris sa course, est presque
arrivé au perron de la maison d'où il est sorti tout à
l'heure et va disparaître) : « Mais enfin qu'est-ce qu'il faut
faire ? Qu'est-ce qu'on peut faire ? Où est-ce que... », et le
type : « Faites comme moi ! », ses deux bras levés s'abaissant, les deux poignets retournés vers l'intérieur de sorte
que ses doigts dirigés vers lui semblent inviter les deux
cavaliers à examiner son costume que le geste de ses mains
désigne du haut en bas, hurlant : « Foutez le camp de
là ! Foutez-vous en civil ! Cherchez des fringues dans
une maison et planquez-vous ! Planquez-vous ! », élevant
une nouvelle fois les bras et les abaissant violemment
vers eux dans le geste de les repousser, de les chasser,

de les maudire, et disparaissant à l'intérieur de la maison, et maintenant de nouveau rien que Georges et Iglésia juchés sur leurs chevaux, au milieu de la route ensoleillée, inégalement bordée de maisons et absolument déserte sauf les bêtes crevées, les morts, les tas énigmatiques et immobiles de loin en loin, en train de commencer à pourrir lentement sous le soleil, et Georges regardant le coin de la maison de briques, puis celle où vient de disparaître le type, puis de nouveau l'angle mystérieux de la maison, puis entendant derrière lui les sabots des chevaux, se retournant, Iglésia déjà au trot, le cheval de main trottant à côté de lui, les deux chevaux s'engageant dans un chemin de traverse, à gauche cette fois, et Georges mettant à son tour son cheval au trot, rattrapant Iglésia, disant : « Où vas-tu ? », et Iglésia sans le regarder, reniflant, l'air toujours maussade, hargneux : « Faire ce qu'il a dit. Chercher des frusques et me planquer », et Georges : « Se planquer où ? Et ensuite ? », et Iglésia ne répondant pas, et un moment plus tard les chevaux attachés dans une écurie vide et Iglésia cognant furieusement à coups de crosse dans la porte de la maison jusqu'à ce que Georges tourne simplement la poignée, la porte s'ouvrant toute seule, et alors autour d'eux des murs, la pénombre, c'est-à-dire un espace clos, fini (non qu'ils n'en eussent pas appris en une semaine suffisamment pour savoir la valeur, la solidité des murs et la confiance qu'on pouvait leur accorder, c'est-à-dire à peu près autant qu'à une bulle de savon — avec cette différence qu'une fois éclatée il ne restait de la bulle de savon qu'imperceptibles gouttelettes au lieu d'un amas inextricable, grisâtre, poussiéreux et meurtrier de briques et de poutres : mais peu importait, ce n'était pas cela, c'était de n'être plus dehors, d'avoir quatre murs autour de soi, et un plafond au-dessus de la tête) ; et ceci : quatre baguettes en bois d'un jaune couleur d'urine usinées imitation bambou, leurs extrémités taillées en biseau dépassant les angles de la glace dont les quatre côtés encadraient un visage qu'il n'avait jamais vu, maigre, les traits tirés, les yeux bordés de rouge et les joues couvertes d'une barbe de huit jours, puis il pensa : « Mais c'est moi », restant à regarder ce visage d'inconnu, figé sur place, non par la surprise ou par l'intérêt mais simplement par la fatigue, appuyé pour ainsi dire contre sa propre image, se tenant là, raide dans ses vêtements raides (pensant à cette expression argotique et méprisante qu'il avait entendue un jour : « Tu tiens debout parce que t'as des caleçons empesés »), tenant son mousqueton par le canon, la crosse par terre, le bras pendant un peu en arrière de lui, à peu près comme il aurait tenu quelque chose qu'on traîne après soi, par exemple une laisse du bout de laquelle de mauvais plaisants auraient détaché le chien, ou comme un ivrogne tient une bouteille vide tandis qu'il s'appuie du front à une vitre dans l'espoir d'un peu de fraîcheur, entendant derrière lui Iglésia ouvrir et fouiller l'armoire, jetant pêle-mêle sur le plancher vêtements de femme et d'homme, puis son visage disparut et la glace avec lui, le rectangle qu'il avait maintenant devant les yeux étant celui de la porte dans laquelle s'encadrait un type efflanqué, à tête de cadavre, jaune, pourvu d'une loupe à peu près de la grosseur d'un petit pois sur la joue droite, près de la commissure des lèvres.

Plus tard, il devait se rappeler cela de façon précise :
cette peau jaune et la loupe qu'il ne cessait de fixer, et
ensuite les chicots, jaunes aussi, plantés irrégulièrement
et de travers dans la bouche, et qu'il vit quand elle
s'ouvrit, l'espèce de cadavre disant : « Hé là !... », puis
avançant la main, écartant tranquillement le canon du
mousqueton pointé sur son ventre, Georges suivant
maintenant des yeux la main décharnée, regardant le guidon de son mousqueton décrire sous la poussée un demi-
cercle, c'est-à-dire abaissant les yeux en même temps
qu'il percevait dans ses bras la pression transmise à son
corps par l'arme, découvrant alors celle-ci, avec ce même
étonnement, cette même surprise blasée qu'il avait éprouvée en découvrant un instant plus tôt son visage inconnu
dans la glace, essayant sans y parvenir de se rappeler
comment il avait fait demi-tour, manœuvré la culasse et
braqué l'arme, tandis que maintenant ses muscles se
contractaient, essayaient de résister à la poussée et de
diriger de nouveau le canon vers l'homme, puis cessant
brusquement de lutter, ramenant le mousqueton à lui,
se tournant à demi, cherchant des yeux la chaise qu'il
savait qu'il avait vue un moment plus tôt et s'asseyant,
le mousqueton maintenant de nouveau posé la crosse
par terre, collé à son houseau, la main droite le tenant
de nouveau par le canon, pas tout à fait au bout, à la
façon dont un vieillard assis tient un bâton ou une canne
c'est-à-dire le mousqueton faisant office de soutien, d'étai,
pour le bras, l'avant-bras et la main gauche posés à plat
sur la cuisse gauche, exactement comme un vieillard, et
même pas l'envie de rire tandis qu'il pensait : « Dire
que ç'aurait été mon premier mort. Dire que le premier

113

coup de fusil que j'aurais tiré dans cette guerre ça a failli être pour descendre ce... », puis trop fatigué même pour finir, aller jusqu'au bout, entendant comme dans un rêve le cadavre et le jockey en train maintenant de se disputer, l'homme criant devant l'armoire ouverte, les vêtements jetés pêle-mêle par terre, disant : « Et puis d'abord qui est-ce qui vous a permis d'entrer, qui vous a... », et la voix placide, chantante, douce, sans irritation, sans agressivité, sans même une nuance d'impatience, mais seulement remplie de cette inépuisable et patiente faculté d'étonnement qu'Iglésia semblait posséder : « C'est la guerre papa Tu lis pas les journaux ? », l'homme (le cadavre) ne paraissant pas entendre, ramassant maintenant les vêtements et les examinant un à un comme eût fait un fripier afin d'en donner un prix global, une estimation, avant de les jeter l'un après l'autre sur le lit, continuant à les injurier et à les traiter de pillards jusqu'à ce qu'il (Georges, et sans doute aussi le cadavre, car il s'arrêta brusquement de tempêter, s'immobilisa, à demi courbé, une robe de femme — ou tout au moins quelque chose de mou, d'informe et flasque qui, à l'encontre des vêtements d'homme, ne pouvait prendre un sens, ressembler à quelque chose que sur un corps de femme, même flasque lui-même ou difforme — à la main) entendit le bruit, le double et bref claquement aller et retour d'une culasse manœuvrée, Iglésia tenant maintenant son propre mousqueton dirigé sur la poitrine de l'homme, disant toujours de sa même voix plaintive (et presque geignarde, et ennuyée plutôt qu'agacée, et résignée plutôt que menaçante) : « Et si je te descendais ? T'appelleras les gendarmes ? Je pourrais te descendre sans que ça fasse plus d'histoires qu'une mouche J'ai qu'à appuyer sur cette gachette pour que ça fasse seulement un macchab de plus Et avec tous ceux qu'il y a déjà en train de pourrir sur cette route là-bas un en plus ou en moins ça changera pas grand'chose au compte », l'homme se gardant bien maintenant de faire un mouvement, tenant toujours entre ses mains le flasque morceau d'étoffe, disant : « Allons mon gars Voyons Allons On va pas se », Georges toujours assis sur sa chaise dans sa posture de vieillard en train de prendre le soleil sur le banc d'un asile, pensant « Il est bien capable de le faire » mais ne bougeant toujours pas, ne trouvant même pas la force d'ouvrir la bouche, seulement celle de penser avec accablement « Ça va encore faire un bruit épouvantable », se préparant, se raidissant dans l'attente du coup de feu, du fracas, puis entendant la voix plaintive d'Iglésia disant : « Alors arrête de pleurer On t'a rien cassé Tout ce qu'on cherche c'est des fringues pour se planquer. »

Puis ils (tous les trois : l'homme décharné, Iglésia et Georges — eux maintenant vêtus comme des valets de ferme, c'est-à-dire vaguement gênés, vaguement mal à l'aise, comme si — au sortir de leur lourde carapace de drap, de cuir, de courroies — ils se sentaient à peu près nus, sans poids dans l'air léger) furent de nouveau dehors, flottant dans cette espèce de vastitude, de vacuité, de vide cotonneux, entourés de tous côtés par le bruit ou plutôt la rumeur pour ainsi dire tranquille de la bataille, et à un moment trois avions surgirent, gris, assez bas, pas très rapides, semblables à des poissons, volant parallèlement et horizontalement avec de légères varia-

115

tions d'altitude qui les faisaient osciller, monter et descendre imperceptiblement les uns par rapport aux autres, exactement comme des poissons ondoyant dans le courant, mitraillant la route là-bas (Iglésia, Georges et l'espèce de cadavre arrêtés, immobiles, mais sans chercher à se cacher, debout dans le chemin creux, la haie leur arrivant à peu près à mi-poitrine, regardant, Georges pensant : « Mais il n'y a plus que des morts C'est idiot Ils tirent sur On ne peut tout de même pas espérer les tuer deux fois »), les mitrailleuses faisant un faible bruit de machines à coudre, ridicule, sans conviction, assez lent, même pas aussi fort que le bruit d'un moteur de pompe à deux temps, comme ceci : tap... tap... tap... tap... perdu, absorbé, noyé dans la vaste campagne immobile (de là où ils étaient on ne voyait rien bouger sur la route), sous le vaste ciel immobile, puis tout redevint tranquille : les maisons, les vergers, les haies, les prés ensoleillés, les bois qui, au sud, fermaient l'horizon, le bruit paisible du canon, un peu plus sur la gauche, arrivant porté par l'air chaud et calme, pas très fort, pas très acharné non plus, simplement là, patient, comme des ouvriers quelque part en train de démolir sans se presser une maison, et rien d'autre.

Et un peu plus tard, de nouveau des murs autour d'eux, quelque chose de clos en tout cas, et Georges s'asseyant docilement, sa bouche, sa langue, ses lèvres s'efforçant de dire : «Je préfèrerais manger quelque chose Si vous aviez quelque chose à manger je... », mais n'y parvenant pas, regardant avec un impuissant désespoir l'homme au visage de cadavre parler à la femme debout à côté de leur table, puis celle-ci s'en aller, revenir, poser devant lui et remplir le verre (un minuscule cône renversé très évasé au-dessus du pied mince) de quelque chose de transparent et incolore comme de l'eau mais qu'il eut envie de cracher quand il l'eut dans sa bouche, âcre, brûlant. Cependant il ne le rejeta pas, l'avala, comme il avala docilement le contenu — pareillement incolore, transparent, âcre et brûlant — du second verre qu'elle remplit, s'efforçant toujours (ou plutôt s'efforçant de s'efforcer) de dire qu'il préfèrerait manger un morceau mais se bornant à constater avec ce même muet désespoir que c'était là (demander à manger) quelque chose de tout à fait au-dessus de ses forces, se contentant donc d'écouter (de tâcher d'écouter) ce qu'ils disaient et de vider les petits cônes remplis de liquide incolore et brûlant, se demandant si les mouches avaient déjà commencé à bourdonner sur lui comme sur le cheval mort, pensant aux avions, pensant de nouveau : « Mais ils n'ont pas pu le tuer deux fois Alors ? » jusqu'à ce qu'il comprît qu'il était saoul, disant : « Je n'y étais plus très bien. Je veux dire : je ne savais plus très bien où j'étais ni quand c'était ni ce qui se passait si c'était à lui que je pensais (en train de commencer à pourrir au soleil me demandant quand est-ce qu'il se mettrait à puer pour de bon continuant toujours à brandir son sabre dans le bourdonnement noir des mouches) ou à Wack la tête en bas sur le revers du talus me regardant avec cet air idiot la bouche grande ouverte et sur lequel à l'heure qu'il était les mouches devaient aussi se donner du bon temps en être maintenant sans doute au plat de résistance pour ainsi dire puisqu'il était mort lui depuis le matin quand cet autre idiot de sabreur nous avait jetés la tête la première dans cette embuscade, pensant idiots idiots idiots pensant qu'en définitive l'idiotie ou l'intelligence n'avaient pas grand'chose à voir dans tout cela je veux dire avec nous je veux dire avec ce que nous croyons être nous et qui nous fait parler agir haïr aimer puisque, cela parti, notre corps notre visage continue à exprimer ce que nous nous figurions être propre à notre esprit, alors peut-être ces choses je veux dire l'intelligence l'idiotie ou être amoureux ou brave ou lâche ou meurtrier les qualités les passions existent-elles en dehors de nous venant se loger sans nous demander notre avis dans cette grossière carcasse qu'elles possèdent parce que même l'idiotie était apparemment quelque chose de trop fin de trop subtil et pour ainsi dire de trop intelligent pour appartenir à Wack, peut-être alors n'avait-il existé que pour être Wack-l'idiot en tout cas il n'avait plus à s'en soucier maintenant, pauvre Wack pauvre crétin pauvre type : je me rappelai ce jour cette pluvieuse après-midi où nous nous amusions à le faire enrager nous disputant pour passer le temps autour de ce cheval malade, ce n'était pas comme maintenant le soleil la chaleur presque et j'imagine que s'ils étaient morts alors ils auraient été dissous dilués et non pas pourrissant comme des charognes, il pleuvait sans discontinuer et maintenant je pensai que nous étions quelque chose comme des vierges, de jeunes chiens malgré les jurons les grossièretés que nous proférions, vierges parce que la guerre la mort je veux dire tout ça...» (le bras de Georges décrivant un demi-cercle, la main s'écartant de sa poitrine, montrant au-dessous d'eux l'intérieur grouillant de la baraque, et de l'autre côté des vitres sales la paroi de bois goudronné d'une autre baraque semblable, et derrière — ils ne pou-

vaient pas les voir mais ils savaient qu'elles étaient là —
la répétition monotone de la même baraque posée tous
les dix mètres environ sur la plaine nue, alignées, toutes
pareilles, parallèles, de chaque côté de ce qui était censé
être une rue, des rues se coupant à angle droit, dessinant
un quadrillage régulier, les baraques toutes dans le même
sens, basses, sombres, allongées, et l'écœurant relent de
pommes de terre pourries et de latrines flottant en permanence dans l'air, formant sans doute — imaginait
Georges — au-dessus du vaste carré d'où il s'exhalait,
excrémentiel, têtu, infamant, comme un couvercle hermé-
tique, de sorte qu'ils étaient — disait-il — doublement
prisonniers : une première fois de cette clôture de barbelés tendue sur les poteaux de pin brut, non écorcé, rougeâtre, et une seconde fois de leur propre infection (ou
abjection : celle des armées vaincues, des guerriers
déchus), et tous les deux (Georges et Blum) assis les jambes pendantes sur le rebord de leur couchette, en train
d'essayer de se figurer qu'ils n'avaient pas faim (ce qui
était encore assez facile, parce qu'un homme peut arriver à se faire croire à peu près n'importe quoi pourvu
que ça l'arrange : mais beaucoup plus difficile, et même
impossible, d'en persuader aussi le rat qui, sans repos,
leur dévorait le ventre (si bien, dit Blum, qu'il semblait
qu'à la guerre on avait le choix entre deux solutions : se
faire bouffer, mort, par les vers, ou vivant, par un rat affamé), râclant le fond de leurs poches dans l'espoir d'y découvrir quelques brins de tabac oubliés, ramenant l'innommable mélange de miettes de pain, de débris et de bourre
d'étoffe qui stagne dans les coutures, de sorte qu'on pouvait se demander si cela devait se fumer ou se manger,

c'est-à-dire débattant (Georges et Blum) si le rat consen-
tirait à avaler ça, et à la fin concluant par la négative, et
alors décidant d'essayer de le fumer ; et autour d'eux
l'incessante rumeur, le confus et boueux brouhaha —
palabres, marchandages, disputes, paris, obscénités, vantardises, récriminations — comme, pour ainsi dire, la
respiration (ça n'arrêtait jamais, même la nuit, s'assourdissant seulement, comme si au-dessous du sommeil lui-
même on pouvait continuer à percevoir cette espèce de
constant malaise, de stérile et vaine agitation de bêtes en
cage) qui emplissait la baraque, et il y avait de la musique aussi, un orchestre, un crin-crin, des bouffées sautillantes, des cordes raclées en mesure sur des instruments
composés de bidons vides, de morceaux de planches et
de bouts de fil de fer (et même de vrais banjos, de vraies
guitares, amenées là et conservées Dieu sait comment)
s'élevant, sporadiques, au-dessus du tapage (puis de nouveau submergées, étouffées, se fondant, disparaissant
parmi les autres bruits — ou peut-être l'oubliait-on, ces-
sait-on simplement d'en avoir conscience ?), le même air,
les mêmes mesures reprises, rabâchées, le même refrain
s'élevant, se répétant, monotone, plaintif, avec ses paroles
absurdes, sa cadence sautillante, joyeuse et nostalgique :
Granpèr ! Granpèr !
Vouzou blié vo ! tre ! che ! val !
et aussitôt après, deux tons plus haut :
Granpèr ! Granpèr !
comme une suppliante et bouffonne invocation, un ironique et bouffon reproche, ou rappel, ou mise en garde, ou
on ne savait quoi, rien sans doute, sinon les paroles privées de sens, les notes sautillantes, légères, insouciantes,

dans une inlassable répétition, le temps pour ainsi dire
immobile lui aussi, comme une espèce de boue, de vase,
stagnante, comme enfermée sous le poids du suffocant
couvercle de puanteur s'exhalant de milliers et de milliers d'hommes croupissant dans leur propre humiliation,
exclus du monde des vivants, et pourtant pas encore
dans celui des morts : entre les deux pour ainsi dire, traînant comme d'ironiques stigmates leurs dérisoires débris
d'uniformes qui les faisaient ressembler à un peuple de
fantômes, d'âmes laissées pour compte, c'est-à-dire
oubliés, ou repoussés, ou refusés, ou vomis, à la fois par
la mort et par la vie, comme si ni l'une ni l'autre n'avait
voulu d'eux, de sorte qu'ils paraissaient maintenant se
mouvoir non dans le temps mais dans une sorte de formol grisâtre, sans dimensions, de néant, d'incertaine du-
rée sporadiquement trouée par la répétition nostalgique,
pimpante et obstinée de la même rengaine, des mêmes
mots vides de sens, sautillants, mélancoliques :

> Granpèr ! Granpèr !
> Vouzou blié vo ! tre ! che ! val !
> Granpèr ! Granpèr !

et Georges, et Blum, finissant par se fourrer entre les
lèvres un mince, et plat, et informe entortillage de
papier entourant plus de bourre d'étoffe et de débris de
toutes sortes que de tabac, et plus plat, et plus mince
qu'un cure-dent, et aspirant la fumée âcre, répugnante,
et Georges :) « ... toute cette cochonnerie n'avait pas
encore rompu brisé en nous ce qui est comme l'hymen
des jeunes gens ouvrant cette blessure déchirant quelque
chose que plus jamais nous ne retrouverons cette virgi-
nité ces désirs virginaux frais guettant la fille entrevue

te souviens-tu nous guettions levions sans cesse la tête vers cette fenêtre ce rideau de filet que nous avions cru voir bouger je dis Tiens tu l'as vue elle vient juste de regarder se montrer et se cacher de nouveau, et toi Où ? et moi Bon Dieu à cette fenêtre, et toi Où ? et moi Mais enfin la maison en brique là-bas, et toi Je ne vois rien, et moi Le paon remue encore, il y avait un paon tissé dans le rideau de filet avec sa longue queue couverte d'yeux, et nous nous usant les yeux à force de guetter tout en continuant à asticoter Wack essayant d'imaginer de deviner ce bouillonnement caché des passions : nous n'étions pas dans la boue de l'automne nous n'étions nulle part mille ans ou deux mille ans plus tôt ou plus tard en plein dans la folie le meurtre les Atrides, chevauchant à travers le temps la nuit ruisselante de pluie sur nos bêtes fourbues pour parvenir jusqu'à elle la découvrir la trouver tiède demi nue et laiteuse dans cette écurie à la lueur de cette lanterne : je me rappelle que tout d'abord elle la tint levée à bout de bras puis tandis que nous commencions à desseller elle l'abaissa peu à peu sans doute fatiguée de sorte qu'au fur et à mesure les ombres tournaient sur son visage, et à la fin elle s'évanouit, disparaissant comme si elle ne nous avait attendu là que pour nous être aussitôt enlevée nous dans nos raides déguisements de soldats trempés comme des soupes écoutant dans le matin gris spongieux les cris les voix l'incompréhensible colère, ces tragédiens habillés de salopettes bleues abrités sous des parapluies pataugeant dans leurs uniformes bottes de caoutchouc noir constellées de pastilles rouges, le boiteux, le disgraciado tenant ce fusil de chasse avec lequel j'avais toujours cru qu'il s'était tué,

122

un accident le coup partant tout seul l'ensanglantant, ruisselant de sa tempe (époque où les fusils partent d'eux-
mêmes vous pètent comme ca sans qu'on sache pourquoi
à la figure) mais peut-être voulait-il seulement tirer son
coup lui aussi comme tout le monde et Wack dit Vous
vous croyez malins Je ne suis qu'un paysan je ne suis
pas un youpin moi mais, et moi Oh pauvre con pauvre
con pauvre con, et lui : Mais c'est pas parce que je suis
de la campagne qu'un youpin de la ville, et moi : Oh pauvre con bon Dieu pauvre con, et Wack : Tu me fais pas
peur tu sais, et moi : Oh bon Dieu, et plus tard nous
étions montés jusqu'à ce café sur la place du village c'est-
à-dire le rectangle de boue noire autour de l'abreuvoir
piétinée par les chevaux et par les bestiaux qui tenait lieu
de place, nous nous assîmes et elle remplit encore une
fois les verres devant nous et je dis Non non pas pour
moi merci, parce que la tête me tournait je me rappelle
que c'était une vaste salle carrelée au plafond bas les
murs peints en bleu mangés de salpêtre il y avait une
dizaine de tables un piano mécanique un buffet et aux
murs l'inévitable Loi sur la Répression de l'Ivresse Publique jaunie couverte de chiures de mouche des réclames
d'apéritifs et de bière avec des jeunes femmes aux lèvres
rouges aux gestes affectés et mièvres ou encore d'immenses brasseries dessinées en perspective cavalière comme
vues d'avion leurs cheminées fumantes leurs toits bien
rouges eux aussi et encore deux chromos dont l'un représentait des marquises en robes pastel dans un parc éva-
nescent l'autre une assemblée de personnages aux costumes Empire dans un salon vert et or les hommes penchés sur les épaules des femmes accoudés au dossier de

leurs sièges sans doute en train de leur débiter à l'oreille des choses galantes, et encore un de ces classeurs pour journaux en fil de fer rouillé et sur le buffet un vase à collerette festonnée et ébréchée, mais ce n'était pas pour boire que nous étions venus c'était cette fille ce trouble c'étaient ces cris ce tumulte autour de cette chair entrevue l'espace d'un instant l'incompréhensible histoire devinée soupçonnée ce furieux et obscur déchaînement de violence au sein de la violence, ce boiteux et l'autre tous les deux dans ces semblables bottes réparées avec des rustines s'affrontant avec quelque chose de sauvage de démesuré et sans doute aussi étranger incompréhensible pour eux que pour nous, dépassés par ce qui leur arrivait les forçait à se défier l'un l'autre au péril de leurs vies c'est-à-dire l'un prêt à (ou plutôt brûlant dévoré par l'envie ou plutôt le besoin ou plutôt par la nécessité de) commettre un crime et l'autre prêt aussi à en être la victime et cela en dépit de sa couardise la peur visible qui le faisait se cacher derrière le dos d'un autre, et de Reixach arbitre ou plutôt s'efforçant de les apaiser, avec son air ennuyé patient absent impénétrable au milieu d'eux, lui pour qui la passion ou plutôt la souffrance avait la forme non d'un de ses semblables de ses égaux mais d'un jockey à tête de polichinelle contre lequel nous ne l'avions jamais entendu seulement élever la voix et dont il se faisait suivre comme son ombre tel ces anciens je ne sais quoi Assyriens non ? sur le bûcher funéraire desquels on égorgeait la houri le cheval et l'esclave favori de façon qu'ils continuent à ne manquer de rien et être servis dans l'autre monde où sans doute Iglésia et lui auraient continué à échanger de taciturnes et

avares propos sur le seul sujet la seule chose peut-être
qui en définitive les passionnait tous deux c'est-à-dire
l'à-propos d'une ration d'avoine ou l'échauffement d'un
tendon, et alors il avait bien réussi une partie du programme je veux dire faire tuer ce cheval en même temps
que lui sous lui mais macache pour la seconde partie,
celui sur lequel il comptait pour discuter jusqu'à la fin
des temps sur les enflures de paturons ou les meilleures
ferrures tournant bride au dernier moment le laissant
l'abandonnant aux mouches sous l'aveuglant soleil de
mai où un instant avait étincelé l'acier du sabre brandi,
et elle me remplit encore une fois à ras bord ce petit
cône qui tenait lieu de verre de comment appellent-ils ça
du genièvre je crois là-bas ils disent g'nièvr', me servant
avec cette façon de faire ostensiblement bonne mesure
c'est-à-dire qu'il en déborde rituellement un peu, la surface du liquide dans le verre se bombant formant par
capillarité ou comment appelle-t-on ce phénomène une
légère saillie comme une lentille au-dessus du rebord du
verre tremblant tandis que je l'élevais précautionneuse-
ment jusqu'à mes lèvres ma main tremblant la lumière
argentée scintillant tremblant avec le liquide incolore
coulant le long de mes doigts me brûlant lorsqu'il descendait dans ma gorge...»

Et Blum : « Mais qu'est-ce que tu racontes ? Première fois que je vois un type mettre deux semaines à
sortir d'une cuite... »

Et Georges s'arrêtant pile de parler, le regardant
avec une sorte d'incrédule perplexité, et tous les deux restant là, parmi l'incessant brouhaha qu'ils n'entendent
même plus (pas plus que des gens habitant sur une grève

n'entendent à la fin le bruit de la mer), et Blum disant : « Ce n'était pas du genièvre, pas cette fois-là », leurs ignobles papillottes maintenant consumées, c'est à-dire réduites à un centimètre d'un tube de papier vide et aplati, encore blanc ou plutôt gris à l'endroit où leurs lèvres l'ont pressé, puis passant progressivement au jaune, puis au brun, puis crénelé, déchiqueté et noir, et quoiqu'il sache qu'il n'y a plus rien à en tirer Georges essayant machinalement, aspirant deux ou trois fois sans que rien d'autre ne se produise qu'un écœurant bruit de clapet, et à la fin se résignant à retirer de ses lèvres l'informe et infime mégot, mais pas encore à le jeter, restant là à le regarder avec perplexité, en train de supputer les chances d'en tirer encore une ou deux bouffées au prix d'une précieuse allumette, disant : « Hein ? Quoi ? », et Blum : « Ce n'était pas du genièvre. Des grogs : j'étais mal fichu et tu avais trouvé ça comme prétexte pour monter au bistrot du village... C'est-à-dire : tu te foutais pas mal que je sois mal fichu ou non, ou plutôt je suppose que tu trouvais que c'était une fameuse aubaine pour essayer de tirer les vers du nez au patron du café sous prétexte de chercher une chambre pour ton pauvre copain mal fichu qu'on ne pouvait pas laisser coucher dans une grange à courant d'air, alors que tout ce qui t'intéressait c'était de récolter des ragots sur cette fille, ce boiteux, et quant à ton pauvre copain... », et Georges : « Oh ça va ça va ça va ça va... » (ressortant du café, la nuit tombante, les petits nuages de buée s'exhalant de leur bouche à chaque parole presque invisibles à présent sauf à contre-jour, quand ils passent dans la lumière d'une fenêtre éclairée, et jaunâtres alors), et Blum disant : « Si j'ai bien compris ce boiteux champion de tir au fusil a des peines de cœur ? », Georges se taisant maintenant, les mains dans ses poches, occupé à ne pas glisser dans la boue invisible, et Blum : « Cet adjoint avec son parapluie et ses bottes à rustines ! Le Roméo du village ! Qui aurait cru ça ? Lui et ce bol de lait... », et Georges : « Tu mélanges tout : pas avec elle : avec sa sœur », et Blum : « Sa s... », puis étouffant un juron, se rattrapant à l'épaule de Georges, et tous les deux titubant un instant comme deux ivrognes, puis se remettant en marche dans le noir glacé, ruisselant, de plus en plus noir à mesure qu'ils s'éloignent de la place, des quelques portes ou fenêtres éclairées, jusqu'à ce qu'ils ne puissent même plus se voir, jusqu'à ce que seules leurs deux voix les représentent, se répondant, alternant dans les ténèbres avec cette fausse insouciance, cette fausse gaieté, ce faux cynisme des jeunes gens :

je n'y comprends rien

alors tu es encore plus bête que Wack Je parie qu'il y a longtemps qu'il a compris

plus bête que Wack très bien Mais répète encore ça Il (je veux dire l'adjoint ce type qui ce matin armé d'un parapluie de sa seule frousse et du rempart d'un officier est allé narguer défier l'autre armé lui d'un fusil) couchait avec sa propre sœur qui était la femme de ce boiteux c'est bien ça ?

oui

ces gens de la campagne tout de même hein ?

oui

leurs sœurs et les chèvres hein ? Paraît qu'à défaut de sœur ils font ça avec la chèvre C'est ce qu'on prétend

127

en tout cas Peut-être qu'ils n'y voient pas de différence
    ce type du bistrot n'avait pas trop l'air non plus de faire de différence entre sa femme et son chien
    peut–être que c'est un chien changé en femme
    peut-être
    savent jeter les sorts Secrets qui se perdent dommage Commode pourtant
    alors il a transformé sa chèvre en fille ou sa sœur en chèvre et Vulcain je veux dire ce boiteux épousa la chèvre-pied et ce bouc de frère venait la saillir dans sa maison c'est bien ça ?
    c'est ce qu'il a dit
    alors c'était du lait de chèvre ?
    qui ?
    celle qui était dans l'écurie ce matin celle qui se cache derrière ce paon mythologique celle dont la vue t'a plongé dans ce délire emmerdant poétique et coûteux puisqu'il a fallu que tu paies deux chopines à cet ivrogne de bistrot pour...
    bon Dieu tu es décidément plus bête que Wack on t'a dit dix fois que c'était la femme de son frère
    (ils ne peuvent pas voir la pluie, l'entendre seulement, la deviner murmurant, silencieuse, patiente, insidieuse dans la nuit obscure de la guerre, ruisselant de toutes parts au-dessus d'eux, sur eux, autour d'eux, sous eux, comme si les arbres invisibles, la vallée invisible, les collines invisibles, l'invisible monde tout entier se dissolvait peu à peu, s'en allait en morceaux, en eau, en rien, en noir glacé et liquide, les deux voix faussement assurées, faussement sarcastiques, se haussant, se forçant, comme s'ils cherchaient à s'accrocher à elles espéraient

grâce à elles conjurer cette espèce de sortilège, de liqué-
faction, de débâcle, de désastre aveugle, patient, sans
fin, les voix criant maintenant, comme celles de deux
gamins fanfarons essayant de se donner du courage :)

merde Quel frère ? merde à la fin Qu'est-ce que c'est
que cette histoire Alors ils sont tous frères et sœurs Je
veux dire frères et chèvres Je veux dire boucs et chèvres Alors un bouc et sa chèvre et ce boiteux de diable
qui a épousé la chèvre qui s'accouplait avec son bouc de
frère qui

mais il en a eu assez il l'a chassée Ou plutôt répudiée
ré... Comment dis-tu

répudiée

sans blague Comme au théâtre alors Comme

oui

très bien Donc il (ce Vulcain) les a sans doute surpris
et capturés tous les deux dans un filet et

non le type a dit qu'elle était pleine

pl...

il a dit pleine Comme une vache quoi faut te faire
un dessin

j'avais bien dit qu'il s'agissait d'une chèvre N'avait
donc pas besoin de petits boucs pour vendre à la foire ?

sans doute qu'il préférait vendre des petits boiteux

sans doute Et alors l'autre a remis ça ?

qui ?

le bouc

oui mais cette fois avec la femme de celui qui est
soldat

sans doute que les chèvres de la famille lui plai-
sent

sans doute C'est pour ça que l'autre la garde avec un fusil

c'est pour ça que ce fusil pourrait avoir envie de partir tout seul bon sang ce qu'il fait noir

on arrive voilà la lumière

(trouvant les autres toujours assis en groupe autour du cheval agonisant, éclairés par la lanterne posée à même le sol, ils se retournent quand Georges et Blum entrent et leurs voix cessent, regardant un instant les arrivants, Georges se rendant compte alors qu'ils ont presque oublié le cheval, qu'ils le veillent comme à la campagne les vieilles femmes veillent les morts, assis là, en demi-cercle sur des brouettes ou des seaux, se racontant de leurs voix monocordes, plaintives et maladroites leurs habituelles histoires de récoltes que le mauvais temps a empêché de rentrer, de prix du blé ou de la betterave, de recettes pour faire vêler les vaches ou d'exploits herculéens évalués en nombre de balles de paille, de sacs de grains coltinés et de champs labourés, tandis que dans la lueur rasante de la lanterne la tête du cheval couché sur le côté semble s'allonger, prend un air apocalyptique, effrayant, les flancs annelés se soulevant et s'abaissant rapidement, emplissant le silence de ce souffle, l'œil velouté, immense, reflétant toujours le cercle des soldats mais comme s'il les ignorait maintenant, comme s'il regardait à travers eux quelque chose qu'ils ne peuvent pas voir, eux dont les silhouettes réduites se dessinent en surimpression sur le globe humide comme à la surface de ces boules mordorées qui semblent accaparer, aspirer dans une perspective déformante, vertigineuse, engloutir en elles la totalité du monde visible, comme si le cheval avait déjà cessé d'être là, comme s'il avait abandonné, renoncé au spectacle de ce monde pour retourner son regard, le concentrer sur une vision intérieure plus reposante que l'incessante agitation de la vie, une réalité plus réelle que le réel, et Blum dit alors qu'à part la certitude de crever qu'est-ce qu'il y a de plus réel ? (il a traversé le groupe sans parler, a gagné directement l'échelle du grenier et tâtonne en maugréant dans le foin pour arranger ses couvertures) et Georges dit : « La certitude qu'il faut bouffer. Tu n'attends pas la soupe ? », et Blum marmonnant toujours entre ses dents, disant : « Figure-toi que je suis plutôt mal foutu. Ça t'a pourtant été assez utile pour tirer les vers du nez de ce patron de café. Tout ça pour une fille de ferme entrevue cinq minutes à la lueur d'une lanterne. Alors il me semble que tu pourrais au moins t'en souvenir, non ? » et Georges : « Si tu dois mourir retiens-toi au moins un peu. Que ça en vaille la peine. Qu'ils puissent au moins te donner une décoration », et Blum : « Qu'est-ce qui vaut mieux : mourir de froid ou mourir décoré ? », et Georges : « Attends que je réfléchisse. Mourir d'amour ? », et Blum « Ça n'existe pas. Seulement dans les livres. Tu as trop lu de livres », et de nouveau dans l'obscurité, le noir, leurs deux voix se répondant :)

Est-ce que tu crois que le cheval a aussi trop lu de livres

Pourquoi

Parce qu'il sait qu'il va mourir

Il ne sait rien rien

Si C'est instinctif

Combien de choses sais-tu par instinct

Au moins une : que tu m'assommes

Bon A ton avis qu'est-ce qui vaut le plus cher la peau d'un cheval ou la peau d'un soldat

Tu sais ce que c'est que la Bourse C'est une question de circonstances

Il y a quand même des indices

J'ai l'impression qu'en ce moment le kilog de cheval vaut plus cher que le kilog de soldat

C'est ce que je pensais aussi

Rien de tel pour vous apprendre à penser que ces paysans : ils pensent au poids

Juste Un kilog de plomb pèse plus lourd qu'un kilog de plumes c'est bien connu

Je croyais que tu étais malade

C'est vrai Laisse-moi dormir Fous-moi la paix

puis descendant (Georges) l'échelle, pénétrant de nouveau peu à peu, par les pieds, dans la lumière jaunâtre de la lanterne qui lui monte par degrés le long des jambes, de la poitrine, dans laquelle il se tient à la fin debout, clignant légèrement des yeux, sentant leurs regards sur lui (ils ne sont plus maintenant que deux : Iglésia et Wack), et au bout d'un moment Iglésia disant : « Qu'est-ce qu'il a Il est malade ? » leurs deux têtes levées vers lui, leurs yeux interrogateurs et mornes, les deux visages dans l'éclairage théâtral de la lanterne posée par terre faisant penser à des épouvantails, celui d'Iglésia à peu près pareil à une pince de homard (nez, menton, peau cartonneuse) si toutefois une pince de homard avait des yeux, et cet air d'incurable et permanente désolation d'autant plus incurable qu'il n'a probablement jamais su ce que c'est que d'être désolé ou gai, Wack avec sa face allongée, stupide, sa carcasse figée dans sa pose de singe accroupi, ses deux mains démesurées, craquelées, incrustées de terre, semblables à du bois fendillé, à de l'écorce, semblables à des outils usés, pendant inertes entre ses genoux, et Georges haussant les épaules, et à la fin Wack disant de sa voix d'idiot : « Cette saleté de guerre !... » sans qu'il soit possible de savoir s'il pense à Blum malade, ou aux récoltes, aux moissons perdues, ou au boiteux bafoué brandissant son fusil, ou au cheval, ou à la fille sans mari, ou peut-être simplement à eux trois là, dans la nuit, autour de cette lanterne, de la bête agonisante au regard terriblement fixe, empli d'une terrifiante patience, et dont le cou semble s'être encore allongé, tirant sur les muscles, les tendons, comme si le poids de l'énorme tête l'entraînait hors de la litière dans le noir domaine où galopent infatigablement les chevaux morts, l'immense et noir troupeau des vieilles carnes lancées dans une charge aveugle, luttant de vitesse pour se dépasser, projetant en avant leurs crânes aux orbites vides, dans un tonnerre d'ossements et de sabots heurtés : quelque fantomatique cavalcade de rosses exsangues et défuntes chevauchées par leurs cavaliers eux-mêmes exsangues et défunts aux tibias décharnés brinqueballant dans leurs bottes trop grandes, aux éperons rouillés et inutiles, et laissant derrière eux un sillage de squelettes blanchissants qu'Iglésia semble maintenant contempler, retombé dans son éternel silence, son gros œil de poisson empreint de cette expression consternée, patiente et outragée, la seule apparemment à sa disposition, ou tout au moins la seule que la vie lui ait apprise, sans doute au temps où il allait d'une réunion de province à l'autre, montant pour

133

l'un ou pour l'autre des chevaux vicieux ou des toquards
dans des «réclamer», sur des champs de course qui étaient
le plus souvent des champs tout court avec des symboles
de tribunes en bois à demi pourri, et quelquefois pas de
tribune du tout, une simple butte de terre, ou encore le
flanc de la colline sur laquelle les gens grimpaient, et
seulement trois ou quatre baraques en planches à peu
près semblables à des cabines de bains avec un guichet
découpé à la scie pour recevoir les paris, et un piquet de
gendarmes chargés d'empêcher les marchands de bestiaux, les bouchers aux poches pleines de liasses de billets et les fermiers qui composaient le public de lyncher
les jockeys battus, et courant le plus souvent sous la
pluie, descendant de cheval trempé, crotté jusqu'aux yeux
et s'estimant tout à fait satisfait s'il s'en tirait simplement avec sa culotte souillée mais intacte qu'il lavait lui-
même le soir dans le lavabo d'une chambre d'hôtel, à
moins que ce ne soit dans l'abreuvoir d'une écurie où on
voulait bien lui laisser une stalle vide avec une botte de
paille pour dormir (ce qui économisait l'hôtel) — ou
quelquefois simplement le coffre à avoine —, et s'il
n'avait qu'un poignet ou qu'une cheville foulés, et seulement les injures des parieurs et non les coups, se rhabil-
lant dans une des cabines de bois pourries ou quand il
n'y avait pas de cabines dans un simple van, enroulant
autour de son poignet une vieille bande velpeau à peu
près aussi noire qu'un mur d'usine et à peu près aussi
élastique, un filet de sang·dégoulinant sans qu'il y prît
autrement garde du coin de sa bouche, pas plus qu'il
n'avait pris garde au (ni peut-être même senti le) poing
qui avait réussi à passer par dessus ou entre les épaules

des gendarmes sans même que lui (Iglésia) ou eux (les gendarmes) et probablement encore moins le type auquel appartenait le poing se fussent souciés des raisons, ou plutôt de la validité des raisons que pouvait avoir l'agresseur, la seule réelle et toujours valable étant qu'Iglésia avait monté un cheval perdant, et rien d'autre :

« Parce que, dit-il, ils se foutaient pas mal de tout le reste... » (il se tenait lui aussi assis sur le bord de la couchette, les jambes pendantes, la tête baissée, tout entier absorbé par une de ces mystérieuses et minutieuses besognes qui apparemment semblaient aussi nécessaires à ses mains que de la nourriture à un estomac, les suscitant au besoin lorsqu'il n'avait pas, comme à ce moment, quelque bride à graisser ou quelque étrier à fourbir (Georges cherchant en vain à se rappeler une seule occasion où il l'aurait vu inoccupé, c'est-à-dire sans triturer un de ces accessoires de harnachement, ou une botte, ou quoi que ce soit du même genre), et maintenant c'était du fil, et une aiguille, et un bouton qu'il était en train de recoudre consciencieusement à sa vareuse, au milieu de ce troupeau débraillé et dépenaillé où le dernier des soucis de chacun et de tous était bien un bouton manquant ou une couture décousue, et disant, toujours penché sur son travail :) «... Parce qu'on n'a jamais vu un type qui joue aux courses penser qu'il a simplement paumé son fric par manque de pot ou parce qu'il a choisi un toquard, au lieu de croire qu'on le lui a volé dans une combine... » (Georges se rendant compte alors qu'il est toujours en train de contempler le même centimètre et demi de mégot, ou plutôt de papier jauni et tortillé, et secouant alors la tête, comme quelqu'un qui vient de dormir, en même

temps que d'un seul coup ses oreilles s'emplissent de
nouveau (comme s'il avait brusquement décollé ses mains
posées dessus) du boueux et cacophonique brouhaha de
la baraque, et se résignant à jeter enfin ce qui, décidément, ne peut même plus donner l'illusion d'un mégot,
et disant : « Une chance pour toi qu'elle ait aussi eu
envie de faire courir des chevaux. Sans quoi un de
ces garçons bouchers aurait bien fini un jour ou l'autre
par réussir à taper aussi fort qu'il en avait envie, non ? »
Iglésia tournant alors son visage vers lui, mais sans relever la tête, le dévisageant, le cou tordu, le regard en coin,
avec toujours cette même expression de perplexité ahurie, outragée (pas soupçonneuse, ni hostile : simplement
perplexe, morose), puis cessant de le regarder, reniflant,
examinant le bouton recousu, tirant dessus, puis tapotant sa vareuse à petits coups du plat de la main tout en
la repliant, disant : « Ouais. Probable. Une plus grande
chance encore si elle s'était contentée de les regarder
courir... », puis, achevant de plier sa vareuse en quatre,
la roulant avec soin, la posant en guise d'oreiller, enlevant l'une après l'autre ses chaussures, les rangeant contre le bord de sa couchette, pivotant sur ses fesses et
s'étendant, disant en ramenant sur lui sa capote : « Si ces
corniauds arrêtaient seulement un peu leur bastringue
on pourrait peut-être arriver à roupiller ! », se tournant
alors sur le côté, remontant les genoux, et fermant les
yeux, son visage tavelé et jaune, privé de regard, parfaitement inexpressif alors, comme s'il était fait de carton,
d'une matière insensible, morte, sans doute en vertu de
cette faculté qu'il possédait de ne pas penser (de même
que de ne pas parler) plus qu'il n'était strictement indis-

pensable, et quand il avait décidé de dormir (estimant sans doute que le mieux à faire quand on a le ventre vide et une fois accomplies les menues besognes d'entretien — boutons, reprises, nettoyage — est de dormir) ne pensant plus du tout ; son visage de spadassin, donc, maintenant parfaitement neutre, absent, semblable à un de ces masques mortuaires aztèques ou incas, posé, immobile, impénétrable et vide sur la surface du temps, c'est-à-dire de cette espèce de formol, de grisaille sans dimensions dans laquelle ils dormaient, se réveillaient, se traînaient, s'endormaient et se réveillaient de nouveau sans que, d'un jour à l'autre, quelque modification que ce soit se produisît leur donnant à penser qu'ils étaient le lendemain, et non pas la veille, ou encore le même jour, de sorte que ce n'était pas jour après jour mais pour ainsi dire de place en place (comme la surface d'un tableau obscurci par les vernis et la crasse et qu'un restaurateur révèlerait par plaques — essayant, expérimentant çà et là sur de petits morceaux différentes formules de nettoyants) que Georges et Blum reconstituaient peu à peu, bribe par bribe ou pour mieux dire onomatopée par onomatopée arrachées une à une par ruse et traîtrise (la tactique consistant à lui forcer en quelque sorte la langue, c'est-à-dire à avancer toutes sortes de sous-entendus ou de suppositions jusqu'à ce qu'il se décidât à émettre un grognement maussade, négatif ou résigné) l'histoire entière, depuis ce jour où dans un de ces vestiaires de fortune à l'abri duquel, un œil poché ou une lèvre fendue, il était en train de se rhabiller quand cet entraîneur engagé par de Reixach lui avait proposé quelques montes (car apparemment ce n'était pas un mauvais jockey : sans doute avait-il seulement jusque là manqué de chance, et l'entraîneur le savait-il) jusqu'à celui où il se trouva avoir remplacé celui qui l'avait embauché, et tout cela parce qu'une femme ou plutôt une enfant avait un beau matin décidé de posséder elle aussi une écurie de course, l'idée lui en étant sans doute venue à la lecture d'une de ces revues, un de ces magazines où les femmes en papier glacé ont l'air d'espèces d'oiseaux, de longilignes échassiers, non pas parées mais simplement détruites en tant que femmes, conversion ou réduction par l'homme à un simple métrage de soie : une anguleuse sihouette découpée, hérissée d'ongles, de talons, de gestes aigus, pourvue au reste de cet estomac précisément d'échassier, d'autruche, qui lui permet non seulement de digérer mais de faire siennes les misogyniques et haineuses inventions d'un modéliste, mais encore de les reconvertir, en quelque sorte, en sens inverse : non plus sophistiquée, plate et glacée, mais cette assimilation de la soie, du cuir, des bijoux, à la tendre et duveteuse chair, de sorte que le cuir, la froide soie, les durs bijoux semblent devenir eux-même quelque chose de tiède, de tendre, de vivant... — ayant lu donc quelque part que les gens vraiment chics se devaient de posséder une écurie de course, car, de toute évidence, elle n'avait auparavant jamais vu un cheval de sa vie, Iglésia racontant qu'à un moment elle s'était en plus mis en tête d'apprendre à monter elle aussi : de Reixach lui avait acheté un demi-sang tout exprès, et Iglésia les vit venir cinq ou six matins de suite, elle dans une (ou plutôt plusieurs — chaque fois une différente) de ces tenues qui, dit-il, devait sans doute valoir à elle seule autant que la bête sur laquelle elle essayait de se tenir, et lui qui aurait pu être son père s'efforçant avec ce même air impénétrable, patient et neutre de lui expliquer qu'un cheval n'était pas exactement une décapotable sport ou un domestique et ne se conduisait (ni n'obéissait) pas tout à fait de la même façon ; mais cela ne dura pas (sans doute, dit Iglésia, parce que ça n'a jamais plu à un animal de monter sur le dos d'un autre animal, ni non plus à un animal de sentir un autre animal sur son dos, sauf dans les cirques, car après qu'il l'eût vidée une ou deux fois, elle n'insista pas), pas plus d'ailleurs que n'avait duré l'engouement pour la voiture italienne, et le demi-sang resta dès lors à l'écurie, ce qui fit seulement un cheval de plus à soigner et à promener, et si elle réapparut par la suite dans ces culottes de cheval et ces bottes qui valaient aussi cher que le cheval sur lequel elles étaient censées lui permettre de monter, ce fut sans doute pour le seul plaisir de s'exhiber dedans, le demi-sang tout sellé attendant une ou deux heures (c'était en général le délai moyen après le coup de téléphone avertissant de le tenir prêt) avant qu'elle arrivât, traînaillant un moment dans les écuries et repartant (le plus souvent non pas dans la voiture sport qui ne l'amusait déjà plus beaucoup, mais dans cette espèce de corbillard grand comme un salon, conduit par le chauffeur, et sur la banquette arrière de quoi elle avait à peu près l'air et la taille d'une hostie (c'est-à-dire quelque chose d'irréel, de fondant, qui ne peut être goûté, connu et possédé que par la langue, la bouche, la déglutition) au centre d'un de ces énormes et riches ostensoirs) après avoir distribué deux ou trois morceaux de sucre et exigé de voir galoper, avec en main ce chronomètre en or massif dont elle ne savait heureusement pas trop bien se servir, le cheval qui devait courir le dimanche suivant.

Et Iglésia raconta que la première fois qu'il l'avait vue il l'avait prise de loin pour une enfant, pour une fille que de Reixach aurait sortie le dimanche du colège et habillée par faiblesse paternelle comme une femme (ce qui aurait expliqué cette indéfinissable sensation de malaise qu'on éprouvait d'abord, expliqua-t-il à sa façon, comme à la vue de quelque chose de vaguement, d'indéfinissablement monstrueux, gênant, comme ces gosses travestis, affublés de vêtements copiés sur ceux des grandes personnes, semblables à de sacrilèges et troublantes parodies d'adultes, attentatoires en même temps à l'enfance et à la condition d'humain), et il dit que c'était ce qui l'avait d'abord le plus frappé : cet aspect enfantin, innocent, frais, prévirginal en quelque sorte, à tel point qu'il avait mis un moment à s'apercevoir, se rendre compte — envahi alors par une autre sorte de stupeur, sentant monter une bouffée de quelque chose d'à la fois furieux, scandalisé, sauvage — qu'elle était non seulement une femme mais la femme la plus femme qu'il eût encore jamais vue, même en imagination : « Même au cinoche, dit-il. Mince ! » (parlant d'elle non comme un homme parle d'une femme qu'il a possédée, pénétrée, serrée dans ses bras gémissante et affolée, mais comme d'une espèce de créature étrangère, et étrangère non pas tant à lui-même, Iglésia (c'est-à-dire — quoiqu'il l'eût renversée, culbutée, tenue sous lui — au-dessus de lui par la condition, l'argent, la position sociale) qu'à l'espèce humaine tout entière (y compris les autres femmes), employant donc pour parler d'elle à peu près les mêmes mots, les mêmes intonations que s'il s'était agi d'un de ces objets parmi lesquels il rangeait sans doute les vedettes de cinéma (privées de toute réalité, sauf féérique), les chevaux, ou encore ces choses (montagnes, bateaux, avions) auxquelles l'homme qui perçoit par leur intermédiaire les manifestations des forces naturelles contre lesquelles il lutte, attribue des réactions (colère, méchanceté, traîtrise) humaines : êtres (les chevaux, les déesses sur celluloïd, les autos) d'une nature hybride, ambiguë, pas tout à fait humains, pas tout à fait objets, inspirant à la fois le respect et l'irrespect par la rencontre, la réunion en eux d'éléments composants (réels ou supposés) disparates — humains et inhumains —, ce pourquoi sans doute il parlait d'elle à la façon des maquignons de leurs bêtes ou des alpinistes de la montagne, en même temps grossier et déférent, cru et délicat, sa voix lorsqu'il l'évoquait exprimant une sorte de stupéfaction légèrement scandalisée, mais légèrement admirative et réprobative en même temps, exactement comme la fois où à cette arrivée d'étape il était venu examiner le cheval de Blum sans parvenir à découvrir sur son dos les gonfles qu'aurait dû normalement provoquer la façon abominable dont Blum sellait et montait, ses gros yeux ronds, incrédules, pensifs, un peu ahuris, fixant le vide tandis qu'il parlait, regardant, revoyant sans doute avec le même incrédule émerveillement, la même réprobation désarmée avec laquelle il regardait le dos du cheval sans y découvrir les plaies qui auraient dû s'y trouver, celle qu'il évoquait, ou plutôt dont il se laissait arracher le souvenir, l'image, ce que sa pudeur naturelle aux gens du peuple, jointe au respect (non pas servile, puisqu'il n'avait même pas été effleuré par l'idée de retourner voir à l'endroit où était tombé de Reixach, mais tout simplement craintif) de ses patrons, lui eût interdit s'il n'avait de toute évidence été persuadé de ce caractère inhumain, ou hors de l'humain de Corinne, disant :) « Il a fallu que j'aie le nez dessus. Mince ! Seulement alors, j'ai compris pourquoi il se fichait pas mal de ce que les gens pouvaient ou ne pouvaient pas penser ou dire, et d'avoir l'air d'être son père, et de la laisser s'amuser à faire crever des chevaux rien que pour le plaisir d'appuyer sur le bouton de ce chronomètre et promener ses fesses dans ces culottes ou ces jodhpurs qu'il ne pouvait jamais payer qu'avec de l'argent alors qu'il aurait sans doute aimé les lui faire fabriquer en or si on avait connu le moyen de faire des culottes en... » Et Blum : « Ouais, et je suppose, s'il avait pu trouver un couturier capable de lui enfermer ça comme dans un coffre-fort, et avec un cadenas, une de ces serrures de sûreté, de ces trucs chiffrés dont il aurait été le seul à connaître la combinaison, les numéros, alors que le premier venu, le premier numéro venu, la première clef venue faisait aussi bien l'af... », et Georges : « Oh ta gueule, ça va ! », et à Iglésia : « Et alors ç'a été après cette histoire avec la pouliche, je parie, c'est ce qui l'a décidée, c'est après ça qu'elle... », et Iglésia : « Non, avant. Elle... C'est-à-dire nous... C'est-à-dire je crois que c'est pour ça qu'il a tellement tenu à la monter en course. Parce que je crois qu'il s'était douté de quelque chose. Nous ne l'avions fait qu'une fois et personne n'avait pu nous voir, mais je crois qu'il avait flairé du louche. Ou peut-être même qu'elle s'était arrangée pour qu'il le devine à moitié, quitte à ce qu'il me flanque à la porte, parce qu'à ce moment-là je ne pense pas que ça lui aurait fait grand-chose. Ou peut-être qu'elle n'avait pas pu s'empêcher de laisser échapper un mot, une remarque. Et alors il a voulu la monter... » Et sans transition il se mit à leur parler de la pouliche, l'alezane, avec les mêmes mots dont il s'était servi pour parler de la femme, disant : « C'con-là (et quoiqu'il désignât ainsi de Reixach il n'y avait rien là d'injurieux, au contraire : comme une promotion en quelque sorte, l'élevant, lui faisant l'honneur de l'élever au rang de jockey, c'est-à-dire lui reconnaissant les qualités d'un jockey et par conséquent pouvant alors oublier qu'il était son patron, employant à son égard un mot non péjoratif mais familier, à peine teinté d'une légère mais affectueuse nuance de blâme, qu'il eût employée pour l'un de ces semblables, c'est-à-dire pour l'un de ses égaux, disant donc — de cette voix de tête, plaintive, et presque geignarde, et presque enfantine, qui contrastait avec son dur et caricatural visage de spadassin, ce nez en lame de couteau, sa peau ou plutôt son cuir jauni, grêlé de petite vérole :) C'con-là, je lui avais pourtant bien répété qu'il fallait pas essayer de la forcer, de lui en faire accroire, qu'il y avait qu'à la laisser faire en lui laissant oublier autant que possible qu'on était sur son dos, et qu'alors elle y allait toute seule. Je lui ai dit : C'est pas à moi de vous apprendre à monter, mais vous la tenez trop serrée. Un steeple c'est pas un concours hippique : dans le paquet ça passe tout seul des obstacles que quelquefois ils voudraient jamais sauter autrement. Alors c'est pas la peine de la tenir aussi dur. Pour les autres ça n'a pas tellement d'importance, mais elle, elle peut pas le supporter. Seulement elle lui avait dérobé à l'entraînement, alors... »

Et cette fois Georges put les voir, exactement comme si lui-même avait été là : tous les trois (à cette époque il y avait déjà longtemps que l'entraîneur — l'ancien adjudant — était parti, sans qu'on pût au juste savoir d'après les quelques mots qu'il avait pu soutirer à Iglésia si c'était lui, l'entraîneur, qui à force de voir Corinne lui esquinter ses chevaux avait refusé de continuer à s'en occuper, ou si c'était elle, Corinne, qui avait fait en sorte de le faire renvoyer, car après son départ, d'après ce que dit Iglésia, et quand ce fut lui qui eut pris en main l'entraînement, elle cessa de venir les faire galoper à tort et à travers pour le simple plaisir d'appuyer sur le déclencheur de ce chronomètre), les voyant donc tous les trois dans ou plutôt devant cette stalle où le petit lad à tête d'hydrocéphale, aux membres de poupée, au visage précocement flétri (bouffi, avec des poches sous les yeux, le regard lui-même comme quelque chose de sale, de purulent, c'est-à-dire enfermant, empli, à quatorze ans, de l'expérience d'un homme de soixante, ou à peu près, ou peut-être même pire), s'efforçait de faire tenir en place cette pouliche pendant qu'Iglésia accroupi lui ajustait les guêtres, elle et de Reixach debout, le regardant faire, et elle disant sans presque desserrer les lèvres, sans cesser de regarder Iglésia, parlant d'une voix imperceptible, furieuse : « Tu es toujours décidé à cette idiotie, tu vas réellement la monter ? » et de Reixach : « Oui », la sueur (non pas la peur, l'appréhension : simplement l'atmosphère suffocante, lourde, de l'étouffant après-midi de juin, orageux, qui faisait aussi danser sur place l'alezane) perlant en fines gouttelettes brillantes sur son front, répondant aussi sans détourner la tête, sans haus-

ser le ton, non pas désinvolte ou provocant, ni même
simplement buté, disant seulement oui, surveillant les
gestes d'Iglésia au-dessous de lui, disant sans transition,
mais à haute voix maintenant : « Ne les serre pas trop »,
et elle frappant rageusement du pied par terre, répétant :
« A quoi ça rime ? A quoi ça t'avance ? » et lui : « Mais à
rien, j'ai simplement envie de... », et elle : « Ecoute :
laisse-le la monter, il... », et lui : « Pourquoi ? », et elle :
« A quoi ça rime ? » et lui : « Pourquoi ? » et elle :
« Pour rien. Parce que c'est son métier d'être jockey, je
suppose, non ? Est-ce que ce n'est pas pour ça que tu le
payes ? », et lui : « Mais ce n'est pas une question d'argent », et elle : « Mais c'est son métier, non ? » et lui tout
haut : « Si tu la rafraîchissais un peu ? Elle... », et
Iglésia se relevant : « Ça ira tout seul, Monsieur. Faites
comme je vous ai dit, et ça ira tout seul. Elle est un peu
énervée par ce temps, mais ça ira très bien », et elle parlant maintenant à Iglésia, mais, pour ainsi dire, plus avec
ses yeux qu'avec sa bouche, le regard dur, furieux, fixé
dans celui d'Iglésia, ou plutôt planté dedans comme un
clou, tandis qu'au-dessous ses lèvres remuaient, sans que
ni l'un ni l'autre n'eût besoin d'entendre, n'écoutât ce
qu'elles disaient : « Vous ne croyez pas qu'avec cet orage
qui se prépare elle va être, enfin qu'il vaudrait mieux
que vous... » et de Reixach : « Là : presse-lui l'éponge
sur... Là, oui, comme ça, oui, ça va, là... », et elle :
« Ooohh !... », et Iglésia : « Vous en faites pas : ça ira
tout seul. Y a qu'à la laisser faire et elle ira toute seule,
elle demande qu'à... », et elle ouvrant tout à coup son
sac (un geste brusque, imprévisible, avec cette foudroyante rapidité des mouvements d'animaux, l'exécu-

tion non pas suivant mais, semble-t-il, précédant
l'intention ou, si l'on peut dire, la pensée, fouillant rageusement dedans, la main ressortant aussitôt, les deux
hommes ayant juste le temps de percevoir l'éclat —
l'éclair — diamantin d'un bracelet, le bruit sec du fermoir revenant en place), la main aux ongles polis, aux
fragiles doigts de porcelaine, tenant maintenant une
liasse froissée de billets en vrac, les tendant, ou plutôt
les fourrant sous le nez d'Iglésia, la voix coléreuse
disant : « Tenez. Allez jouer pour moi. Pour nous. Moitié-moitié. Allez-y vous-même. A votre idée. Je ne vous
demande pas de me montrer les tickets. Vous n'avez
même pas besoin de les prendre si vous estimez que ce
n'est pas la peine, qu'il ne saura pas la... », et de Reixach :
« Allons ! Qu'est-ce que... », et elle : « Je ne demande
pas à voir les tickets, Iglésia, je... », et de Reixach (un
peu pâle à présent, les muscles de sa mâchoire saillant,
allant et venant sous la peau, la sueur maintenant ruisselant franchement sur ses tempes, disant, toujours sans
hausser la voix — toujours impersonnelle, calme, mais
à ce moment peut-être un peu plus sèche, brève) :
« Allons. Voyons. Cessez », la vouvoyant tout à coup, ou
s'adressant peut-être aussi à Iglésia, ou peut-être au lad,
à l'apprenti à tête de crapaud en train de presser l'éponge
sur la tête de la jument, car il s'avança, lui prit l'éponge
des mains, l'essora, se mit à la passer, à peine humide,
plusieurs fois sur l'encolure sans se retourner, parlant
doucement au lad — au crapaud —, celui-ci disant :
« Oui M'sieu — Non M'sieu — Oui M'sieu... » tandis que
derrière eux Iglésia et Corinne continuaient à se faire
face, Corinne parlant très vite, de cette voix qu'elle

146

s'efforçait maintenant de dominer, d'étouffer, mais néanmoins toujours trop haute d'un demi-ton, sans que l'on
pût savoir au juste si c'était la colère, l'inquiétude ou
quoi, comme si c'était simplement la transparence de
la capeline cerise qui rosissait son visage, sa gorge, le
haut de ses bras dénudés jusqu'aux aisselles (laissant
voir, à la jonction de l'épaule et des seins ces deux plis
en éventail, délicats, de la chair impétueuse, dure, gonflée) par une de ces espèces de robes violentes, non pas
agressives mais en quelque sorte agressée, c'est-à-dire
dont la fragilité, l'inconsistance, les dimensions exiguës
donnaient l'impression qu'on en avait déjà arraché la
moitié et que le peu qui restait encore ne tenait guère
que par quelque chose comme un fil, et plus indécente qu'une chemise de nuit (ou plutôt qui sur toute
autre femme eût été indécente mais qui, sur elle, était
quelque chose d'au-delà de l'indécence, c'est-à-dire sup-
primant, privant de sens toute idée de décence ou d'indécence), Corinne disant : « Moitié-moitié, Iglésia. Sur
elle. Gagnante. Vous avez le choix : la jouer, le persuader de vous laisser la monter, et toucher à peu près six
mois de votre salaire. Ou si vous pensez qu'il peut la
faire gagner, c'est pareil. Ou si vous pensez qu'il ne peut
pas la faire gagner, garder l'argent. Je ne demanderai
pas à voir les tickets. Maintenant est-ce que vous allez
continuer à lui dire que ça ira tout seul ? », et Iglésia :
« J'ai pas le temps d'aller jouer, il faut que je m'occ... »,
et elle : « Il ne faut pas plus de deux minutes pour aller
jusqu'à ces guichets et en revenir. Vous avez parfaitement le temps », et à ce moment-là Iglésia raconta que
ç'avait été comme l'inverse de ce qu'il avait éprouvé ce

147

jour où il l'avait vue pour la première fois, s'avançant au côté de de Reixach, c'est-à-dire qu'il lui sembla qu'il avait devant lui non pas une enfant, ou une jeune femme, ou une vieille femme, mais une femme sans âge, comme une addition de toutes les femmes, vieilles ou jeunes, quelque chose qui avait aussi bien quinze, trente ou soixante ans que des milliers d'années, animé par ou exhalant une fureur, un ressentiment, une hostilité, une rouerie, qui n'étaient pas les résultantes d'une certaine expérience ou d'une certaine accumulation de temps, mais de quelque chose d'autre, pensant (racontant plus tard qu'il avait pensé) : « Espèce de vieille salope ! Vieille garce ! », et en relevant les yeux ne découvrant que le visage d'ange, la transparente auréole des cheveux blonds, la jeune chair impétueuse, impolluée, impolluable, et alors les rabaissant précipitamment, regardant la liasse de billets dans sa main, en train de calculer qu'il y en avait à peu près l'équivalant de ce qu'il mettait deux mois à gagner, et combien de mois de salaire cela ferait s'il jouait comme il aurait dû jouer, puis regardant Corinne de nouveau, pensant : « Mais qu'est-ce qu'elle veut Est-ce qu'elle le sait seulement Ça n'a pas de sens Ça ne tient même pas debout », et à la fin baissant définitivement les yeux, disant : «Oui Madame», et Corinne : « Oui quoi ? », et de Reixach leur tournant toujours le dos, accroupi maintenant, vérifiant les boucles des guêtres, appelant : « Iglésia ! », et elle : « Oui quoi ? », et de Reixach toujours sans se retourner : «Ecoute : nous avons autre chose à faire que... », et elle frappant du pied : «Alors vous allez le laisser monter? Est-ce que... Vous...», et Iglésia : «Vous en faites pas, Madame. Ça ira tout seul,

je vous dis. Vous verrez», et elle : «Ce qui veut dire que
vous allez la jouer quand même ou que vous garderez
l'argent ? », et avant qu'il ait ouvert la bouche pour
répondre : « Mais je ne veux pas le savoir. Faites ce que
vous voudrez. Allez donc l'aider à faire l'idiot. Il vous
paie aussi pour ça après tout... » Puis elle et Iglésia
debout l'un à côté de l'autre dans la tribune, Iglésia (il
avait monté un cheval dans la première course) un veston effrangé passé par dessus sa casaque étincelante, le
visage ruisselant maintenant, et un peu essoufflé d'avoir
couru pour la rejoindre, — ayant trottiné pendant tout le
défilé à côté de la pouliche, portant ce seau plein d'eau
(qu'il aurait pu faire porter par le lad, mais qu'il lui
avait pris, ou plutôt arraché des mains), courant donc,
comme écrasé par le poids du seau, sur ses courtes et
torses jambes de jockey, la tête levée vers de Reixach,
lui tendant de temps à autre l'éponge qu'il plongeait
dans le seau, essorait, laissait se regonfler, sans pour cela
cesser un instant de trottiner ni s'arrêter de parler, inter-
rompre le flot volubile — recommandations, conseils,
objurgations ? — de mots qui sortaient de sa bouche,
passionné, haletant, de Reixach se contentant d'opiner
de temps à autre de la tête, s'efforçant de faire marcher
droit la pouliche qui chassait de l'arrière-train, avançait
de côté, en diagonale, dansant sans arrêt, prenant (de
Reixach) d'une main l'éponge tendue, la pressant sur la
tête de la pouliche, entre les deux oreilles, et la jetant à
Iglésia qui l'attrapait au vol. Puis ils furent à la barrière,
il jeta une dernière fois l'éponge derrière lui, sans regarder, et l'alezane se détendit comme un ressort, partit au
galop, tirant à toute force sur la bride, l'encolure légère-

ment tournée sur le côté, une épaule en avant, sa longue
queue fouettant violemment l'air, rebondissant comme si
elle avait été une balle de caoutchouc, de Reixach ne faisant qu'un avec elle, presque debout sur ses étriers, le
buste à peine incliné en avant, la tache rose de la casaque
diminuant rapidement, de bond en bond, silencieusement,
Iglésia planté là, contre la barrière blanche, à les regarder s'éloigner, décroître, franchir dans sa foulée, s'enlevant à peine, la petite haie précédant le tournant, après
quoi il ne vit plus que la toque noire et la casaque cessant de décroître, se déplaçant maintenant — montant
et retombant souplement — au-dessus de la haie et vers
la droite, et disparaissant derrière le petit bois : alors,
laissant là seau et éponge il se retourna et aussi vite que
le lui permettaient ses jambes (c'est-à-dire comme un
jockey peut courir c'est-à-dire à peu près comme un cheval dont on aurait rogné les membres à mi-longueur)
s'élança vers la tribune, se cognant aux gens, la tête levée,
cherchant Corinne des yeux, dépassant l'endroit, la
découvrant enfin, revenant sur ses pas, escaladant quatre à quatre les escaliers et, aussitôt près d'elle, s'immobilisant tout à coup, tourné vers le petit bois, la paire
d'énormes jumelles (celles dont se servait habituellement
de Reixach) déjà braquées, comme si, à la façon d'un
prestidigitateur, il les avait tenues toutes prêtes au creux
de sa main — quoiqu'elles mesurassent environ trente
centimètres de long — ou dans sa manche : surgies,
extraites, aurait-on dit, du néant et non de l'étui, parce
qu'il était impossible qu'il ait eu le temps de l'ouvrir,
puis de les en dégager en si peu de temps, c'est-à-dire
entre le moment où il avait surgi, à bout de souffle,

auprès de Corinne, et celui où il les eut, les tenant à deux mains, collées à ses yeux au-dessus de ce nez d'aigle (ou de Polichinelle) comme, semblait-il, une partie naturelle de sa personne, une sorte d'organe fonctionnel (à la façon de ces petits tubes noirs vissés dans l'œil des horlogers), protubérant, anormalement développé, subitement apparu, mis en batterie — semblables, énormes, brillantes, et recouvertes d'un cuir noir et granuleux, à ces yeux saillants, charbonneux et à facettes que l'on peut voir en avant de la tête des mouches ou de certains insectes sur les micro-photographies.

Et alors plus immobile qu'une statue. Et alors Corinne elle aussi plus immobile qu'une statue, essayant elle aussi avec avidité de voir ce qui se passait derrière le petit bois, disant sans desserrer les dents ni détourner la tête, ni hausser la voix, exactement comme lorsqu'un peu plus tôt elle s'était disputée avec de Reixach : «Espèce de sale larbin ». Et lui pour ainsi dire enfoncé tout entier dans ces énormes jumelles, et ne l'entendant sans doute même pas, ou se rendant peut-être compte qu'elle lui parlait mais ne prenant même pas la peine d'écouter, de chercher à comprendre, disant : « Oui, elle a fait un bon canter, oui, comme ça, c'est ça, il faut la... Oui : elle est, elle va... », et autour d'eux le brouhaha tranquille des gens, les derniers parieurs refluant vers la barrière ou prenant d'assaut les tribunes comme une marée noire et lente, quoique la plupart courussent, mais déjà sans regarder devant eux, toutes les têtes tournées vers le petit bois, celles de ceux qui couraient comme celles de ceux déjà casés dans les tribunes ou debout sur les chaises traînées çà et là sur le terre-plein : les têtes en porcelaine peinte des mannequins entourés de photographes, les têtes ridées et parcheminées des vieux colonels sous leurs melons gris, celles des millionnaires aux allures de maquignons, marchands de quelque chose ou distilla- teurs, ou trafiquants d'argent de père en fils, usuriers, propriétaires de chevaux, de femmes, de mines, de quar- tiers entiers d'habitations, de taudis, de villas à piscines, de châteaux, de yachts, de nègres ou d'Indiens squeletti- ques, de machines à sous grandes ou petites (depuis celle de six étages en pierre de taille, béton et blindages d'acier jusqu'aux camelotes en tôles peintes et clignotants cou- leur de berlingots) : espèce, ou classe, ou race dont les pères, ou les grands-pères, ou les arrière-grands-pères, ou les arrière-arrière-grands-pères avaient un jour trouvé moyen par violence, ruse ou contrainte exercées de façon plus ou moins légale (et sans doute plus que moins, si l'on tient compte que le droit, la loi, ne sont jamais que la consécration, la sacralisation d'un état de force) d'amasser les fortunes qu'ils dépensaient maintenant mais qui, par une sorte de conséquence, de malédiction attachée à la violence et à la ruse, les condamnaient à ne voir évoluer autour d'eux que cette faune qui cherche elle aussi à acquérir (ou à profiter de) ces mêmes for- tunes (ou tout simplement la fortune) par violence ou ruse, et que les premiers réussissaient le tour de force de coudoyer (respirant le même air, piétinant le même gravier poussiéreux, comme s'ils avaient été réunis dans un même salon) sans seulement paraître s'apercevoir de leur présence, ni même — peut-être — les voir : les têtes des parieurs aux métiers douteux, aux cols dou- teux, aux visages douteux, aux yeux de faucon, aux visages durcis, impitoyables, frustrés, rongés, corrodés par la passion : les manœuvres nord-africains qui ont payé presque l'équivalent d'une demi-journée de leur travail pour le seul privilège amoureux de voir de près le cheval sur lequel ils avaient misé leur paye de la semaine, les souteneurs, les trafiquants, les marchands de tuyaux de la pelouse, les apprentis, les chauffeurs de cars, les commissaires, les vieilles baronnes, et ceux venus là seulement parce qu'il fait beau, et ceux qui y seraient quand même, piétinant dans la boue et grelottant dans les courants d'air, s'il était tombé des lances, tous entassés maintenant dans les tribunes aux pâtisseries sculptées flottant dans le ciel avec les nuages en crème fouettée, immobiles, semblables à des meringues, c'est-à-dire gonflés, boursouflés en haut et aplatis au-dessous comme s'ils avaient été posés sur une invisible plaque de verre, alignés au cordeau par rangées successives que la perspective rapprochait dans le lointain (comme les troncs d'arbres le long d'une route) pour former, tout là-bas, vers l'horizon vaporeux, au-dessus de la cime des arbres et des grêles cheminées d'usine, un plafond suspendu, immobile, jusqu'à ce qu'en regardant mieux on s'aperçût qu'il glissait tout entier, insensiblement, archipel à la dérive, voguant au-dessus des maisons, des pelouses au vert incroyable, du petit bois à la droite duquel les chevaux apparurent enfin se dirigeant maintenant au pas vers le départ : non plus un, trois ou dix mais, avec les taches bariolées et mélangées des casaques, les queues ondoyantes, la démarche hautaine des bêtes sur leurs pattes pas plus grosses que de minces brindilles, apparition, groupe médiéval, chatoyant au loin (et non pas seu-

153

lement là-bas, au bout du tournant, mais comme s'avançant pour ainsi dire du fond des âges, sur les prairies
des batailles éclatantes où, dans l'espace d'un étincelant
après-midi, d'une charge, d'une galopade, se perdaient ou
se gagnaient des royaumes et la main des princesses) ;
puis Iglésia le vit, raconta-t-il plus tard, extrait, dissocié
par la lorgnette de l'anonyme bariolage des couleurs, sur
cette pouliche semblable à une coulée de bronze clair, et
accoutré de la toque noire et de cette casaque rose vif,
tirant sur le mauve, qu'elle leur avait en quelque sorte
imposée à tous deux (Iglésia et de Reixach) comme une
sorte de voluptueux et lascif symbole (comme les couleurs d'un ordre ou plutôt les insignes de fonctions pour
ainsi dire séminales et turgescentes), pouvant distinguer
entre les deux (entre la casaque et la toque) ce visage
parfaitement inexpressif, vide, semblait-il, d'émotions et
de pensées, même pas concentré, ou attentif : simplement impassible (Iglésia pensant, disant plus tard :
« Mais alors bon sang il avait qu'à me la laisser monter.
Si c'était pour faire cette démonstration, mince ! Qu'est-
ce qu'il espérait ? Qu'après ça elle ne coucherait plus
qu'avec lui, qu'elle allait se priver de se faire enfiler par
le premier venu simplement parce qu'elle l'aurait vu sur
son dos ? Mais si ç'avait pas été moi, ça aurait été pareil.
Parce qu'elle était en chaleur. Et avec ce temps lourd qui
n'arrangeait rien. Alors avant même de prendre le départ
elle était déjà toute trempée !... »), pouvant voir comme
s'il n'en avait été qu'à quelques mètres l'encolure de la
pouliche couverte d'une écume grise à l'endroit où frottait la rêne, le groupe, le cortège hiératique et médiéval
se dirigeant toujours vers le mur de pierre, ayant main-

tenant traversé l'embranchement du huit, les chevaux de nouveau cachés jusqu'au ventre par les haies de bordure disparaissant à demi de sorte qu'ils avaient l'air coupés à mi-corps le haut seulement dépassant semblant glisser sur le champ de blé vert comme des canards sur l'immobile surface d'une mare je pouvais les voir au fur et à mesure qu'ils tournaient à droite s'engageaient dans le chemin creux lui en tête de la colonne comme si ç'avait été le quatorze juillet un puis deux puis trois puis le premier peloton tout entier puis le deuxième les chevaux se suivant tranquillement au pas on aurait dit ces chevaux-jupons avec lesquels jouaient autrefois les enfants des sortes d'animaux aquatiques flottant sur le ventre propulsés par d'invisibles pieds palmés glissant lentement l'un après l'autre avec leurs identiques encolures arrondies de pièces d'échecs leurs identiques cavaliers exténués aux identiques bustes voûtés dodelinant la moitié en train de dormir sans doute quoiqu'il fît jour depuis un bon moment le ciel tout rose de l'aurore la campagne comme molle encore à moitié endormie aussi, il y avait comme une sorte de vaporeuse moiteur il devait y avoir de la rosée des gouttes de cristal accrochées aux brins d'herbe que le soleil allait faire s'évaporer je pouvais facilement le reconnaître tout là-bas en tête à la façon qu'il avait de se tenir très droit sur sa selle contrastant avec les autres silhouettes avachies comme si pour lui la fatigue n'existait pas, la moitié à peu près de l'escadron se trouvant engagée lorsqu'ils refluèrent vers le carrefour c'est-à-dire comme un accordéon comme sous la pression d'un invisible piston les repoussant, les derniers continuant toujours à avancer alors que la tête de la colonne semblait pour ainsi dire se rétracter le bruit ne parvenant qu'ensuite de sorte qu'il se passa un moment (peut-être une fraction de seconde mais apparemment plus) pendant lequel dans le silence total il y eut seulement ceci : les petits chevaux-jupons et leurs cavaliers rejetés en désordre les uns sur les autres exactement comme des pièces d'échecs s'abattant en chaîne le bruit lorsqu'il arriva avec ce léger décalage dans le temps sur l'image lui-même exactement semblable au son creux des pièces d'ivoire tambourinant tombant les unes après les autres sur le plateau de l'échiquier comme ceci : tac-tac-tac-tac-tac les rafales pressées se superposant s'entassant aurait-on dit puis au-dessus de nous les invisibles cordes de guitare pincées tissant l'invisible chaîne d'air froissé soyeux mortel aussi n'entendis-je pas crier l'ordre voyant seulement les bustes devant moi basculer de proche en proche en avant tandis que les jambes droites passaient l'une après l'autre par dessus les croupes comme les pages d'un livre feuilleté à l'envers et une fois par terre je cherchai Wack des yeux pour lui tendre la bride en même temps que ma main droite se battait derrière mon dos avec ce fichu crochet de mousqueton puis cela arriva sur nous par derrière le tonnerre des sabots la galopade des chevaux fous démontés la pupille agrandie les oreilles couchées en arrière les étriers vides et les rênes fouettant l'air se tordant comme des serpents et tintant, et deux ou trois couverts de sang et un avec encore son cavalier criant Il y en a aussi derrière ils nous ont laissé passer et puis ils, le reste de ses paroles emporté avec lui penché sur l'encolure la bouche grande ouverte comme un trou et maintenant ce n'était plus

156

contre le crochet de mousqueton que j'étais en train de me battre mais contre cette carne en train de renauder à présent la tête haute le cou raide comme un mât la pupille complètement retournée comme si elle essayait de regarder derrière ses oreilles reculant irrésistiblement non par à-coups mais pour ainsi dire méthodiquement une patte après l'autre et moi lui flanquant de ces coups de sonnette à lui arracher la mâchoire répétant Allons Allons comme si seulement elle pouvait m'entendre dans cette pagaille raccourcissant peu à peu les rênes jusqu'à ce que je puisse atteindre d'une main l'encolure la tapotant répétant Allons Allons làààà... jusqu'à ce qu'elle s'arrête reste immobile mais crispée tendue tremblant de tous ses membres ses quatre pattes écartées raides comme des étais et sans doute avait-on crié l'autre ordre pendant que j'étais occupé avec elle car je me rendis compte (non pas voyant car j'étais trop occupé à la surveiller, mais sentant, devinant) dans ce désordre cette pagaille qu'ils étaient tous en train de remonter à cheval m'approchant d'elle alors (toujours aussi figée aussi tendue que si elle avait été en bois) le plus doucement possible me méfiant du coup qu'elle pique une crise se cabre ou parte ventre à terre au galop juste au moment où j'aurais le pied dans l'étrier mais elle ne bougeait toujours pas se contentait de trembler sur place d'une façon continue comme un moteur tournant au ralenti et elle me laissa mettre le pied dans l'étrier sans rien faire, seulement quand j'attrapai le pommeau et le troussequin pour m'enlever la selle tourna sens dessus dessous, ce coup-là je l'attendais aussi il y avait trois jours que j'essayais d'en trouver un avec qui échanger cette sangle trop longue pour elle après que j'avais dû abandonner Edgar mais va te faire foutre avec ces paysans on aurait dit que leur proposer un échange de sangle c'était essayer de les rouler et celle de Blum était aussi trop longue alors c'était vraiment le moment pour qu'un truc pareil m'arrive quand ça tirait et arrivait de tous les côtés à la fois mais je n'avais même pas le temps de jurer même pas assez de souffle même pas assez de temps pour formuler un juron tout juste assez pour y penser tandis que j'essayais de lui remettre cette foutue selle sur le dos, au milieu de tous les types qui me passaient maintenant autour lancés au grand galop et alors je m'aperçus que mes mains tremblaient mais je ne pouvais pas les en empêcher pas plus qu'elle ne pouvait s'empêcher elle non plus de trembler toujours de tout son corps et à la fin j'y renonçai me mis à courir à côté d'elle en la tenant par la bride elle se mettant au petit galop avec la selle maintenant à peu près sous le ventre parmi les chevaux montés ou démontés qui nous dépassaient le mortel réseau des cordes de guitare tendu comme un plafond au-dessus de nous mais ce ne fut que quand j'en vis tomber deux ou trois que je compris que j'étais dans l'angle mort du talus tandis qu'à cheval ils dépassaient largement de sorte qu'ils les descendaient comme des quilles puis je vis Wack (les choses se déroulant paradoxalement dans une sorte de silence de vide c'est-à-dire que le bruit des balles et des explosions — ils devaient aussi tirer au mortier maintenant ou avec ces petits canons des chars — une fois accepté admis et pour ainsi dire oublié se neutralisant en quelque sorte on n'entendait absolument rien pas de cris aucune voix sans doute parce que personne n'avait le temps de crier de sorte que ça me rappelait quand je courais le 1500 : seulement le bruit sifflant des respirations les jurons eux-mêmes étouffés avant de sortir quand il se produisait une bousculade comme si les poumons accaparaient tout l'air disponible pour le répartir dans le corps et l'employer aux seules choses utiles : regarder décider courir, les choses par conséquent se passant un peu comme dans un film privé de sa bande de son), je vis Wack qui venait de me dépasser penché sur l'encolure le visage tourné vers moi la bouche ouverte lui aussi essayant sans doute de me crier quelque chose qu'il n'avait pas assez d'air pour faire entendre et tout à coup soulevé de sa selle comme si un crochet une main invisible l'avait attrapé par le col de son manteau et s'élevant lentement c'est-à-dire à peu près immobile par rapport à (c'est-à-dire animé à peu près de la même vitesse que) son cheval qui continuait à galoper et moi courant toujours quoiqu'un peu moins vite de sorte que Wack son cheval et moi-même formions un groupe d'objets entre lesquels les distances ne se modifiaient que lentement lui se trouvant à présent exactement au-dessus du cheval dont il venait d'être enlevé arraché s'élevant lentement dans les airs les jambes toujours écartées en arc de cercle comme s'il continuait à chevaucher quelque Pégase invisible qui d'une ruade l'eût fait basculer en avant exécutant donc au ralenti et pour ainsi dire sur place une sorte de double saut périlleux me le montrant bientôt la tête en bas la bouche toujours ouverte sur le même cri (ou conseil qu'il avait essayé de me faire entendre) silencieux puis couché dans les airs sur le dos comme un type étendu dans un hamac et qui laisse pen-

dre ses jambes à droite et à gauche puis de nouveau la
tête en haut le corps vertical les jambes commençant à
abandonner la position de celles d'un cavalier pour se
rassembler pendre parallèlement puis sur le ventre les
bras tendus en avant les mains ouvertes dans le geste de
saisir d'attraper quelque chose plus loin comme un de
ces acrobates de cirque dans l'instant où il se tient rat-
taché à rien et délivré de toute pesanteur entre les deux
trapèzes puis à la fin la tête de nouveau en bas les jambes désunies et les bras en croix comme pour me barrer
le chemin mais immobile maintenant plaqué contre le
revers du talus et ne bougeant plus me regardant le
visage empreint d'une expression surprise et imbécile je
pensais Pauvre Wack il a toujours eu l'air d'un idiot mais
maintenant plus que jamais il, puis je ne pensai plus
quelque chose comme une montagne ou un cheval s'abattant sur moi me jetant à terre me piétinant tandis que
je sentais les rênes s'échapper de mes mains puis tout
fut noir tandis que des milliers de chevaux galopants
continuaient à me passer sur le corps puis je ne sentis
même plus les chevaux seulement comme une odeur
d'éther et le noir les oreilles bourdonnantes et quand
j'ouvris de nouveau les yeux j'étais étendu sur le chemin
et plus un cheval et seulement Wack toujours sur le talus
la tête en bas en train de me regarder les yeux grands
ouverts avec cet air d'abruti mais je me gardai bien de
bouger attendant le moment où j'allais commencer à
souffrir ayant entendu dire que les grosses blessures pro-
voquaient d'abord comme une sorte d'anesthésie mais ne
sentant toujours rien et au bout d'un moment j'essayai
de remuer mais rien ne se produisit réussissant à me

mettre à quatre pattes la tête dans le prolongement du corps le visage dirigé vers la terre je pouvais voir le sol du chemin empierré les pierres apparaissant triangles ou polygones irréguliers d'un blanc légèrement bleuté dans leur gangue de terre d'un ocre pâle il y avait comme un tapis d'herbe au centre du chemin puis à droite et à gauche là où passaient habituellement les roues des charrettes et des voitures deux couloirs nus puis de nouveau l'herbe reprenait sur les bas-côtés et en relevant la tête je vis mon ombre encore très pâle et fantastiquement étirée pensant Alors le soleil est donc levé, et à ce moment je pris conscience du silence et vis qu'un peu plus loin que Wack il y avait un type assis sur le revers du talus : il se tenait le bras un peu au-dessus du coude sa main pendant toute rouge entre ses jambes écartées mais ce n'était pas un type de l'escadron, quand il vit que je le regardais il dit On est foutus, je ne répondis pas il cessa de s'occuper de moi et se remit à contempler sa main, très loin il y eut encore quelques rafales je regardai le chemin derrière nous du côté du carrefour je vis des tas bruns jaunâtres par terre qui ne bougeaient pas et des chevaux et près de nous un cheval étendu sur le flanc dans une mare de sang envoyant de faibles et spasmodiques ruades des quatre membres alors je m'assis sur le revers du talus à côté du type pensant Mais c'était à peine l'aurore, je dis Quelle heure est-il, mais il ne répondit pas puis une rafale passa tirée de très près cette fois je me jetai dans le fossé j'entendis le type dire encore On est foutus, mais je ne me retournai pas rampai dans le fossé jusqu'à l'endroit où le talus cessait et après je me mis à courir courbé en deux jusqu'à un bouquet d'arbres mais

161

personne ne tira, on ne tira pas non plus quand je courus du bouquet d'arbres à une haie je franchis la haie sur le ventre me recevant de l'autre côté sur mes mains restant étendu jusqu'à ce que j'aie réussi à retrouver mon souffle on ne tirait plus du tout maintenant j'entendis un oiseau chanter les ombres des arbres s'allongeaient devant moi sur le pré je longeai la haie à quatre pattes perpendiculairement aux ombres des arbres jusqu'au coin du pré puis je me mis à remonter la colline de l'autre côté du pré toujours à quatre pattes contre la haie mon ombre devant moi maintenant de nouveau et quand je fus dans la forêt marchant parmi les lamelles de soleil je fis attention de la garder devant moi calculant au fur et à mesure que le temps passait qu'il me fallait l'avoir d'abord devant moi et légèrement à droite puis plus tard à droite mais toujours en avant de moi, il y avait des coucous dans la forêt d'autres oiseaux aussi dont je ne savais pas le nom mais surtout des coucous ou peut-être c'était parce que je savais le nom que je les remarquai peut-être aussi à cause de leur cri plus caractéristique, le soleil déchiqueté passait entre les feuilles dessinait mon ombre déchiquetée que je poussais devant moi puis un peu à droite, marchant longtemps sans rien entendre d'autre que les coucous et ces oiseaux dont je ne savais pas le nom, à la fin je me fatiguai de marcher complètement à travers bois et suivis un layon mais mon ombre était alors sur ma gauche, au bout d'un moment je trouvai un autre layon qui le croisait perpendiculairement je le pris et mon ombre fut de nouveau en avant et à droite mais je calculai que je devrais le suivre plus longtemps que le premier de façon à corriger l'écart qu'il

m'avait forcé à faire et à un moment j'eus faim et je me
rappelai ce bout de saucisson que je trimballais dans la
poche de mon manteau je le mangeai sans cesser de marcher je mangeai la peau aussi jusqu'au moignon noué
par la ficelle que je jetai puis la forêt cessa buta pour
ainsi dire sur le vide du ciel s'ouvrit sur un étang et
quand je m'allongeai pour boire les petites grenouilles
plongèrent cela ne faisait pas plus de bruit que de grosses gouttes de pluie : près du bord à l'endroit où elles
avaient sauté il restait dans l'eau un petit nuage de poussière de vase soulevée grise qui se dissolvait entre les
joncs elles étaient vertes et guère plus grosses que
le petit doigt la surface de l'eau était toute couverte de
petites feuilles rondes et vert pâle de la dimension d'un
confetti c'est pourquoi je ne m'aperçus qu'au bout d'un
moment qu'elles reparaissaient j'en vis une puis deux
puis trois crevant les confettis vert clair laissant juste
dépasser le bout de leur tête avec leurs petits yeux gros
comme des têtes d'épingle qui me regardaient il y avait
un léger courant et j'en vis une dériver lentement se laissant entraîner entre les archipels de confettis agglutinés
de la même couleur qu'elles on aurait dit un noyé écar-
telé la tête à demi hors de l'eau ses délicates petites pattes
palmées ouvertes puis elle bougea et je ne la vis plus
c'est-à-dire que je ne la vis même pas bouger, simplement
elle ne fut plus là sauf le petit nuage de vase qu'elle avait
soulevé, l'eau était visqueuse avait un goût visqueux d'an-
guille je bus en écartant les petits confettis faisant attention de ne pas aspirer la vase qui se soulevait pour un
rien le visage parmi les joncs et les larges feuilles en
forme de fers de lance puis je restai là assis à la lisière

du bois derrière les fourrés écoutant les coucous se répondre parmi les troncs silencieux dans l'air printanier et vert regardant la route qui contournait l'étang et longeait ensuite les arbres de temps en temps un poisson sautait avec un plouf je ne réussis pas à en voir un, seulement les cercles concentriques allant s'élargissant autour de l'endroit où il avait mouché à un moment des avions passèrent mais très haut dans le ciel j'en vis un ou plutôt quelque chose un point argenté suspendu immobile étincelant une fraction de seconde dans un trou de bleu entre les branches puis disparaissant leur bruit semblait comme suspendu lui aussi vibrant dans l'air léger puis il décrut peu à peu et de nouveau je perçus le froissement délicat des feuilles et de nouveau le chant d'un coucou et peu après au tournant de la route débouchèrent deux officiers promenant leurs chevaux mais peut-être ici ne savait-on pas que c'était la guerre ils marchaient tranquillement au pas en devisant quand je vis qu'ils étaient bien en kaki et pas en vert je me levai pensant à la tête qu'ils allaient faire en me voyant et quand je leur dirais que les panzers se baladaient sur la route à six ou sept kilomètres de là sans doute avait-on oublié de les prévenir je me tins debout bien en vue au milieu de la route dans la sylvestre paix où je pouvais toujours entendre les coucous et de temps en temps le rapide invisible et paresseux saut d'un poisson hors de l'inaltérable miroir de l'eau puis je pensai Bon Dieu bon Dieu bon Dieu bon Dieu, le reconnaissant reconnaissant la voix qui me parvenait maintenant ou plutôt me tombait dessus hautaine distante paisible avec quelque chose d'enjoué presque de gai disant Alors vous

164

avez aussi réussi à vous en tirer ? disant en se tournant vers le petit sous-lieutenant Vous voyez qu'ils ne sont pas tous morts il y en a tout de même quelques-uns qui s'en sont sortis, disant de nouveau dans ma direction Iglésia suit derrière avec deux chevaux de main Vous n'aurez qu'à en prendre un, je pouvais entendre le murmure de l'eau là où l'étang se déversait par une petite cascade le bruissement des feuilles remuées par l'imperceptible brise, à la hauteur de mes yeux je vis les genoux se serrer imperceptiblement le cheval se remettant en marche passant devant moi les bottes étincelantes les flancs aux poils acajou collés de sueur séchée la croupe la queue puis de nouveau le paisible étang sur lequel la brise agitait avec un froissement de papier les larges feuilles en forme de fer de lance, sa voix tandis qu'il s'éloignait me parvenant encore une fois (mais ce n'était plus à moi qu'il parlait il avait repris avec le petit sous-lieutenant sa bienséante conversation et je pus l'entendre légèrement ennuyée distinguée nonchalante) disant : ... vilaine affaire. Apparemment ils se servent de ces chars comme..., puis il fut trop loin j'avais oublié que ce genre de choses s'appelait simplement une « affaire » comme on dit « avoir une affaire » pour « se battre en duel » délicat euphémisme formule plus discrète plus élégante allons tant mieux rien n'était encore perdu puisqu'on était toujours entre gens de bonne compagnie dites ne dites pas, exemple ne dites pas « l'escadron s'est fait massacrer dans une embuscade », mais « nous avons eu une chaude affaire à l'entrée du village de » puis la voix d'Iglésia et son visage de Polichinelle en train de me regarder de son œil rond avec son air offusqué impatient et vaguement

réprobateur disant Alors tu montes oui ou non ? Depuis
le temps que je traîne ces deux carnes c'est pas une rigo-
lade je te jure mince ! je me mis en selle et les suivis je
dus trotter pour rattraper Iglésia puis je remis le cheval au pas je pouvais maintenant le voir de dos avec ce
petit sous-lieutenant à côté de lui marchant tranquillement les chevaux avançant avec cette formidable lenteur,
cette totale absence de hâte que l'on rencontre seulement
chez les êtres ou les choses (boxeurs, serpents, avions)
capables de frapper, d'agir ou de se déplacer à une foudroyante vitesse, le ciel, les paisibles nuages cotonneux
continuant à glisser, dériver à une vitesse elle aussi à peine
perceptible en sens inverse (de sorte qu'entre les graciles,
médiévales et élégantes silhouettes qui n'en finissaient plus
de s'acheminer vers l'endroit où, chambrière en main, le
starter les attendait, et les nuages, semblait se dérouler
une de ces irritantes courses de lenteur, démonstration
où chacun aurait fait assaut de majesté, insoucieux de
cette fébrile et futile impatience qui faisait bouillonner
la foule : les pur-sang guindés, délicats et fats, capables
non pas d'atteindre mais de se muer dans l'espace d'un
clin d'œil en quelque chose non pas lancé à une formidable vitesse mais qui serait la vitesse elle-même, les
lents nuages semblables à ces orgueilleuses armadas
apparemment posées immobiles sur la mer et qui parais-
sent se déplacer comme par bonds à une vitesse fantas-
tique, l'œil lassé de leur apparente immobilité les abandonnant, les retrouvant un moment plus tard, toujours
apparemment immobiles, à l'autre extrémité de l'horizon,
parcourant ainsi de fabuleuses distances tandis que
défilent sous eux, minuscules et dérisoires, villes, colli-

nes, bois, et sous lesquelles, sans qu'ils parussent jamais avoir bougé, toujours majestueux, boursouflés et impondérables, défileraient encore d'autres villes, d'autres bois, d'autres dérisoires collines, bien après que les chevaux, le public, auraient abandonné le champ de course, les tribunes, les vertes pelouses parsemées, souillées par les myriades de tickets des paris perdus comme autant de minuscules cadavres morts-nés de rêves et d'espoirs (soir de noces non pas de la terre et du ciel mais de la terre et des hommes, la laissant souillée par la persistance de ce résidu, de cette espèce de pollution géante et fœtale de petits bouts de papiers rageusement déchirés), bien après que le dernier cheval aurait fait voler derrière lui la dernière motte arrachée au gazon, serait reparti, plus entouré de domestiques, de soins, de précautions et d'égards pour ses nerfs qu'une vedette de cinéma, et que l'écho des dernières et furieuses clameurs serait retombé sur les gradins silencieux, livrés aux équipes de nettoyage, ne retentissant plus que du crissement léger et prosaïque des coups de balais), Corinne cessant de guigner ce qui se passait au bout du tournant, frappant de nouveau rageusement du pied, disant : « Vous ne pourriez pas arrêter une seconde de regarder dans ce truc, non ? Vous m'entendez ? Il n'y a rien à voir pour le moment. Ils vont au départ. Ils... Est-ce que vous m'entendez, oui ? », et lui éloignant à regret les lorgnettes de son visage, tournant vers elle ses gros yeux de poisson, les paupières clignotant, les pupilles troubles, un peu floues, dans l'effort qu'il faisait pour accommoder à cette distance rapprochée, disant de sa voix grêle, craintive, geignarde : « Vous... Vous n'auriez pas dû. Il... », sa voix ne

167

finissant pas, mourant, engloutie, submergée (au-dessus du tintement brutal et lancinant de la cloche) par l'espèce de long soupir s'exhalant de la foule délivrée, pâmée et vorace (non pas à proprement parler un orgasme, mais en quelque sorte, un pré-orgasme, quelque chose comme au moment où l'homme pénètre la femme), tandis que, tout là-bas, on pouvait voir maintenant une sorte de tache allongée et bariolée se déplaçant très vite dans la verdure, à ras du sol, les chevaux passés sans transition de leur nonchalante semi-immobilité au mouvement, le peloton filant rapidement sur une ligne horizontale, sans à-coups, comme s'il était monté sur fil de fer ou sur roulettes, comme ces jeux d'enfants, tous les chevaux soudés ensemble en un seul bloc découpé dans un morceau de carton ou de tôle coloriée que l'on aurait fait glisser rapidement le long de la fente ménagée à cet effet dans un paysage peint en trompe-l'œil et verni, les bustes des jockeys identiquement penchés en avant, les chevaux cachés jusqu'au ventre par les haies de bordure : puis ils débouchèrent au raccord des pistes et, un moment, on put voir les pattes des bêtes allant et venant rapidement, comme des compas s'ouvrant et se refermant, mais toujours sur ce même rythme mécanique, régulier et abstrait de jouet à ressort ; puis de nouveau, on ne vit plus, derrière le petit bois, que le passage haché par les troncs et les branches des casaques soyeuses pareilles à une poignée de confettis et qui semblaient — peut-être à cause de leur matière, de leurs éclatantes couleurs — rassembler, concentrer sur elles toute l'étincelante lumière de l'éclatant après-midi, la minuscule tache rose (et sous laquelle il y avait pourtant un buste d'homme, la chair, les muscles bandés, le tumultueux afflux du sang, les organes malmenés et forcés) en quatrième position : « Parce qu'il savait tout de même monter. Faut dire ce qui est : il en connaissait un bout. Parce qu'il avait drôlement bien pris son départ », raconta plus tard Iglésia ; à présent ils se tenaient tous trois (Georges, Blum et lui : les deux jeunes gens et cet Italien (ou Espagnol) à la peau tannée et qui avait à lui seul presque autant d'années derrière lui que les deux premiers réunis, et sans doute aussi quelque chose comme dix fois leur expérience, ce qui devait faire à peu près trente fois celle de Georges parce que, en dépit du fait que lui et Blum fussent, eux, sensiblement du même âge, Blum possédait héréditairement une connaissance (l'intelligence avait dit Georges, mais ce n'était pas seulement cela : plus encore : l'expérience intime, atavique, passée au stade du réflexe, de la stupidité et de la méchanceté humaines) des choses qui valait bien trois fois celle qu'un jeune homme de bonne famille avait pu retirer de l'étude des auteurs classiques français, latins et grecs, plus dix jours de combat, ou plutôt de retraite, ou plutôt de chasse à courre où il — le jeune homme de bonne famille — avait au pied levé et d'une façon tout à fait improvisée tenu le rôle de gibier), tous les trois donc, aussi différents par l'âge que par l'origine amenés là pour ainsi dire des quatre points cardinaux (« Il ne nous manque que le nègre, dit Georges. Comment est-ce déjà ? Sem, Cham, Japhet, mais il aurait fallu un quatrième ; on aurait dû l'inviter : après tout c'était plus difficile de dégoter cette farine et de l'amener jusqu'ici que de se défaire d'une montre-bracelet ! ») accroupis dans ce coin du camp pas encore construit, derrière des piles de briques et Iglésia en train de faire cuire sur un feu quelque chose qu'ils avaient volé ou troqué (cette fois une partie du contenu d'un sac de farine que Georges avait obtenu en échange de sa montre — celle que lui avaient offerte ses deux vieilles tantes Marie et Eugénie quand il avait été reçu à son premier bachot — précisément à un noir — un Sénégalais de la Coloniale — qui lui-même l'avait raflé Dieu sait où (comme avait été raflé Dieu sait où et apporté jusque dans le camp Dieu sait pourquoi — dans quel but ? probablement à tout hasard, pour le superstitieux plaisir de rafler, posséder et conserver — tout ce qu'on pouvait y trouver à vendre, à acheter ou à échanger, c'est-à-dire à peu près n'importe quoi, l'assortiment entier — et même plus — d'un grand magasin, rayons frivolités, antiquités et alimentation compris : non seulement des choses — comme le sac de farine — utiles ou à manger, mais encore sans utilité et même encombrantes, et même incongrues, comme des bas ou des culottes de femmes, des livres de philosophie, des faux bijoux, des guides touristiques, des photos obscènes, des ombrelles, des raquettes de tennis, des traités d'agriculture, des magnétos, des oignons de fleurs, des accordéons, des cages à oiseaux — quelquefois avec l'oiseau dedans —, des tours Eiffel en bronze, des pendules, des préservatifs, sans parler bien entendu des milliers de montres, chronomètres, portefeuilles en veau, crocodile ou vulgaire cuir de vache qui constituaient la monnaie courante de cet univers, objets, reliques, butins péniblement coltinés pendant des kilomètres par des hordes d'hommes épuisés et affamés, et cachés, soustraits aux fouilles, conservés malgré interdits et

menaces, ressurgissant, réapparaissant incoerciblement
pour des marchés furtifs, clandestins, fiévreux et âpres
dont la raison n'était le plus souvent pas tant d'acquérir
que d'avoir quelque chose à vendre ou à acheter), ce qui,
étant donné la valeur de la montre, mettait la galette
(car c'était cela qu'Iglésia confectionnait, versant sur un
bout de tôle rouillée la pâte faite d'eau, de farine et d'un
peu de cette margarine de charbon que les prisonniers
se voyaient distribuer en minces lamelles), ce qui mettait
donc la portion de galette à un prix qu'aucun tenancier
de restaurant de luxe n'aurait osé demander pour une
portion de caviar) donc tous les trois là (l'un accroupi,
les deux autres faisant le guet), semblables à trois vaga-
bonds faméliques dans un de ces terrains vagues que l'on
trouve aux approches des villes, et plus rien de soldats
(ou plutôt revêtus de ces dérisoires défroques qui sont le
lot des guerriers défaits, et pas même les leurs mais,
comme si le vainqueur facétieux avait encore voulu
s'amuser à leurs dépens, les enfoncer plus avant dans
leur condition de vaincus, d'épaves, de rebuts (mais sans
doute n'était-ce pas même cela : seulement le logique
aboutissement d'ordres, de dispositions peut-être ration-
nelles à l'origine, et démentielles au stade de l'exécution,
comme chaque fois qu'un mécanisme d'exécution suffisamment rigide, comme l'armée, ou rapide, comme les
révolutions, renvoie à l'homme sans ces retouches, cet
assouplissement qu'apportent soit une application infidèle, soit le temps, le reflet exact de sa pensée nue), revêtus tous trois donc, à la place de leurs manteaux de cavaliers qu'on leur avait retirés, de capotes de soldats tchèques ou polonais reçues en échange (soldats peut-être

171

morts, ou peut-être — les capotes — butin de guerre, sai-
sies en stocks, intouchées, dans les magasins d'inten-
dance de Varsovie ou de Prague), et naturellement hors
mesures, celle de Georges avec des manches qui lui arrivaient tout juste au-dessous du coude et Iglésia, plus
épouvantail à moineaux, plus Polichinelle que jamais,
nageant (son léger squelette de jockey disparaissant)
dans une immense capote dont le nez de carnaval et
l'extrémité des doigts émergeaient seuls :) trois fantômes,
trois ombres grotesques et irréelles, avec leurs visages
décharnés, leurs yeux brûlant de faim, leurs crânes ras,
leurs vêtements dérisoires, penchés au-dessus d'un maigre feu clandestin dans ce fantomatique décor que dessinaient les baraques alignées sur la plaine sablonneuse,
avec çà et là, à l'horizon, des bouquets de pins et un
soleil rougeâtre immobile, et d'autres exsangues silhouettes errant, s'approchant, tournant haineusement (honteu-
sement) autour d'eux avec des regards envieux, affamés et
fiévreux de loups (et eux aussi uniformément revêtus de
ces défroques, couleur de bile, de boue, comme une sorte
de moisissure, comme si une espèce de pourriture les recouvrait, les rongeait, les attaquait encore debout, d'abord
par leurs vêtements, gagnant insidieusement : comme la
couleur même de la guerre, de la terre, s'emparant d'eux
peu à peu, eux, leurs visages terreux, leurs loques terreu-
ses, leurs yeux terreux aussi, de cette teinte sale, indis-
tincte qui semblait les assimiler déjà à cette argile, cette
boue, cette poussière dont ils étaient sortis et à laquelle,
errants, honteux, hébétés et tristes, ils retournaient chaque jour un peu plus), et même pas des loups, c'est-à-
dire affamés, et efflanqués, et hargneux, menaçants, mais

affligés de cette faiblesse que ne connaissent pas les loups mais seulement les hommes, c'est-à-dire la raison, c'est-à-dire, au contraire de ce qui se fût passé s'ils eussent été de véritables loups, empêchés d'attaquer par la conscience de ce qui eût encouragé des loups à attaquer (leur nombre), découragés à l'avance par le calcul de ce qu'eussent représenté les quelques maigres galettes qu'ils convoitaient une fois partagées entre mille, restant donc là, se contentant de rôder, avec ces lueurs de meurtre dans leurs yeux, — et à un moment une brique vola, heurta l'épaule d'Iglésia et renversa la tôle, et la pâte à demi-cuite se répandit sur le feu, et Georges lança la brique qu'il tenait lui aussi toute prête dans la direction du type qui s'enfuyait (et sans doute n'était-ce même pas velléité de meurtre ou d'agression, mais désespoir, et cet insupportable rat de la faim rongeant, installé dans le ventre, et le geste alors — la brique lancée — incontrôlé, incontrôlable, et aussitôt la misérable fuite, et non pas devant la riposte, la peur, mais devant sa propre honte, sa propre déchéance), Iglésia recueillant tant bien que mal la pâte, replaçant la plaque de tôle, et remettant la galette à cuire, et dedans il y avait maintenant des fragments noirs et charbonneux qu'ils essayèrent ensuite de retirer, mais il en resta encore, et quand ils la mangèrent cela craquait sous leurs dents avec un goût indéfinissable et les faisait cracher, mais ils mangèrent tout quand même, jusqu'à la dernière miette, assis comme des singes sur leurs talons, se brûlant les doigts pour détacher les galettes de la poêle — ou plutôt du morceau de tôle rouillée et déchiquetée qui en tenait lieu —, Iglésia (maintenant il était lancé, parlait sans s'arrêter, lentement, mais d'une façon continue, patiente, et, semblait-il, comme pour lui-même, non pour eux, ses gros yeux fixés sur le vide, droit devant lui, emplis de cette même expression, à la fois étonnée, grave et admirative) disant entre deux bouchées : « Et avec les deux ou trois macaques qui montaient dans cette course et qui l'avaient repéré ça n'avait pas dû être facile, je te le dis, parce qu'un type qui monte en gentleman dans une course avec des jockeys il peut s'attendre à ce qu'ils lui fassent pas de cadeau. Seulement il s'était drôlement bien démerdé : il était maintenant en quatrième position, et tout ce qu'il avait à faire pour le moment c'était de la tenir là, et il devait en avoir plein les bras, je te le dis, parce que cette bête-là, qu'est-ce qu'elle pouvait tirer, la garce... »

Ils apparurent enfin après le dernier arbre, toujours dans le même ordre, la tache, la pastille rose toujours en même position tandis qu'ils entamaient la dernière partie du tournant, le peloton se muant peu à peu en une masse confuse (les derniers semblant rattraper les premiers) qui, tout au fond de la ligne droite, ne fut plus qu'une houle, un moutonnement de têtes montant et descendant sur place, les chevaux agglomérés en paquet paraissant un moment ne plus avancer (simplement les toques des jockeys montant et descendant) jusqu'à ce que soudain le premier cheval non pas franchît mais crevât la haie, c'est-à-dire que brusquement il fut là, les deux pattes de devant projetées devant lui, raides, jointes ou plutôt l'une d'elles légèrement en avant de l'autre, les deux sabots pas tout à fait à la même hauteur, le cheval engagé jusqu'à mi-corps entre les fagots bruns qui surmontaient la barrière, reposant apparemment sur le ven-

tre comme en équilibre, une fraction de seconde immobile, aurait-on dit, jusqu'à ce qu'il basculât en avant tandis qu'un second, puis un troisième, puis plusieurs ensemble, tous figés successivement en équilibre, dans cette
position de cheval à bascule, apparaissent, s'immobili-
sent, s'inclinent en avant, retrouvant le mouvement en
même temps que le contact avec la terre, le peloton galopant maintenant, de nouveau soudé, vers les tribunes,
grossissant, franchissant l'obstacle suivant, puis ce fut
là : l'espèce de tonnerre silencieux, la sourde trépidation
du sol sous les sabots, les mottes de gazon volant loin
derrière, les soyeuses casaques froissées claquant dans
le vent de la course et les bustes des jockeys penchés sur
l'encolure, non pas immobiles comme ils paraissaient
dans la ligne opposée, mais oscillant légèrement d'avant
en arrière au rythme des foulées, avec leurs identiques
bouches ouvertes cherchant l'air, leur identique aspect
de poissons hors de l'eau, à demi asphyxiés, passant
devant les tribunes entourés ou plutôt enveloppés par
cette attentive chappe de vertigineux silence qui semblait
les isoler (les quelques cris fusant de la foule paraissant
— et non pas aux oreilles des jockeys mais à celles des
spectateurs eux-mêmes — parvenir de très loin, futiles,
vains, incongrus et aussi faibles que des bégaiements
inarticulés de petits enfants), les accompagner, laissant
derrière eux, bien après leur passage, comme un persistant
sillage de silence à l'intérieur duquel le martèlement des
sabots allait diminuant, s'amenuisant, seulement crevé,
sporadiquement, par le claquement sec (comme le bruit
d'une branche cassée) d'un coup de cravache, de minuscules détonations s'éloignant elles aussi, décroissant, le

dernier cheval franchissant la haie vive couronnant la légère montée, exactement comme un lapin, l'image de son arrière-train en position de ruade restant un moment sur la rétine, immobilisée, et disparaissant enfin, jockeys et bêtes maintenant invisibles, redescendant la pente de l'autre côté de la haie, comme si tout cela n'avait pas existé, comme si la fulgurante apparition de la douzaine de bêtes et de leurs cavaliers s'était brusquement escamotée, laissant seulement derrière elle, à la façon de ces nuages de fumée dans lesquels s'évanouissent lutins et enchanteurs, une sorte de banc de brume roussâtre, de poussière en suspension stagnant immédiatement devant la haie, à l'endroit où les chevaux avaient pris leur battue, s'éclaircissant, se diluant, s'affalant lentement dans la lumière de l'après-midi déclinant, et Iglésia tournant vers Corinne ce masque de carnaval, à la fois terrible et pitoyable, mais, pour le moment empreint d'une sorte de puérile excitation, d'enfantin ravissement, disant : « Vous avez vu ? Il... J'avais bien dit qu'elle... que ça irait tout seul, qu'il n'y avait qu'à... », Corinne le regardant sans répondre avec toujours cette espèce de fureur, de rage silencieuse, glacée, Iglésia bégayant, s'embrouillant, disant : « Il va, elle va... Vous... », puis finissant par se taire, Corinne continuant un moment encore à le dévisager, toujours sans rien dire, avec ce même implacable mépris, et à la fin haussant brusquement les épaules, ses deux seins bougeants, frémissants, sous le léger tissu de la robe, toute sa jeune, dure et insolente chair exhalant quelque chose d'impitoyable, de violent et aussi d'enfantin, c'est-à-dire cette totale absence de sens moral ou de charité dont

sont seulement capables les enfants, cette candide
cruauté inhérente à la nature même de l'enfance (l'orgueilleux, l'impétueux et irrépressible bouillonnement de
la vie), disant froidement : « S'il est aussi capable de
la faire gagner que vous, je me demande pourquoi on
vous paie ? », tous les deux se dévisageant (elle dans ce
symbole de robe qui la laissait aux trois quarts nue, lui
dans cette vieille veste maculée qui s'accordait à peu près
aussi bien à l'étincelante casaque de soie qu'elle laissait
voir que le visage souffreteux et tavelé de petite vérole
qui la surmontait, l'air (interdit, ahuri) à peu près comme
si elle lui avait envoyé son poing, ou son sac, ou les
jumelles dans l'estomac) pendant un temps peut-être de
l'ordre de la fraction de seconde, et non pas interminable comme il le crut, le raconta plus tard, racontant
que ce qui les réveilla, les arracha tous deux à leur
mutuelle fascination, ce furieux et muet affrontement,
ce ne fut pas un cri — ou mille cris —, ou une exclama-
tion — ou mille —, mais comme une rumeur, un soupir,
un bruissement, quelque chose d'insolite courant, s'élevant pour ainsi dire de la surface de la foule, et quand
ils regardèrent, ils virent la tache rose non plus en troisième mais en septième position à peu près, le peloton
qui venait de franchir la butte non plus soudé mais s'étirant maintenant sur une vingtaine de mètres s'engageant
sur la diagonale de la piste, Corinne disant : « Je l'avais
dit. J'en étais sûre. L'idiot. L'espèce de crétin d'idiot. Et
vous... », mais Iglésia n'écoutant plus, en train de regarder dans ses jumelles l'impassible visage ruisselant de
de Reixach seulement agité de brefs soubresauts chaque
fois que le bras qui tenait la cravache se détendait, la

pouliche allongeant sa foulée, remontant un à un, à longs coups de reins, les chevaux qui l'avaient dépassée, si bien qu'elle se trouva de nouveau à peu près en troisième position lorsqu'ils abordèrent la rivière, l'alezane, la longue et claire coulée de bronze, semblant alors s'allonger encore, s'étirer, aérienne, s'arrachant, aurait-on dit, non du sol mais à la pesanteur elle-même car elle ne parut pas retomber mais simplement continuer, légèrement au-dessus de terre, en deuxième position maintenant, tandis qu'ils traversaient le croisement, sa tache claire ondoyant horizontalement, de Reixach cessant de cravacher, Corinne répétant : « L'idiot, l'idiot, l'idiot... », jusqu'à ce que sans quitter ses jumelles Iglésia dise brutalement : « Mais taisez-vous donc, bon sang ! Est-ce que vous allez vous taire, oui ? », Corinne restant la bouche ouverte, stupide, tandis que sur leur gauche le peloton s'éloignait maintenant dans le poudroiement doré du contre-jour sous l'immuable archipel des nuages suspendus, ou peut-être tout simplement peints, dans le ciel, les chevaux à présent nettement scindés en deux groupes : d'abord quatre, puis un espace d'une quinzaine de mètres, puis le second groupe composé d'une masse assez compacte tirant derrière elle comme une traîne, les attardés s'égrenant, de plus en plus espacés jusqu'au dernier, très loin, que son jockey cravachait à chaque foulée, le groupe de tête obliquant à droite, disparaissant de nouveau derrière le petit bois, les casaques multicolores apparaissant et disparaissant entre les arbres comme un moment plus tôt, mais en sens inverse, c'est-à-dire de gauche à droite, en même temps que sur la pelouse la foule se détachait (d'abord un point noir, puis deux, puis

trois, puis dix, puis par grappes entières) de la barrière
le long de laquelle le peloton venait de passer, courant
(les taches semblables à des mouches, à une poignée de
billes) dans le même sens que les chevaux, pour aller
s'agglutiner le long de la piste transversale, la casaque
rose réapparaissant cette fois la première, mais à peu
près collée à celle du jockey suivant, de Reixach faisant
l'extérieur, débordant, déporté sur sa gauche au moment
où les deux chevaux, presque de front, se rabattaient,
abordaient la ligne droite, de sorte qu'il se trouva à peu
près au milieu de la piste et seul, devançant légèrement
le second cheval, les deux autres à environ cinq mètres
derrière, tous les quatre se dirigeant vers le bull-finch
d'un galop maintenant moins coulé, plus saccadé, si bien
que tout d'abord il sembla que l'alezane cédait seulement à la fatigue, raccourcissant seulement un peu sa
foulée, Iglésia ne s'y trompant pas, serrant désespérément les énormes jumelles collées sur ses yeux, tandis
qu'elle continuait à galoper non plus droit sur l'obstacle,
mais en diagonale, de Reixach accroché de toutes ses
forces à la rêne opposée et cravachant, réussissant à la
ramener sur la gauche, la pouliche ralentissant encore,
semblant, pour ainsi dire, se recroqueviller sous lui et
sautant l'énorme obstacle (car il y parvint, réussit à lui
imposer sa volonté), non pas comme elle avait franchi la
rivière, mais pratiquement arrêtée, s'enlevant des quatre membres à la fois, en chandelle, et retombant si dure-
ment que de Reixach s'affaissa presque sur l'encolure en
même temps qu'il la cinglait d'un terrible coup de cravache et qu'elle bondissait de nouveau, à deux mètres
maintenant derrière les deux chevaux qui la suivaient

avant d'aborder le bull-finch, Corinne et Iglésia pouvant voir le bras armé de la cravache s'abattre inlassablement, leurs oreilles bourdonnantes, emplies par la clameur déçue, sauvage, de la foule, et encore une fois les quatre chevaux sautèrent, franchirent la dernière haie, de Reixach talonnant maintenant le troisième cheval, puis il n'y eut plus rien devant eux que l'immense et luxuriant tapis vert sur lequel ils semblaient (jockeys et chevaux) minuscules et dérisoires, comme disloqués, s'agitant frénétiquement, désunis, oscillant au ralenti d'avant en arrière d'une façon saccadée, pathétiques, risibles, les quatre chevaux exténués, creusant les reins, les quatre cavaliers aux visages de poissons noyés, la bouche ouverte cherchant l'air, aux trois quarts asphyxiés maintenant, les cris de la foule les entourant comme d'une matière solide, épaisse, à travers laquelle ils auraient en vain essayé de progresser (l'impression de sur-place qu'ils donnaient encore accentuée par l'effet des jumelles écrasant la perspective) comme à travers une invisible et hostile nappe de passion aussi dense que de l'eau — ou du vide —, puis le cri cessa, mourut, et, laissant retomber ses jumelles, Iglésia se rendit compte qu'elle n'était plus là, découvrant l'agressive robe rouge bien au-dessous de lui déjà en bas des gradins, dégringolant alors quatre à quatre les marches, courant, la rattrapant, elle tournant alors la tête sans cesser de marcher (Iglésia pensant très vite : « Mais où va-t-elle, qu'est-ce qu'elle veut ? »), le regardant, à peu près comme s'il eût été une mouche, ou même rien du tout, puis cessant de le regarder, et lui : « Il a tout de même fait second, il a tout de même trouvé moyen de remonter les deux... », et

elle ne répondant pas, ne paraissant même pas l'entendre,
et lui trottinant toujours à côté d'elle sur ses courtes
pattes, disant : « Elle a fini très fort, vous avez vu,
elle... », et elle marchant toujours : « Second ! Très bien.
Bravo. Second ! Quand il aurait dû gagner de dix lon-
gueurs. Vous trouvez que c'est... », puis s'arrêtant brusquement, se retournant vers lui d'un mouvement si soudain, si imprévisible qu'il faillit se cogner à elle, criant
maintenant (quoiqu'elle n'élevât pas la voix, mais, dit-il,
c'était bien pire que si elle avait hurlé à tue-tête) : « Est-
ce que vous l'avez jouée placée ou gagnante, dites-le moi ?
Mais est-ce que vous l'avez seulement jouée ? », puis,
avant même qu'il ait eu le temps d'ouvrir la bouche,
criant encore, sur ce registre à peine audible qui était
pire que les pires éclats de voix : « Non, je ne vous
demande pas à les voir ! Je vous ai dit que je ne vous
demanderais même pas de me les montrer, que si vous
préfériez vous pouviez garder l'argent pour vous...
Comme pourboire, comme... », et à ce moment, dit-il, il
s'aperçut avec une espèce de stupeur qu'elle pleurait,
« Peut-être tout simplement de rage, raconta-t-il plus
tard, peut-être seulement de rogne, peut-être d'autre
chose. Est-ce qu'on peut jamais savoir avec les gon-
zesses ? Mais en tout cas elle pleurait, elle ne pouvait
même pas s'en empêcher. Au milieu de tous ces gens... »,
et il raconta qu'ils se tenaient là tous les deux l'un en
face de l'autre, immobiles, parmi la foule refluant lentement, elle répétant Non je vous dis que non vous entendez non je ne veux pas je ne veux pas les voir je veux
seulement que vous me le disiez rien que pour vous
l'entendre dire je... puis disant : « Mon Dieu, Oh mon

181

Dieu, vous l'avez quand même, vous... **vous avez...** »,
regardant stupidement la poignée de tickets qu'il sortait sans hâte de sa poche, lui tendait, elle se gardant bien
de les prendre, comme si ç'avait été du feu ou quelque
chose comme ça, Iglésia se tenant un moment ainsi, le
bras tendu, puis, toujours sans hâte, sans cesser de la
regarder, ramenant son bras, ses deux mains se rejoignant, les doigts déchirant paisiblement la liasse de
tickets et non pas les jetant rageusement par terre, mais
les laissant simplement tomber entre eux, entre les vieilles bottes craquelées et aussi minces, semblait-il, à force
d'avoir été cirées, que du papier à cigarettes et les tendres pieds couleur d'abricot, aux ongles sanglants et ces
incroyables chaussures qui avaient l'air d'une gageure,
d'un pari né dans l'esprit d'un bottier fou qui aurait juré
de réussir à faire se tenir debout et marcher une femme
(c'est-à-dire, tout de même, un être humain, un planti-
grade) en équilibre sur (car on ne pouvait tout de
même pas dire dans) quelque chose d'aussi fait pour la
marche que des accessoires d'acrobate : un défi, non
seulement à l'équilibre, au bon sens, mais encore aux
simples lois économiques, une marchandise dont la
valeur serait inversement proportionnelle à la quantité
de matière employée, comme si la règle du jeu avait été
de vendre à un prix maximum un minimum de cuir, et...

Et Blum : « Parce que tu veux dire que tu l'avais
jouée gagnante ? Bon sang ! Que tu avais mis tout cet
argent gagnant ou rien sur un type qui... »

Et Iglésia, toujours de cette même voix douce, réflé-
chie, obstinée : « Pas sur lui. Sur elle. C'te bête-là... Et
puis il montait pas si mal. Seulement il était trop ner-

veux, et elle l'a senti. Les gailles c'est des drôles d'outils. Ça devine les choses. S'il avait pas été nerveux comme ça il aurait fait gagnant sans même avoir besoin de se servir de son bâton. »

Et Blum : « Et alors c'est pour ça qu'ensuite elle n'a plus voulu que du tien ? Zut alors. Tu n'as pourtant pas tout à fait une tête de jeune premier ! » Et Iglésia ne répondant pas, en train maintenant d'écraser avec soin les dernières braises du feu et les recouvrant de terre, plus que jamais l'air (dans cette burlesque défroque, cette capote démesurée couleur de terre, de bile, dont sortaient ses mains minuscules et son bilieux, terreux visage aquilin) de quelque personnage guignolesque, disant : « Ces putains de Frisés, s'ils s'aperçoivent qu'on fait notre tambouille ici, ça va encore chier... Et demain, au départ, il faudra tâcher de se mettre en tête et de faire vinaigre quand on arrivera à la baraque aux outils, parce que les premiers ils s'arrangent pour prendre toutes les pelles et quand toi tu t'amènes il reste plus que les pioches et alors t'en as pour la journée à te casser les bras tandis qu'avec une pelle t'es drôlement peinard parce que t'as juste qu'à faire semblant de te remuer sans même avoir besoin de rien prendre avec parce que tout ce qu'il faut c'est que tu bouges alors si tu es chaque fois obligé de soulever une de ces pioches au lieu de... »

Et Blum : « Et alors... » (mais cette fois Iglésia n'était plus là : tout l'été ils le passèrent, une pioche (ou, quand ils avaient de la chance, une pelle) en main, à des travaux de terrassement, puis, au début de l'automne, ils furent envoyés dans une ferme arracher les pommes de terre et les betteraves, puis Georges essaya de s'évader, fut repris (par hasard, et non par des soldats ou des gendarmes envoyés à sa recherche mais — c'était un dimanche matin — dans un bois où il avait dormi, par de paisibles chasseurs), puis il fut ramené au camp et mis en cellule, puis Blum se fit porter malade et rentra lui aussi au camp, et ils y restèrent tous les deux, travaillant pendant les mois d'hiver à décharger des wagons de charbon, maniant les larges fourches, se relevant lorsque la sentinelle s'éloignait, minables et grotesques silhouettes, avec leurs calots rabattus sur leurs oreilles, le col de leurs capotes relevé, tournant le dos au vent de pluie ou de neige et soufflant dans leurs doigts tandis qu'ils essayaient de se transporter par procuration (c'est-à-dire au moyen de leur imagination, c'est-à-dire en rassemblant et combinant tout ce qu'ils pouvaient trouver dans leur mémoire en fait de connaissances vues, entendues ou lues, de façon — là, au milieu des rails mouillés et luisants, des wagons noirs, des pins détrempés et noirs, dans la froide et blafarde journée d'un hiver saxon — à faire surgir les images chatoyantes et lumineuses au moyen de l'éphémère, l'incantatoire magie du langage, des mots inventés dans l'espoir de rendre comestible — comme ces pâtes vaguement sucrées sous lesquelles on dissimule aux enfants les médicaments amers — l'innommable réalité) dans cet univers futile, mystérieux et violent dans lequel, à défaut de leur corps, se mouvaient leur esprit : quelque chose peut-être sans plus de réalité qu'un songe, que les paroles sorties de leurs lèvres : des sons, du bruit pour conjurer le froid, les rails, le ciel livide, les sombres pins :) « Et alors il — je veux dire

de Reixach... (et Georges : « Reichac », et Blum :
« Quoi ? Ah oui... ») ... a voulu lui aussi monter cette alezane, c'est-à-dire la mater, sans doute parce qu'à force de
voir un vulgaire jockey la faire gagner il pensait que la
monter c'était la mater, parce que sans doute pensait-il
aussi qu'elle... (cette fois je parle de l'alezane-femme, la
blonde femelle qu'il n'avait pu ou qu'il n'avait su, et qui
n'avait d'yeux — et vraisemblablement autre chose aussi
que les yeux — que pour ce...) Bref : peut-être a-t-il pensé
qu'il ferait alors, si l'on peut dire, d'une pierre
deux coups, et que s'il parvenait à monter l'une il mate-
rait l'autre, ou vice-versa, c'est-à-dire que s'il matait l'une
il monterait l'autre aussi victorieusement, c'est-à-dire
qu'il l'amènerait elle aussi au poteau, c'est-à-dire que
son poteau à lui l'amènerait victorieusement là où il
n'avait sans doute jamais réussi à la conduire, lui ferait
passer le goût ou l'envie d'un autre poteau (est-ce que je
m'exprime bien ?) ou si tu préfères d'un autre bâton,
c'est-à-dire que s'il réussissait à se servir de son bâton
aussi bien que ce jockey qui... », et Georges : « Mais
arrête ! Arrête ! Est-ce que tu vas continuer comme ça
jusqu'à... », et Blum : « Très bien, excuse-moi. Je croyais
que ça t'amusait : tu es là à ressasser, à supposer, à bro-
der, à inventer des histoires, des contes de fées là où je
parie que personne excepté toi n'a jamais vu qu'une vulgaire histoire de cul entre une putain et deux imbéciles,
et encore quand je dis... », et Georges : « Une putain et
deux imbéciles, et nous ici à peu près semblables à des
macchabées, et à peu près aussi dépourvus de tout que
des macchabées, et peut-être demain tout à fait des macchabées pour peu qu'un seul de ces poux qui nous grouil-

lent dessus trimballe le typhus ou qu'il prenne l'envie à un général d'envoyer bombarder cette gare, et alors que puis-je, que pouvons-nous faire, que puis-je avoir d'autre que... », et Blum : « Très bien, très bien, très beau discours. Bravo. Donc continuons. Donc il — je parle toujours de de Reixach — a... », et Georges : « Reichac : x comme ch, ch comme k. Bon Dieu, depuis le temps tu... », et Blum : « Bon, bon : de Reichac. Très bien. Si tu tiens à être aussi assommant qu'Iglésia... », et Georges : « Je ne... », et Blum : « Mais tu ne portais pourtant pas sa livrée ? Tu n'étais pas à son service, toi ? Il ne t'a jamais payé pour rappeler à l'ordre les gens qui écorchaient son nom ? A moins que tu t'estimes aussi lésé, offensé ? Que par déférence pour vos communs géniteurs, pour le souvenir de cet autre cocu qui... », et Georges : « Cocu ? », et Blum : « ... s'est théâtralement tiré une balle de revolver dans... », et Georges : « Pas revolver : pistolet. On n'avait pas encore inventé le revolver à cette époque. Mais cocu ?... », et Blum : « Bon : pistolet. Ce qui n'enlève d'ailleurs rien au théâtral, au pittoresque de la mise en scène : car n'as-tu pas dit qu'il avait convoqué un peintre pour la circonstance ? Afin de perpétuer à l'usage de sa postérité, et en particulier alimenter la conversation de madame ta mère quand elle recev... », et Georges : « Un peintre ? Quel peintre ? Je t'ai dit que le seul portrait qui existe de lui avait été fait bien avant que... », et Blum : « Je sais. Et complété, ensanglanté plus tard par le temps, la dégradation, l'érosion des jours, comme si la balle qui a traversé sa tête et dont tu as passé ton enfance à chercher la trace sur les murs avait été ensuite frapper le visage peint et éternellement serein, je sais : et puis il

y a aussi cette gravure... », et Georges : « Mais... », et
Blum : « ... représentant la scène et que tu interprètes à
la façon de ta mère c'est-à-dire selon la version la plus flatteuse pour votre amour-propre familial, sans doute en
vertu de cette loi qui veut que l'Histoire... », et Georges
(à moins que ce ne fût toujours Blum, s'interrompant
lui-même, bouffonnant, à moins qu'il (Georges) ne fût
pas en train de dialoguer sous la froide pluie saxonne
avec un petit juif souffreteux — ou l'ombre d'un petit
juif, et qui n'allait bientôt plus être qu'un cadavre —
un de plus — de petit juif — mais avec lui-même, c'est-
à-dire son double, tout seul sous la pluie grise, parmi
les rails, les wagons de charbon, ou peut-être des années
plus tard, toujours seul (quoiqu'il fût maintenant couché à côté d'une tiède chair de femme), toujours en
tête-à-tête avec ce double, ou avec Blum, ou avec personne) : « Nous y voilà : l'Histoire. Ça fait un moment
que je pensais que ça allait venir. J'attendais le mot.
C'est bien rare qu'il ne fasse pas son apparition à un
moment ou un autre. Comme la Providence dans le
sermon d'un père dominicain. Comme l'Immaculée
Conception : scintillante et exaltante vision traditionnellement réservée aux cœurs simples et aux esprits
forts, bonne conscience du dénonciateur et du philosophe, l'inusable fable — ou farce — grâce à quoi le
bourreau se sent une vocation de sœur de charité et le
supplicié la joyeuse, gamine et boy-scoutesque allégresse
des premiers chrétiens, tortionnaires et martyrs récon-
ciliés se vautrant de concert dans une débauche larmoyante que l'on pourrait appeler le vacuum-cleaner
ou plutôt le tout-à-l'égout de l'intelligence alimentant

187

sans trêve ce formidable amoncellement d'ordures, cette décharge publique où figurent en bonne place, au même titre que les képis à feuilles de chêne et les menottes des policiers, les robes de chambre, les pipes et les pantoufles de nos penseurs mais sur le faîte duquel le gorillus sapiens espère néanmoins atteindre un jour une altitude qui interdira à son âme de le suivre, de sorte qu'il pourra enfin savourer un bonheur garanti imputrescible, grâce à la production en grande série de frigidaires, d'automobiles et de postes radio. Mais continue : après tout il n'est pas défendu de se figurer que l'air expulsé par les boyaux remplis de bonne bière allemande qui fermente à l'intérieur de cette sentinelle fait entendre dans le concert général un menuet de Mozart... », et Blum (ou Georges) : « C'est fini ? », et Georges (ou Blum) : « Je pourrais continuer », et Blum (ou Georges) : « Alors continue », et Georges (ou Blum) : « Mais je dois également apporter ma contribution, participer, ajouter au tas, l'augmenter de quelques-unes de ces briquettes de charbon... », et Blum : « Bien. Donc cette loi qui veut que l'Histoire... », et Georges : « Mange ! », et Blum : « ... que l'Histoire (ou si tu préfères : la sottise, le courage, l'orgueil, la souffrance) ne laisse derrière elle qu'un résidu abusivement confisqué, désinfecté et enfin comestible, à l'usage des manuels scolaires agréés et des familles à pedigree... Mais en réalité que sais-tu ? Quoi d'autre que le caquetage d'une femme peut-être plus soucieuse de protéger la réputation d'une de ses semblables que de fourbir — c'est un travail en général réservé aux domestiques comme Iglésia — un blason et un nom quelque peu ternis et que... », et Georges : « Oh ! Est-ce que

tu crois que ce tas de charbon va se mettre à marcher
tout seul si on ne fait pas au moins semblant de faire
semblant de l'aider pour que ce paquet de tripes mozar-
tiennes qui là-bas commence à nous regarder de travers
ne se mette pas... », et Blum : « ... de sorte que ce pathétique et noble suicide pourrait bien ne... Oui : voilà,
voilà ! » (la malingre et bouffonnante silhouette se mettant en mouvement, se démenant, s'arc-boutant, agitée de
brèves secousses, jusqu'à ce qu'elle ait réussi à charger
la fourche de quatre ou cinq briquettes détrempées, puis
la fourche décrivant un rapide arc de cercle, les briquettes un moment en l'air, sans pesanteur, tournoyant
lentement sur elles-mêmes puis retombant avec un bruit
sourd sur le plateau du camion, puis la fourche de nouveau verticale, les dents en bas, les deux mains de Blum
réunies en haut du manche et son menton appuyé dessus
de sorte que quand il parle de nouveau ce n'est pas sa
mâchoire inférieure — fixe — mais toute sa tête qui
s'élève et s'abaisse légèrement dans un mouvement de
sentencieuse approbation à chaque parole :) « ... Parce
que tu prétends que cette femme à moitié nue entrevue
dans l'entrebâillement de la porte, le sein et le visage
éclairés d'en dessous par une bougie, si bien qu'elle ressemble à une de ces Marianne de plâtre des salles d'école
ou de mairie où la poussière que nul plumeau ne vient
jamais déranger s'accumule en couches grises sur toutes
les saillies, inversant ainsi le relief ou plutôt la lumière et
même l'expression puisque, les globes des yeux se trouvant ainsi ombrés, noircis dans leur partie supérieure,
elles semblent éternellement diriger leur regard aveugle
vers le ciel, — tu prétends donc que cette femme serait

une servante accourue derrière celui que tu baptises
le valet ou le domestique réveillé par le coup de feu, et
qui n'est peut-être que son amant, — non de la servante
car ce n'en est pas une mais bien la femme, l'épouse,
c'est-à-dire votre commune arrière-arrière-arrière-grand-
mère, l'homme — l'amant — appartenant d'ailleurs peut-
être en effet à l'espèce domestique comme tu le prétends,
pour peu qu'elle ait aussi partagé en matière sexuelle ces
goûts plébéiens ou plutôt chevalins, je veux dire les
mêmes dispositions pour l'équitation, je veux dire la
même tendance à choisir ses amants du côté des écuries... », et Georges : « Mais... », et Blum : « Ne m'as-tu
d'ailleurs pas raconté qu'il existait, en pendant à l'autre
portrait ensanglanté, une peinture exécutée à la même
époque et la représentant dans une tenue non de chas-
seresse en accord avec celle de son mari mais empreinte
(la robe, la pose, l'allure, la façon de dévisager hardiment
le peintre qui reproduit ses traits et, plus tard, celui qui
les interroge) d'une sorte d'insolence, de défi, de violence
réfrénée (d'autant qu'elle tient à la main quelque chose
de bien plus redoutable qu'une arme, qu'un simple fusil
de chasse : un masque, une de ces figures de carnaval
vénitien à la fois grotesques et terrifiantes, pourvues d'un
loup noir et d'un nez démesuré qui donnait aux gens
l'aspect de monstrueux oiseaux encore accentué par ces
capes dont les pans battaient autour d'eux ou, au repos,
les enveloppaient comme des ailes repliées), et dépassant
dans l'ouverture du corsage quelque chose d'impalpable,
une mousse, les replis d'une dentelle délicate et compliquée s'échappant comme si c'était le parfum même de
sa chair, de sa gorge cachée plus bas dans la soyeuse

obscurité, s'exhalant, la secrète haleine de fleur de sa chair se... », et tout à coup la voix changée, discordante, deux tons plus haut, éclatant, disant : « Donc cette Déjanire... », et Georges : « Virginie », et Blum : « Quoi ? », et Georges : « S'appelait Virginie ». Et Blum : « Beau nom pour une putain. Donc cette virginale Virginie haletante et nue, ou plus que nue, c'est-à-dire vêtue — ou plutôt dévêtue — d'une de ces chemises qui n'ont sans doute été inventées que pour permettre aux mains emprisonnées de glisser par-dessous sur la liquide tiédeur du ventre, se retrousser, remonter jusqu'aux seins, s'accumulant en replis, une soyeuse écume, au-dessus des hanches de façon à dénuder, présenter — comme ces étalages de boutiques de luxe où les objets précieux, délicats et fantastiquement chers sont exposés dans un bouillonnement de satin — cette bouche cachée, secrète — : femme non pas simplement étendue mais renversée, culbutée, dans le sens précis, mécanique du terme, c'est-à-dire comme si son corps avait effectué une demi-rotation à partir de cette attitude ancestrale dans laquelle elle s'accroupit pour satisfaire ses besoins — parce qu'elle ne dispose que d'une position pour les satisfaire tous, celle-ci : les jambes repliées, les cuisses pressées contre les flancs, les genoux venant toucher les ombreuses aisselles — mais maintenant comme si le sol avait basculé, l'envoyant à la renverse, telle quelle, sur le dos, présentant maintenant non à la terre mais vers le ciel comme dans l'attente d'une de ces fécondations légendaires, de quelque tintante pluie d'or, ses fesses jumelles, cette nacre, ce buisson, cette éternelle blessure ruisselant déjà avant d'être forcée et si impudiquement offerte qu'elle semble atten-

dre un acte d'une précision et d'une nudité sinon chirur-
gicale comme le suggère l'idée de quelque chose qui
perce, pénètre, s'enfonce en crissant dans l'étroite chair,
du moins presque médical en ce sens qu'il (l'acte en
soi, physique, dénudé, débarrassé de son aspect passionnel) relève évidemment du domaine physiologique :
d'où l'abondance, la variété de cette imagerie équivoque où le clystère sert de prétexte à d'innombrables variations sur le thème de l'introduction d'un objet
non seulement dur mais capable de répandre, projeter
avec violence hors de lui et comme un prolongement
liquide de lui-même cette impétueuse laitance, ce jaillis-
sement, ce... »

Et Georges : « Mais non !... »

Et Blum : « Et toi, occupé à chercher rêveusement
sur les murs la trace d'une balle sinon glorieuse tout au
moins honorable, romantique, n'y as-tu jamais vu cela :
projetée par la bougie posée près du lit l'ombre bossue,
compliquée et bondissante d'un dos musculeux sur les
reins duquel se nouent — comme celles d'un naufragé
cramponné à un mât — les jambes laiteuses, les pieds
aux talons couleur d'abricot, s'enflant (l'ombre) comme
une montagne, monstrueuse, s'élevant jusqu'au plafond
et agitée de tempétueux soubresauts par cette houle
furieuse qui secoue au-dessous d'elle l'espèce de bête qui
possède deux têtes, quatre bras, quatre jambes et deux
troncs soudés par le ventre au moyen de cet organe com-
mun (ou si l'on préfère également étranger, car le membre
de l'homme ne semble-t-il pas s'enfoncer à l'intérieur du
corps de celui-ci comme il s'enfonce dans celui de la
femme, s'y prolonger jusqu'au plus profond des entrailles

par un membre égal et symétrique ?), ce muscle, cette alène, ce pilon rouge sombre, luisant et furieux, apparaissant et disparaissant entre deux broussailleuses et fauves toisons, et lui (de Reixach, ou plutôt Reixach tout court) survenant... »

Et Georges : « Mais non ! »

Et Blum : « ... rentrant à l'improviste (car, veux-tu me le dire, pourquoi serait-il revenu là sinon pour elle ? Parce qu'il me semble que pour se dépêcher soi-même dans l'autre monde cela peut aussi bien se faire n'importe où, comme on dépose une ordure derrière le premier buisson venu, parce que je ne pense pas qu'il soit très nécessaire dans ces moments-là de disposer d'un confort spécial...), donc lui laissant là ses troupes défaites, la piétaille, les fuyards gueulant sans doute eux aussi à pleins poumons à la trahison, en proie à cette panique, cette espèce de diarrhée morale (as-tu remarqué qu'on appelle cela aussi la courante ?) impossible à contenir, irraisonnée — mais est-ce que tout ce qu'on demande à un soldat, est-ce que tout le dressage qu'il subit n'a pas précisément pour but de lui faire accomplir comme dans un état second des actes d'une façon ou d'une autre contraires à la raison, de sorte qu'en fuyant il ne fait sans doute que s'abandonner à la même force ou si tu préfères au même désespoir qui dans d'autres circonstances l'a poussé ou le poussera à un acte que sa raison ne peut que désavouer, comme par exemple de se précipiter en hurlant au-devant d'une mitrailleuse en train de tirer sur lui : d'où sans doute la facilité avec laquelle une troupe peut se muer en quelques instants en un troupeau détalant et affolé... Et lui deux fois traître, — d'abord à cette

caste dont il était issu et qu'il avait reniée, désavouée, se
détruisant, se suicidant en quelque sorte une première
fois, pour les beaux yeux (si l'on peut dire) d'une morale
larmoyante et suisse dont il n'aurait jamais pu avoir connaissance si sa fortune, son rang, ne lui en avait donné
les moyens, c'est-à-dire le loisir et le pouvoir de lire, —
traître ensuite à la cause qu'il avait embrassée, mais cette
fois par incapacité, c'est-à-dire coupable (lui, le noble de
naissance et dont la guerre — c'est-à-dire, en une certaine façon, l'oubli de soi, c'est-à-dire une certaine désin-
volture, ou futilité, c'est-à-dire, en une certaine façon, le
vide intérieur — était la spécialité) d'avoir voulu mélan-
ger — ou concilier — courage et pensée, méconnu cet
irréductible antagonisme qui oppose toute réflexion à
toute action, de sorte qu'à présent il ne lui restait plus
qu'à regarder ou plutôt éviter de regarder (en ravalant
j'imagine quelque chose comme une fameuse nausée) se
débander de tous côtés cette racaille (quoi d'autre, quel
autre mot, puisqu'ils en savaient maintenant trop — ou
pas assez — pour continuer à vivre comme des savetiers
ou des boulangers, et d'un autre côté pas assez — ou
trop — pour être capables de se comporter en soldats)
que dans son imagination ou ses rêves il voyait sans
doute déjà promue à cet état supérieur auquel, croyait-il,
on pouvait accéder par la lecture indigeste de vingt-cinq
tomes... », et Georges : « Vingt-trois », et Blum : « Vingt-
trois bouquins imprimés par un libraire de la Haye à
titre d'article d'exportation et reliés plein veau aux armes
... Tu as dit, je crois, trois canards sans têtes ?... », et
Georges : « Colombes, pas cana... », et Blum : « Les trois
pigeons donc, symboliquement décapités... », et Georges :

« Mais non ! », et Blum : « ... qui constituaient le blason en quelque sorte prophétique de sa famille : parce qu'il avait simplement oublié de se servir de sa cervelle, si tant est qu'il en ait jamais possédé une à l'intérieur de son aimable tête de pur-sang... », et Georges : « Ouais. Malheureusement ce tas de charbon, cet historique tas de charbon... », et Blum saisi tout à coup d'une frénétique agitation, sautillant dans les flaques noirâtres, se démenant, disant : « Bien, bien : travaillons nous aussi à l'Histoire, écrivons nous aussi notre quotidienne petite page d'Histoire ! Après tout je suppose qu'il n'y a rien de plus déshonorant ou stupide à pelleter une montagne de charbon qu'à mourir gratis pour le roi de Prusse, alors donnons-en pour son argent à ce Mozart brandebourgeois... », la fourche allant et venant plusieurs fois à toute vitesse, faisant bien voler au total trois briquettes et la moitié d'une, dont deux tombèrent à côté du camion, puis s'arrêtant, essoufflé, disant : « Mais je n'avais pas fini ! Je ne t'avais pas tout raconté. Où en étais-je, ah oui, voilà : il revint donc à l'improviste, il laissa là ses savetiers en déroute, ses illusions, ses rêves idylliques, pour courir se réfugier auprès de ce qui lui restait encore — du moins le croyait-il — c'est-à-dire ce qu'il pouvait encore considérer comme une certitude : non pas peut-être le cœur (car sans doute avait-il tout de même fini par perdre un peu de sa naïveté) mais en tout cas la chair, le corps tiède et palpable de cette Agnès... (car ne m'as-tu pas dit qu'elle avait vingt ans de moins que lui de sorte que... », et Georges : « Mais non. Tu mélanges tout. Tu confonds avec... » et Blum : « ... son arrière-petit-fils. C'est vrai. Mais je pense qu'on peut néanmoins l'imaginer : on mariait alors les filles de treize ans avec des vieillards, et même si sur ces deux portraits ils ont l'air sensiblement du même âge c'est sans doute que le savoir-faire de l'artiste (c'est-à-dire son savoir-vivre, c'est-à-dire son savoir-flatter) a quelque peu rajeuni l'épouse. Non, je ne me trompe pas, je dis bien : elle, c'est-à-dire atténuer, tempérer ce qui transparaissait de son expérience réelle, soit, dans le mensonge et la duplicité, environ mille ans de plus que lui.)... Donc cet Arnolphe philanthrope, jacobin et guerroyeur renonçant définitivement à perfectionner l'espèce humaine (ce qui explique sans doute que, fort de ce souvenir et plus sage, son lointain descendant se soit, lui, exclusivement consacré à l'amélioration de la race chevaline), couvrant ainsi à bride abattue les deux cents kilomètres qui le séparaient d'elle... », et Georges : « Trois cents », et Blum : « Trois cents kilomètres, ce qui, en mesure de l'époque fait à peu près quatre-vingts lieues, ce qui en crevant un cheval représente au bas mot quatre jours (disons plutôt cinq), arrivant enfin, tard dans la cinquième nuit, fourbu et couvert de boue... », et Georges : « Pas de boue : de poussière. C'est un pays où il ne pleut presque jamais », et Blum : « Bon sang ! Mais qu'est-ce qu'il y a alors ? », et Georges : « Du vent. Enfin, si l'on peut dire. Parce que ça ressemble à peu près autant à du vent qu'un coup de canon à une décharge de pistolet à bouchon. Mais qu'est-ce que tu... », et Blum : « Tout poudreux, donc, comme s'il avait apporté sur lui une impalpable et tenace poussière de décombres, les restes pulvérisés de ses espoirs déçus : blanchi avant l'âge par les cendres du bûcher où sans doute, pendant quatre jours et cinq nuits, sur les chemins de la défaite, il avait médité, passé en revue et brûlé tout ce qu'il avait adoré, n'adorant plus maintenant que celle qu'il brûlait de retrouver, et ceci : dans le silence nocturne, des bruits, un piétinement de sabots, car sans doute n'était-il pas seul, avait-il lui aussi auprès de lui, s'était-il fait suivre d'un fidèle valet, comme l'autre a amené avec lui à la guerre pour panser son cheval et fourbir ses bottes le fidèle jockey ou plutôt étalon dont l'infidèle Agnès avait fourbi, ou plutôt qui avait, comme on dit, fait reluire la jeune... », et Georges : « Oh bon Dieu !... », et Blum : « Mais on peut imaginer ça : le piétinement confus des fers sur le pavé de la cour, les bêtes fourbues, renâclant, la nuit — ou peut-être l'annonce de l'aube — bleuâtre, la lanterne que tient le portier accouru sculptant les muscles en ronde-bosse sur le poitrail rouge et fumant des chevaux, et un envol de manteaux tandis qu'ils mettent pied à terre, et lui jetant les rênes au jockey, donnant un ordre bref, ou même pas, pas d'ordres, même pas un bruit de voix, rien que son pas, le tintement des éperons, tandis qu'il gagne rapidement le perron, l'escalade : tout cela elle l'entendit, réveillée en sursaut, encore dans cette molle langueur du sommeil et du plaisir mais réfléchissant déjà — peut-être pas son esprit puisqu'elle dormait encore à demi, titubait, mais quelque chose en elle que ni le sommeil, ni la volupté ne pouvait émousser, et qui n'avait pas besoin d'attendre qu'elle fût complètement réveillée pour se mettre à fonctionner à toute vitesse et infailliblement : l'instinct, la ruse qui n'a pas besoin d'avoir été apprise, de sorte que la tête, le cerveau lui-même encore absent, endormi, le corps agile

sursaute (repoussant le drap, les jambes un instant entre-
vues pédalant pour se libérer laissant entrevoir dans un
éclair entre les cuisses rapides cette ombre, cette flamme
— mais n'as-tu pas parlé d'une lourde chevelure blonde ?
donc : — ce miel, cette toison d'or déjà disparue tandis
qu'elle s'assied, pivote, la chemise retroussée découvrant
maintenant la coulée des jambes jointes et parallèles,
l'éblouissante traînée nacrée, les pieds teintés de rose
tâtonnant à la recherche des mules) sans cesser de penser (le corps), de calculer, d'organiser, de combiner avec
une foudroyante rapidité en même temps qu'il suit le
bruit des bottes en train de monter quatre à quatre
l'escalier, traversant le palier, puis une pièce, se rapprochant (les jambes disparues maintenant, la chemise
retombée), et elle — la virginale Agnès — debout, poussant par les épaules l'amant — le cocher, le palefrenier,
le rustre ahuri — vers l'inévitable et providentiel placard ou cabinet des vaudevilles et des tragédies qui se
trouve chaque fois là à point nommé comme ces énigmatiques boîtes des farces et attrapes dont l'ouverture pourra
provoquer tout à l'heure aussi bien une explosion de
rire qu'un frisson d'horreur parce que le vaudeville n'est
jamais que de la tragédie avortée et la tragédie une farce
sans humour, les mains (toujours le corps, les muscles,
pas le cerveau qui à ce moment se dégage à peine de la
poisseuse brume du sommeil, les mains donc seules,
voyant) ramassant au passage les pièces d'habit masculin éparpillées çà et là qu'elles jettent pêle-mêle aussi
dans le placard, le bruit des bottes ayant cessé, se tenant
(les bottes, ou plutôt l'absence, l'arrêt soudain et alar-
mant du bruit) immédiatement derrière la porte, la poi-

gnée secouée en tous sens, puis le poing frappant, et elle
criant : « Voilà ! », refermant le placard, s'éloignant, se
dirigeant vers la porte, apercevant encore alors un gilet,
ou un soulier d'homme, le ramassant, criant de nouveau
à l'adresse de la porte : « Voilà ! » tandis qu'elle revient
en courant au placard, le rouvre, lance sauvagement à
l'intérieur, sans regarder, ce qu'elle vient de ramasser,
le panneau de la porte résonnant maintenant sous les
terribles coups d'épaule (la porte que tu as entendue
voler en éclats sous les furieux assauts d'un homme —
mais ce n'était pas le valet !), puis elle, là, puérile, innocente, désarmante, se frottant les yeux, souriant, lui tendant les bras, lui expliquant qu'elle s'enferme à clef par
crainte des voleurs tandis qu'elle se presse contre lui,
l'enlace, l'enveloppe, la chemise glissant par hasard sur
son épaule, dénudant ses seins dont elle presse, froisse les
tendres bouts meurtris sur la tunique poussiéreuse
qu'elle commence déjà à dégrafer de ses mains fébriles,
lui parlant maintenant bouche à bouche pour qu'il ne
puisse voir ses lèvres gonflées sous les baisers d'un autre,
et lui se tenant là, dans ce désordre de l'esprit, ce désarroi, ce désespoir : défait, désorienté, désarçonné, dépos-
sédé de tout et peut-être déjà détaché, et peut-être déjà à
demi détruit... Est-ce que ce n'est pas comme ça ? », et
Georges : « Non ! », et Blum : « Non ? Mais qu'en sais-
tu ? », et Georges : « Non ! », et Blum : « Lui qui avait
voulu jouer au naturel la fable des deux pigeons, seulement c'était lui le pigeon, c'est-à-dire que de retour au
pigeonnier avec son aile cassée, ses rêves boiteux, il
s'aperçut qu'il s'était fait pigeonner, et pas seulement
parce qu'il avait eu la malencontreuse idée d'aller, lui, le

gentilhomme-farmer, forniquer dans le quartier réservé, les bourbiéreux bousbirs de la pensée, mais encore celle de laisser seule derrière lui sa petite poulette ou plutôt sa petite pigeonne adorée qui en avait profité pour forniquer, elle, de la façon la plus naturelle, c'est-à-dire comme cela se fait depuis le commencement du monde, avec simplement pour partenaire non de chlorotiques rêveries mais un garçon pourvu de reins solides, et quand il s'en rendit compte il était trop tard ; il se vit sans doute là, tout nu — probablement était-elle parvenue à le déshabiller en profitant de cette espèce d'hébétude, de paralysie — avec cette pigeonne de vingt ans en train de roucouler et de se frotter contre lui, et lui (peut-être prit-il alors conscience du voluptueux désordre du lit bouleversé, ou entendit-il un bruit, ou l'instinct) la repoussant, et marchant d'un pas décidé — quoiqu'elle s'accrochât maintenant à lui, le suppliant, niant, s'efforçant de le retenir, mais sans doute en aurait-il fallu plus que cela, aurait-il pu en traîner plusieurs comme elle, lui qui traînait déjà depuis quatre jours avec lui le cadavre pesant, décomposé et puant de ses désillusions — jusqu'au placard, ouvrant la porte, et prenant alors en pleine poire ce coup de pistolet tiré à bout portant, de sorte que le sort miséricordieux lui épargna au moins cela, c'est-à-dire de savoir ce qu'il y avait dans le placard, connaître cette seconde et suprême disgrâce, la boîte des farces et attrapes fonctionnant à point nommé, le pétard faisant son office, c'est-à-dire mettant fin à ce pénible et insupportable « suspense », amenant l'heureuse détente, le salubre soulagement par, si l'on peut dire, décervelage... »

Et Georges : « Non ! »

Et Blum : « Non ? Non ? Non ? Mais comment le sais-tu à la fin ? Comment sais-tu qu'ils ne le disposèrent pas là, lui fourrant dans la main le pistolet encore fumant, pendant les quelques minutes dont ils disposaient avant que les autres domestiques n'accourent, ne prenant même pas (l'urgence, la précipitation, chaque seconde qui compte, et elle maintenant complètement réveillée, agissant avec toute sa tête et aidée par cet infaillible instinct qui permet à une femme de voir, d'un seul coup d'œil, si tout est bien en place pour l'arrivée des invités, ayant assez d'esprit pour poster ce palefrenier dans le couloir en lui commandant de cogner contre ce panneau de porte déjà enfoncé quand il entendrait arriver les autres), ne prenant donc même pas la peine (n'ayant d'ailleurs pas le temps) d'essayer de le revêtir de nouveau de ce poussiéreux costume dont elle l'avait dépouillé un peu plus tôt dans l'espoir de... »

Et Georges : « Non. »

Et Blum : « Mais n'as-tu pas dit toi-même qu'ils l'avaient trouvé complètement nu ? Comment l'expliquer, alors ? A moins que ce ne fût l'effet de ses convictions naturistes ? De ses émouvantes lectures genevoises ? Est-ce qu'il — je veux dire ce Suisse mélomane, effusionniste et philosophe dont il avait appris par cœur l'œuvre complète — est-ce qu'il n'était pas aussi un petit peu exhibitionniste ? Est-ce que ce n'était pas lui qui avait la douce manie de montrer son derrière aux jeunes f... » et Georges : « Oh arrête ! Bon Dieu arrête, arrête ! Ce que tu peux être fatigant ! Arrête donc un peu qu'on... », puis sa voix cessant (ou peut-être lui cessant de l'entendre) tandis qu'il regardait maintenant sans le reconnaître, c'est-à-dire sans l'identifier comme étant celui de Blum mais seulement de la misère, de la souffrance, de l'absolu dénuement, le masque aux traits émaciés, tiré, affamé qui était comme un démenti tragique à l'enjouement, la bouffonnerie de la voix, tandis qu'il lui semblait une fois de plus vivre cela : cette lente agonie solitaire, ces heures de la nuit, le silence (peut-être seulement, dans le vieil hôtel endormi, l'écho sourd d'un cheval piaffant dans l'écurie, et peut-être aussi le vent noir, soyeux, inquiet, errant, s'engouffrant en sporadiques rafales dans la cour), et Reixach, debout, là, dans ce décor de gravure galante, se dépouillant, arrachant de lui, rejetant, répudiant ces vêtements, cet ambitieux et tapageur costume qui sans doute était maintenant devenu pour lui le symbole de quelque chose en quoi il avait cru et à quoi maintenant il ne voyait même plus de sens (la redingote bleue au col montant, aux revers brodés d'or, le bicorne, les plumes d'autruche : pitoyable et grotesque défroque gisant à présent, mausolée fripé de ce que (non pas le pouvoir, les honneurs, la gloire, mais les idylliques ombrages, l'idyllique et larmoyant règne de la Raison et de la Vertu) ses lectures lui avaient fait entrevoir) ; et quelque chose à l'intérieur de lui-même achevant de se désagréger, secoué par une sorte de terrifiante diarrhée qui le vidait sauvagement de son contenu comme de son sang même, et non pas morale, comme disait Blum, mais, pour ainsi dire mentale, c'est-à-dire non plus une interrogation, un doute, mais plus aucune matière à interrogation, à doute, disant tout haut (Georges) : « Mais le général aussi s'est tué : non pas seulement lui, cherchant et trouvant sur cette route un suicide décent et maquillé, mais

l'autre aussi dans sa villa, son jardin aux allées de gravier ratissé... Te rappelles-tu cette revue, cette prise
d'armes, ce champ détrempé, ce matin d'hiver dans
les Ardennes, et lui — c'est la seule fois où nous l'ayons
vu — avec sa petite tête de jockey, cette espèce de petite
pomme ridée, bridée et recuite, ses petites jambes de
jockey dans les étincelantes et minuscules bottes qui
pataugeaient avec indifférence dans la boue tandis qu'il
passait devant nous sans nous regarder : petit vieillard
ou plutôt petit fœtus qu'on aurait tout juste sorti de son
bocal d'alcool pour venir là, merveilleusement conservé,
inaltérable, sautillant, expéditif et sec, longer à toute
vitesse les escadrons alignés en traînant derrière lui ce
groupe d'officiers galonnés, gantés, la coquille de leur
sabre au creux du coude, et qui s'essoufflaient à le suivre dans la prairie spongieuse tandis qu'il fonçait sans se
retourner, s'entretenant sans doute avec l'officier vétérinaire — le seul à qui il eût adressé la parole — de l'état
des chevaux et de ce tracassant crapaud de la sole que
leur donnait la terre — ou le climat — de ce pays) ; et
alors quand il a appris, c'est-à-dire s'est rendu compte, a
fini par comprendre que sa brigade n'existait plus, avait
été non pas anéantie, détruite selon les lois — ou du
moins ce qu'il pensait être les lois — de la guerre : normalement, correctement, comme, par exemple en montant à l'assaut d'une position imprenable, ou encore par
un pilonnage d'artillerie, ou même encore — cela il
l'eût peut-être, à la rigueur, admis — submergée par une
attaque ennemie : mais pour ainsi dire absorbée, diluée,
dissoute, bue, effacée de la carte d'état-major sans qu'il
sût où, ni comment, ni à quel moment : seulement les

estafettes revenant l'une après l'autre sans avoir rien vu
à l'endroit — le village, le petit bois, la colline, le pont —
où était censé se trouver un escadron ou un groupe de
combat, et cela encore résultant selon toute apparence
non d'une panique, d'une fuite, d'une débandade — mésa-
venture qu'il eût aussi peut-être encore admise, tout au
moins reconnue comme étant du domaine des choses
désastreuses mais somme toute normales, faisant partie
du déjà vu, des inévitables aléas de toute bataille et auxquels on peut remédier par des moyens également connus
comme par exemple un barrage de gendarmes aux car-
refours et quelques exécutions sommaires —, non pas
une débandade donc, puisque l'ordre que portait, que
devait remettre l'estafette était invariablement un ordre
de repli et que la position sur laquelle était censée se
trouver l'unité à laquelle il était destiné était elle-même
une position de repli mais que, apparemment, personne
n'avait jamais atteinte, les estafettes continuant alors plus
avant, c'est-à-dire vers la précédente position de repli,
sans jamais voir, à droite et à gauche du chemin autre
chose que cet inextricable, monotone et énigmatique sillage des désastres, c'est-à-dire même plus des camions,
ou des charrettes brûlées, ou des hommes, ou des enfants,
ou des soldats, ou des femmes, ou des chevaux morts,
mais simplement des détritus, quelque chose comme une
vaste décharge publique répandue sur des kilomètres, et
exhalant non pas la traditionnelle et héroïque odeur de
charnier, de cadavre en décomposition, mais seulement
d'ordures, simplement puant, comme peut puer un tas
de vieilles boîtes de conserves, d'épluchures de légumes
et de chiffons brûlés, et pas plus émouvant ou tragique

qu'un tas d'ordures, et tout juste utilisable peut-être pour
des ferrailleurs ou des chiffonniers, et rien de plus, jusqu'à ce que, allant toujours de l'avant, elles (les estafettes) essuient à un tournant du chemin une rafale, ce
qui faisait alors un mort de plus au revers du fossé, la
moto renversée continuant à pétarader dans le vide, ou
prenant feu, ce qui faisait alors un de plus de ces cadavres carbonisés et noirs continuant à chevaucher une de
ces carcasses de fer tordues et rouillées (as-tu remarqué
comme tout cela va vite, cette espèce d'accélération du
temps, d'extraordinaire rapidité avec laquelle la guerre
produit des phénomènes — rouille, souillures, ruines,
corrosion des corps — qui demandent en temps ordi-
naire des mois ou des années pour s'accomplir ?) semblables à quelques macabres caricatures de coureurs
motocyclistes continuant à foncer, toujours penchés sur
leurs guidons, à une formidable vitesse, se décomposant
ainsi (répandant sous eux dans l'herbe verte comme une
bitumineuse et excrémentielle tache brunâtre faite — huile,
cambouis, chair brûlée ? — d'un liquide gluant et sombre)
à une formidable vitesse —, les estafettes, donc, revenant l'une après l'autre sans avoir rien trouvé, et même,
ensuite, ne revenant plus du tout, sa brigade comme vola-
tilisée, escamotée, gommée, épongée sans laisser de traces sinon quelques types hébétés, errants, cachés dans
les bois, ou ivres, et à la fin il me restait juste un minimum de conscience, me tenant devant ce petit cône de
genièvre qu'à présent je n'avais même plus la force de
vider tandis qu'écrasé sur la banquette par mon propre
poids j'essayais avec cette conscience obstinée des ivrognes de me lever et de m'en aller, me rendant compte

205

qu'ils (Iglésia et ce vieux type que nous avions d'abord cambriolé, puis manqué tuer et qui s'était ensuite fait fort de nous faire passer les lignes la nuit venue) étaient tout aussi saouls que moi, recommençant donc sans me décourager à incliner le buste en avant de façon que son poids m'entraîne, m'aide à me lever de cette banquette où j'étais comme cloué, en même temps que mes mains s'efforçaient de repousser la table, me rendant compte au même moment que ces divers mouvements restaient à l'état de velléités et que j'étais toujours absolument immobile, une sorte de double fantomatique et transparent de moi-même et sans la moindre efficacité répétant sans cesse les mêmes gestes inclinaison du buste effort simultané des cuisses et poussée des bras jusqu'au moment où il s'apercevait que rien n'avait suivi revenant alors en arrière se confondant de nouveau avec mon corps toujours assis qu'il essayait d'entraîner une nouvelle fois mais sans plus de résultat c'est pourquoi j'essayai de mettre de l'ordre dans ma tête pensant que si j'arrivais à fixer classer mes perceptions j'arriverais aussi à ordonner et diriger mes mouvements et alors successivement :

d'abord cette porte qu'il me fallait en premier lieu réussir à gagner et franchir ensuite, la voyant reflétée dans la glace surmontant le comptoir une de ces glaces rectangulaires comme celles que l'on peut voir ou plutôt dans lesquelles on peut se voir chez le coiffeur les angles supérieurs arrondis le cadre commençant au bord de la glace par un léger décrochement et un étroit à-plat puis une rangée de perles puis se renflant non pas ripoliné en blanc comme dans les salons de coiffure mais couvert d'un badigeon marron, de légers et filiformes reliefs comme des vermicelles décorant la moulure comme des astragales des astérisques à partir d'un motif central genre palmette au milieu de chaque côté, et comme la glace était inclinée les verticales qui s'y reflétaient inclinées elles aussi, à commencer par au premier plan et en bas la rangée de cols et de goulots des bouteilles alignées sur l'étagère située immédiatement au-dessous puis le plancher de bois brut non ciré qui semblait se relever suivant un angle d'environ vingt degrés, gris dans l'ombre, jaune dans le rectangle de soleil étiré en biais qui s'étendait à partir du seuil de la porte ouverte sur la rue, les deux montants verticaux du chambranle inclinés eux aussi comme si le mur tombait en avant le seuil de la porte formé d'une dalle de pierre puis le trottoir puis les longues pierres rectangulaires bordant le trottoir puis les premières rangées des pavés de la rue à laquelle je tournais le dos

et sans doute à cause de l'ivresse, impossible d'avoir visuellement conscience d'autre chose que cela cette glace et ce qui s'y reflétait à quoi mon regard se cramponnait pour ainsi dire comme un ivrogne se cramponne à un réverbère comme au seul point fixe dans un univers vague invisible et incolore d'où me parvenaient seulement des voix sans doute celle de la femme (de la tenancière) et des deux ou trois types indéterminés qui étaient là, et à un moment l'un d'eux disant Le front est crevé, mais moi entendant Le chien est crevé, pouvant en même temps le voir crevé descendant au fil de l'eau le ventre blanc rose gonflé les poils collés comme un rat puant déjà puis le rectangle de soleil sur le plancher disparaissant puis reparaissant puis disparaissant de nouveau mais pas complètement : cette fois je pouvais voir grâce à la glace dans l'encadrement de la porte le bas de la jupe de la femme ses deux mollets et ses deux pieds chaussés de pantoufles le tout incliné comme si elle tombait tout d'une pièce en arrière

sa voix arrivant alors du dehors revenant à l'intérieur du café par dessus son épaule parlant sans doute la tête à moitié tournée c'est-à-dire que si la glace avait été assez haute je l'aurais vue de profil ; de cette façon elle pouvait à la fois suivre des yeux ce qu'elle venait de voir et se faire quand même entendre de l'intérieur du café disant Tiens des soldats

et moi réussissant cette fois à me lever accrochant la table dans mon mouvement entendant un des verres coniques se renverser rouler sur la table décrivant sans doute un cercle autour de son pied jusqu'à ce qu'il rencontre le bord de la table bascule et tombe l'entendant se briser en même temps qu'arrivé derrière la femme et regardant par dessus son épaule je vis disparaître la voiture grise curieusement carrossée comme une espèce de cercueil toute en pans coupés et quatre dos et quatre casques ronds et moi Bon Dieu mais ce sont... Bon Dieu mais vous

et elle Oh vous savez moi les uniformes je n'y connais rien

et moi Bon Dieu

et elle J'en ai déjà rencontré un ce matin en allant chercher le lait, il parlait français ça devait être sûrement un officier parce qu'il regardait une carte assis dans un

side, il m'a demandé si c'était le chemin je lui ai dit Oui
vous y êtes C'est seulement ensuite que j'ai trouvé qu'il
avait un drôle d'air

retraversant alors le café secouant Iglésia qui dormait les coudes écartés sur la table la joue sur son bras
disant Réveille-toi bon Dieu réveille-toi il faut filer d'ici
bon Dieu filons

la femme toujours sur le pas de la porte disant un
moment après Tiens en voilà d'autres

cette fois je fus tout de suite derrière elle regardant
du côté où elle regardait c'est-à-dire dans la direction
opposée à celle où avait disparu l'auto de sorte que les
deux cyclistes qui s'avançaient avaient l'air de poursui-
vre l'auto mais ceux-là étaient en kaki

un instant me traversa l'idée la vision des soldats
des deux armées se poursuivant en tournant en rond
autour du pâté de maisons comme à l'Opéra ou dans les
films comiques les gens lancés dans ces poursuites paro-
diques et burlesques l'amant le mari brandissant un
revolver la bonne de l'hôtel la femme adultère le valet
de chambre le petit pâtissier les agents puis de nouveau
l'amant en caleçon et fixe-chaussettes courant le buste
droit les coudes au corps levant haut les genoux le mari
au revolver la femme en culottes bouffantes bas noirs
et cache-corset et ainsi de suite dans le soleil tout tournait je ne vis pas la marche que faisait le trottoir et fail-
lis m'étaler la tête la première je fis quelques enjambées
le buste presque horizontal à la limite du déséquilibre au-
dessus de mon ombre puis j'attrapai son guidon

le visage du type sous le casque, gras rouge pas rasé
et ruisselant de sueur furieux ses yeux furieux et affolés

sa bouche furieuse criant Qu'est-ce que c'est qu'est-ce que
Fous le camp laisse-moi, puis je vis la camionnette une
voiture de livraison vaguement camouflée à la hâte bar-
bouillée de peinture jaune marron et vert déséquilibrée
penchant sur le côté dans le virage puis se redressant je
fis de grands signes avec les bras planté au milieu de la
rue

je vis à ses écussons qu'il était du génie il devait être
du cadre de réserve employé de voirie ou des ponts et
chaussées il avait l'air d'un fonctionnaire et des lunettes
à montures de métal, s'avançant vers moi dès qu'il fut
descendu de la cabine agité fébrile criant déjà ne m'écoutant pas répétant lui aussi Qu'est-ce que vous voulez
qu'est-ce que c'est qu'est-ce que vous voulez, j'essayai de
lui expliquer mais il était toujours agité fébrile jetant
sans cesse de brefs regards par dessus son épaule dans la
direction d'où ils venaient tenant son revolver à la main
d'abord tourné vers moi puis il l'oublia l'agitant en faisant des gestes me tenant par un bouton de ma veste,
le bleu de travail que m'avait donné le type, criant Qu'est-
ce que cette tenue, de nouveau j'essayai de lui expliquer
mais il n'écoutait pas se retournait sans cesse pour regarder le tournant de la rue, agité, je sortis mon livret ma
plaque que j'avais gardés avec moi mais il ne cessait pas
de regarder par dessus son épaule alors je dis Par là,
montrant l'endroit où avait disparu la petite auto grise
et lui Quoi ? et moi Ils viennent de passer il y a cinq
minutes quatre dans une petite auto, et lui criant Et si
je vous faisais fusiller ? j'essayai de recommencer à lui
expliquer mais il me lâcha reculant vers la camionnette
jetant toujours de rapides regards dans la direction d'où

ils venaient (je regardai aussi m'attendant presque à voir
paraître la petite voiture grise en forme de cercueil qui
depuis le temps devait bientôt avoir fini de faire le tour
du pâté de maisons) puis il rentra dedans le dos d'abord
s'assit referma la portière par la glace baissée il tenait
maintenant le revolver le canon dirigé vers moi son
visage maigre grisâtre et suant se penchant regardant
encore en arrière ses yeux de myope derrière les lunettes,
la camionnette démarra

courant derrière : ils étaient une dizaine environ
sous la bâche assis sur les deux banquettes de chaque
côté, j'accrochai le panneau arrière courant essayant de
monter mais ils me repoussèrent ils avaient l'air ivres eux
aussi je réussis à passer une jambe l'un d'eux essaya de
me donner un coup de crosse mais sans doute était-il trop
saoul la plaque de fer de la crosse tapant à côté de ma
main alors je lâchai tout ayant encore le temps d'en voir
un la tête renversée en arrière buvant avidement au
goulot d'une bouteille puis il me visa un œil fermé et me
la lança mais ils étaient déjà trop loin et elle tomba un
bon mètre au moins devant mes pieds éclata il y avait
encore du vin dedans cela fit sur les pavés une tache
sombre avec des tentacules les éclats de verre vert noir
brillaient éparpillés puis j'entendis un coup de feu mais
même pas la balle passer, saouls comme ils étaient et
secoués brinqueballés dans cette camionnette ce n'était
pas étonnant, puis elle disparut

il avait réussi à se réveiller et se tenait debout devant
la porte du bistrot en avant de la femme ses gros yeux
globuleux me regardant d'un air offusqué, je criai Il faut
foutre le camp Il faut aller remettre nos frusques Il a

voulu me faire fusiller un des types m'a tiré un coup
de flingue

mais il ne bougea pas continua à me regarder de ce
même air de blâme réprobateur morose puis il leva le
bras dans la direction du bistrot derrière lui, disant Il
a dit que ce soir il nous ferait cuire un canard

et moi Un canard ?

et lui Il va nous faire à bouffer Il a dit que

puis je cessai d'écouter, je pris à travers champs
remontant la colline le soleil avait cette insistante obsé-
dante présence des fins d'après-midi des trop longues
journées de printemps où il s'attarde n'en finissant plus
de traîner encore haut dans le ciel des journées n'en finissant plus comme s'il était immobilisé sur le point de
redescendre mais ne s'y décidant pas arrêté par quel
Josué il devait bien y avoir deux ou trois jours au moins
qu'il avait oublié de se coucher depuis qu'il s'était levé
rosissant teintant d'abord doucement le ciel lilas l'aurore
aux doigts de pétales mais je n'avais pas vu le moment
où il était apparu seulement mon ombre allongée et diaphane de quadrupède sur le chemin où il n'y avait plus
que ces tas immobiles comme des chiffons et le visage
idiot de Wack renversé me regardant, maintenant je
l'avais en plein dans les yeux immobile dans le ciel blanc

me retournant je l'aperçus qui me suivait ; ainsi il
avait fini par se décider, il était encore au bas de la colline
avait à peine dépassé les dernières maisons montant le
pré en titubant un peu une fois il trébucha tomba mais
se releva alors je m'arrêtai et je l'attendis arrivé près de
moi il s'embrouilla de nouveau les jambes et tomba
encore restant cette fois un moment à quatre pattes

vomissant puis il se releva essuyant sa bouche de sa manche et se remettant en marche.

Peut-être était-ce à cette même heure que le général s'était tué ? Il avait pourtant une voiture, un chauffeur, de l'essence. Il n'avait qu'à coiffer son casque, enfiler ses gants et sortir, descendre le perron de cette villa (je suppose que ce devait être une villa : c'est l'endroit habituel où l'on installe un P.C. de général de brigade, les châteaux étant réservés traditionnellement à ceux de division et au-dessus, et les fermes aux simples colonels) : une villa donc, avec sans doute un prunus en fleurs sur le gazon, un portail peint en blanc, une allée tournante de gravier entre les haies d'aucubas aux feuilles tachetées, et un salon bourgeois décoré de l'inévitable bouquet de branches de houx ou de plumeaux naturalisés et teints — argent ou rouge automnal — sur le coin de la cheminée ou le piano à queue, le vase repoussé pour faire place aux cartes étalées, et d'où (la villa) étaient partis pendant huit jours des ordres et des directives à peu près aussi utiles que ceux et celles données pendant la même période par les stratèges d'un café de province commentant le communiqué quotidien : il n'avait donc qu'à descendre ce perron, s'asseoir tranquillement dans son auto à fanion, et filer tout droit sans s'arrêter jusqu'au quartier général de sa division ou de son corps d'armée, et là faire antichambre suffisamment longtemps pour qu'on lui donne un nouveau commandement, comme aux autres. Et au lieu de cela, quand ses officiers ont été installés dans la seconde voiture, les moteurs tournant déjà, les motos des trois ou quatre estafettes restantes pétaradant, l'auto à fanion attendant portière ouverte, il s'est fait sauter la cervelle. Et dans le potin des moteurs et des voitures on ne l'a même pas entendu. Et peut-être n'était-ce même pas le déshonneur, la brusque révélation de son incapacité (après tout peut-être n'était-il pas absolument imbécile — comment le savoir ? — peut-être n'est-il pas interdit d'imaginer que ses ordres étaient non pas stupides mais les meilleurs, les plus pertinents, inspirés même — mais encore une fois comment le savoir puisqu'aucun ne parvint jamais à son destinataire ?) : autre chose probablement : une sorte de vide de trou. Sans fond. Absolu. Où plus rien n'avait de sens, de raison d'être — sinon pourquoi enlever ses vêtements, se tenir ainsi, nu, insensible au froid, effroyablement calme sans doute, effroyablement lucide, disposant soigneusement sur une chaise (les touchant, les maniant avec une espèce de dégoût et des précautions infinies comme si ç'avait été des ordures ou des explosifs) la redingote, la culotte, posant les bottes devant, couronnant le tout par ce chapeau, cette extravagante coiffure semblable à un bouquet de feu d'artifice, tout comme s'ils avaient revêtu, chaussé, coiffé quelque imaginaire et inexistant personnage, les regardant de ce même œil sec, glacé, effrayant, tandis qu'il continuait toujours à grelotter, impassible, et se reculant pour juger de l'effet, et à la fin renversant sans doute la chaise d'un revers de main, puisque sur la gravure elle gisait par terre et les vêtements... »

Et Blum : « La gravure ? Alors il y en a bien une ! Tu m'avais dit que... »

Et Georges : « Mais non. Il n'y en a pas. Où as-tu pris ça ? » Il n'y avait pas non plus — du moins il n'en avait jamais vu — d'image représentant cette bataille, cette défaite, cette déroute, sans doute parce que les nations vaincues n'aiment pas perpétuer le souvenir des désastres ; il n'existait de cette guerre qu'une peinture décorant la grande salle de l'Hôtel de Ville, et illustrant la phase victorieuse de la campagne : mais cette victoire n'était arrivée qu'un an plus tard, et c'était environ cent ans plus tard encore qu'un peintre officiel avait été chargé de la représenter, plaçant à la tête de soldats dépenaillés qui avaient l'air de figurants de cinéma un personnage allégorique, une femme vêtue d'une robe blanche qui dénudait un de ses seins, coiffée d'un bonnet phrygien, brandissant une épée et la bouche grande ouverte, debout dans la lumière jaune d'une journée ensoleillée, au milieu des écharpes d'une fumée glorieuse et bleuâtre, les gabions renversés et, au premier plan, le visage grimaçant et stupide d'un mort représenté en perspective, couché sur le dos, une jambe à demi repliée, les bras en croix et la tête en bas, regardant de ses yeux exorbités, les traits tordus dans une éternelle grimace, les successives générations d'électeurs écoutant discourir les successives générations de politiciens auxquels cette victoire avait conféré le droit de discourir — et aux auditeurs celui de les écouter discourir — sur l'estrade drapée de tricolore.

« Mais il avaient d'abord commencé par la défaite, dit Georges, et les Espagnols les avaient rossés à cette bataille où Reixach commandait, et alors ils durent battre en retraite par toutes les routes qui descendaient des Pyrénées, c'est-à-dire, je suppose, de vagues chemins. Mais, routes ou chemins c'est toujours la même chose : des fossés bordés de morts, des chevaux crevés, des

215

camions brûlés et des canons abandonnés... » (C'était un dimanche cette fois et ils étaient assis tous deux, lui et Blum tentant de se chauffer au pâle soleil saxon, toujours affublés de leurs grotesques capotes de soldats polonais ou tchèques, le dos contre la paroi de planches de leur baraque et tirant chacun à tour de rôle une bouffée de la même cigarette qu'ils se repassaient, gardant le plus longtemps possible la fumée au fond des poumons, la rejetant lentement par les narines pour mieux s'en pénétrer, sentant avec indifférence grouiller sur leur corps la vermine dont ils étaient couverts, les dizaines de minuscules poux grisâtres dont ils avaient un jour découvert avec terreur le premier, pourchassé désespérément ensuite les suivants, et qu'ils avaient fini par renoncer à tuer, les laissant maintenant courir sur eux avec un sentiment de permanent dégoût, de permanente impuissance et de permanente décomposition, les éclats de voix des Oranais en train de se disputer leur parvenant par la fenêtre ouverte, Georges tirant une dernière fois tout ce qu'il pouvait du dernier demi-centimètre de mégot qui lui brûlait le bout des doigts, le rejetant ou plutôt (car il n'en restait après cela même plus assez pour le saisir) le chassant d'un coup d'index entre ses lèvres puis se levant, dégourdissant ses jambes, tournant le dos au soleil, posant ses bras repliés sur l'appui de la fenêtre, le menton sur ses avant-bras et restant là à les regarder, autour de la table graisseuse, leurs cartes graisseuses dans les mains, leurs impassibles et durs visages de joueurs tendus, implacables, rongés par cette passion froide, patiente et attentive qui les isolait dans une sorte de cage à l'intérieur de laquelle ils se seraient tenus, à l'abri dans le monde violent et dur (de

même qu'un nageur est à l'abri de la pluie) de cette cloche, d'une aura individuelle de risque et de violence qu'ils
secrétaient à la manière de cette encre projetée par les
seiches : le chef de jeu, le tenancier en quelque sorte du
tripot où se gagnaient et se perdaient, changeaient de
main d'heure en heure les fortunes en misérables marks
de camp (et pour ceux qui n'avaient plus de marks, en
tabac, et pour ceux qui n'avaient plus de tabac, en rations
de pain, et pour ceux qui n'avaient plus leur ration de
pain, celle du jour suivant. et quelquefois du surlendemain
— et il y eut ainsi un Bônois (un Italien) qui joua et perdit
quatre jours de rations, et, à partir du lendemain il vint
chaque soir remettre ponctuellement au banquier son
morceau de pain noir et sa margarine de charbon, et pas
un mot entre eux, simplement un acquiescement, un
imperceptible mouvement de tête de celui qui prenait le
pain, l'ajoutait à sa propre ration sans même paraître voir
l'autre, et le troisième jour l'Italien s'évanouit, et quand
il put de nouveau voir et comprendre l'autre prit — toujours sans le regarder — la ration de pain et de margarine qu'il venait de recevoir et la lui tendit, disant : « Tu
le veux ? », et l'autre : « Non », et, toujours sans un
regard, l'autre remit pain et margarine dans sa musette,
et le lendemain il (le perdant) les apporta encore (c'était
la quatrième et dernière fois, et dans la journée, au travail, il s'était évanoui encore une fois), et l'autre ne le
regarda pas plus que les fois précédentes, prit la ration
et, sans mot dire, la mit dans sa musette, et un de ceux
qui assistaient à la scène dit quelque chose comme
« Espèce de salaud », et il (le banquier) ne bougea pas,
continua de manger, son œil froid, mort, se posant un ins-

tant sur le visage de celui qui venait de parler, parfaitement inexpressif, parfaitement froid, puis se détournant,
ses mâchoires mastiquant toujours, pendant que deux ou
trois types aidaient l'Italien à regagner sa couchette en
titubant), le chef de jeu, donc, le tenancier — ou banquier
— un Maltais (ou Valencien, ou Sicilien : un mélange, un
de ces produits bâtards et synthétiques de ports, de bas
quartiers et d'îles de cette mer, cette vieille mare, cette
antique matrice, creuset originel de tout négoce, de toute
pensée et de toute ruse) avec une tête de rapace, de petits
yeux morts de reptile, un visage maigre, sec, noir, sans
expression, sans âge et, bien sûr, vêtu comme les autres
d'une vague défroque militaire mais dont on se demand-
dait ce qu'il était venu faire là (c'est-à-dire dans cette
guerre, c'est-à-dire dans une armée, c'est-à-dire pourquoi
on avait enrôlé, mobilisé, un type avec une gueule (et probablement aussi un casier judiciaire) comme celle-là (ou
celui-là) et qui manifestement ne pouvait être utilisé à
rien d'autre qu'à tirer à la première occasion dans le dos
de l'officier ou du sous-officier trésorier du bataillon ou
du régiment et s'enfuir avec la caisse — à moins qu'il
n'ait été naturalisé, appelé sous les armes, revêtu d'un uniforme et muni non pas d'un fusil — ce qui eût tout de
même été de l'inconscience — mais d'un livret militaire
dans la seule et unique prévision de cette éventualité —
puisqu'il faut de tout pour faire une armée —, ce rôle
futur à remplir de tenancier de tripot dans une baraque
de prisonniers) ; et en face de lui un juif paisible, majestueux, gras (non pas adipeux : simplement gras, auguste,
et sans doute le seul prisonnier de tout le camp — mais
comment ? car, pendant ces deux premiers mois il n'avait,

comme tous les autres, pas reçu le moindre colis — à
n'avoir pas perdu depuis qu'il était là une seule once de
graisse), qui était quelque chose comme maquereau à
Alger et sur lequel la dérisoire tenue de guerrier, la dérisoire capote jaune, l'informe calot, ressemblaient à une
robe et une tiare d'or, et qui avait perpétuellement l'air
d'être assis sur un trône, royal, biblique et impavide
entouré d'une cour de petites gouapes exsangues qui se
disputaient pour lui allumer ses cigarettes et qu'il semblait ne même pas voir, quoiqu'il fût pourtant capable de
prendre sa gamelle à peine entamée — Georges l'avait vu
— et de la tendre au plus cadavérique d'entre eux, disant
simplement : « Je n'ai pas faim. Tiens ! », interrompant
les protestations de l'autre, disant : « Mange ! », du ton
sur lequel on donne un ordre, un commandement, et rien
de plus, tirant une cigarette, l'allumant — ou laissant une
des larves l'allumer — et restant là, placide, grave, pesant,
peut-être seulement un peu pâle, à tirer de lentes bouffées
de fumée tandis qu'autour de lui les autres engloutissaient
fébrilement l'écœurante soupe aux aigres relents dont il
ne semblait même pas se priver, lui qui, pas plus qu'il
n'avait maigri, n'avait jamais été vu par quiconque en
train de faire non pas même le moindre travail mais le
moindre simulacre de travail, traînant jusqu'au chantier
la pelle qu'on lui fourrait dans les mains et, arrivé là, la
plantant devant lui, passant les huit heures appuyé dessus,
les bras croisés, à fumer (car, de même qu'il semblait, par
un reste de prérogative royale, pouvoir se passer de manger, il avait, sans doute en vertu de la même prérogative,
toujours de quoi fumer) ou à regarder d'un œil même pas
méprisant les prisonniers en train de s'agiter autour de

lui, et cela sans que jamais une sentinelle ou le contre-
maître lui fassent une observation, et, le jour du Yom Kippour, lui qui n'avait jamais de sa vie mis les pieds dans
une synagogue, ni observé, ni sans doute même jamais su
ce qu'était le Sabbat, et encore moins la Thora, et qui ne
savait même pas lire (cela Georges le savait parce que —
soit qu'il n'ait pas voulu laisser connaître cette faiblesse
à une de ces petites frappes qui gravitaient autour de lui,
soit qu'il ait préféré avoir recours pour cette besogne à
des étrangers — c'était à Blum ou à lui (Georges) qu'il
demandait d'écrire les lettres qu'il dictait pour sa mère
(pas ses femmes : sa mère) et de lui lire les réponses), le
jour du Yom Kippour, donc, en plein milieu d'un pays où
on massacrait et brûlait les juifs par centaines de mille, se
fit porter malade pour ne pas travailler, et non seulement
resta toute la journée sans rien faire, rasé de près, sans
manger ni toucher une allumette, mais encore fut assez
fort pour obliger ses semblables (ceux de ce peuple où il
eût autrefois été — était encore — roi) à l'imiter ; tous les
deux, donc, le Sicilien et le roi venu tout droit de la Bible
assis face à face, et autour d'eux (ou au-dedans d'eux, c'est-
à-dire au-dedans de ce qui émanait d'eux, de cette invisible cage qu'ils édifiaient ou plutôt qui s'édifiait d'elle-
même dès qu'ils s'asseyaient et sortaient les cartes et sur
les parois de laquelle il semblait qu'une main invisible
avait écrit « Privé », comme sur la porte des salles réser-
vées des casinos ou des cercles) l'habituelle rangée de têtes
des joueurs, faisans et pigeons, de marlous, ou de calicots,
ou de garçons coiffeurs aux airs d'affranchis et venant là
se faire plumer, les visages fiévreux et impassibles, les
lèvres remuant à peine, les mains remuant à peine pour

faire glisser chacune des cartes juste assez pour qu'appa-
raisse le coin droit, et à la fin de chaque coup cette espèce
de silencieux soupir, de plainte, d'orgasme s'exhalant non
des joueurs, aux visages toujours parfaitement dépourvus
d'expression, mais du public, et pendant un de ces temps
morts, Georges se fouillant, extrayant de sa poche, comp-
tant en vitesse sa maigre fortune, son maigre trésor de
petits bouts de papier (salaire qu'un vainqueur qui, quelque part à côté tuait avec bonne conscience des petits
enfants, se croyait tenu, et non pas ironiquement, non par
facétie, mais en vertu d'un principe, d'une loi, d'une espèce
de morale acquise ou plutôt apprise, ou plutôt implantée,
irraisonnée et apparemment intransgressible, empreinte
par l'usage d'une sorte de caractère sacré (quoique quelque cent ans auparavant encore parfaitement inconnue) :
à savoir que tout travail doit être payé, si peu que ce soit,
mais payé, — salaire donc qu'un vainqueur qui eût pu les
faire trimer pour rien, le faisait d'ailleurs, mais, par une
sorte d'hommage en quelque sorte superstitieux quoique
symbolique rendu à un principe, se croyait tenu de leur
verser), en détacha à peu près les deux tiers, fit signe à
l'un des spectateurs qui se leva, prit les bouts de papier,
s'approcha du Sicilien, lui parla, revint vers la fenêtre et
tendit deux cigarettes que Georges alluma, puis, se retournant, il se laissa glisser, appuyé du dos le long de la paroi
de planches jusqu'à ce que ses fesses touchent ses talons,
tendant alors une des cigarettes toute allumée à Blum, et
Blum disant : « Tu n'es pas fou ? », et Georges : « Oh
zut ! Après tout c'est dimanche, non?», et s'asseyant alors
complètement, tirant cette fois une interminable bouffée
de fumée jusqu'à ce qu'il la sentît arriver tout à fait en

bas, tout au fond de ses poumons, la rejetant le plus lentement possible, disant :) « Alors, il était là, sur cette
route, battant piteusement en retraite, avec ce chapeau,
ce bicorne emplumé de guignol, le pan de son manteau
drapé à la romaine sur son épaule, ses bottes crottées —
ou plutôt poussiéreuses — et perdu dans ses pensées, ou
plutôt sans doute dans son absence de pensées, dans l'impossibilité de penser, de rassembler, de mettre bout à bout
deux idées cohérentes, face à face avec ce qu'il croyait
sans doute être l'effondrement de ses rêves, sans se douter que c'était probablement le contraire — mais heureusement pour lui il ne vécut pas assez longtemps pour s'en
rendre compte —, c'est-à-dire que les révolutions se ren-
forcent et s'affermissent dans les désastres pour se corrompre à la fin, se pervertir et s'écrouler dans une apo-
théose de triomphes militaires... »

Et Blum : « Mais tu parles comme un livre !... »

Et Georges relevant la tête, le regardant un moment,
perplexe, interdit, et à la fin haussant les épaules disant :
« C'est vrai. Excuse-moi. Une habitude, une tare héréditaire. Mon père a absolument tenu à ce que je me fasse
recaler à Normale. Il tenait absolument à ce que je profite
au moins un peu de cette merveilleuse culture que des
siècles de pensée nous ont léguée. Il voulait à toute force
que son enfant jouisse des incomparables privilèges de la
civilisation occidentale. Etant le fils de paysans analpha-
bètes, il est tellement fier d'avoir pu apprendre à lire qu'il
est intimement persuadé qu'il n'y a pas de problème, et
en particulier celui du bonheur de l'humanité, qui ne
puisse être résolu par la lecture des bons auteurs. Il a
même trouvé l'autre jour le moyen de se réserver (et je

t'assure que si tu connaissais ma mère tu te rendrais
compte de l'exploit, de la volonté, et par conséquent du
degré d'émotion, de désarroi, que cela représente) cinq
lignes sur les insipides lamentations qu'elle répand tout
au long de ces lettres aux lignes heureusement limitées
que nous sommes autorisés à recevoir, pour ajouter au
concert ses propres lamentations en me faisant part de
son désespoir à la nouvelle du bombardement de Leipzig
et de sa paraît-il irremplaçable bibliothèque... » (s'interrompant, se taisant, pouvant voir sans avoir besoin de la
sortir de son portefeuille la lettre — la seule qu'il ait gar-
dée de toutes celles écrites par Sabine et au bas desquelles
son père se contentait habituellement de tracer au-dessous
du fatidique « Nous t'embrassons bien fort » les minuscules pattes de mouches dans lesquelles Georges était le
seul à savoir qu'il fallait lire « Papa » —, revoyant donc
(encore plus pattes de mouches, encore plus serrée, compressée par le manque de place et le désir d'en dire le plus
possible dans le moins d'espace possible) la fine et délicate écriture d'universitaire, le maladroit style télégra-
phique : « ... laissé à ta mère le soin de te donner de nos
nouvelles qui sont bonnes comme tu le vois... dans la
mesure où quelque chose peut être bon aujourd'hui te
sachant pensant sans cesse à toi là-bas et à ce monde où
l'homme s'acharne à se détruire lui-même non seulement
dans la chair de ses enfants mais encore dans ce qu'il a
pu faire, laisser, léguer de meilleur : l'Histoire dira plus
tard ce que l'humanité a perdu l'autre jour en quelques
minutes, l'héritage de plusieurs siècles, dans le bombardement de ce qui était la plus précieuse bibliothèque du
monde, tout cela est d'une infinie tristesse, ton vieux père»,

pouvant le voir assis, pachydermique, massif, presque difforme, dans la pénombre du kiosque où ils s'étaient tenus tous les deux ce dernier soir avant son départ tandis que leur parvenait du dehors le bourdonnement tantôt rageur tantôt assourdi du tracteur sur lequel le métayer achevait de faucher la grande prairie, le pénétrant et vert parfum de l'herbe coupée flottant dans le tiède crépuscule, les entourant, l'entêtante exhalaison de l'été, l'obscure silhouette du métayer juché sur le tracteur avec son chapeau de paille aux bords ébréchés et déchiquetés comme une noire auréole reflétée deux fois par les lunettes, parcourant lentement la surface courbe et brillante des verres devant le visage obscur et triste de son père, et tous les deux face à face, ne trouvant rien à se dire, tous deux murés dans cette pathétique incompréhension, cette impossibilité de communiquer qui s'était établie entre eux et qu'il (son père) venait d'essayer encore une fois de briser, Georges entendant sa bouche qui continuait (n'avait sans doute pas arrêté) de parler, sa voix lui parvenir, disant :) « ... à quoi j'ai répondu par retour que si le contenu des milliers de bouquins de cette irremplaçable bibliothèque avait été précisément impuissant à empêcher que se produisent des choses comme le bombardement qui l'a détruite, je ne voyais pas très bien quelle perte représentait pour l'humanité la disparition sous les bombes au phosphore de ces milliers de bouquins et de papelards manifestement dépourvus de la moindre utilité. Suivait la liste détaillée des valeurs sûres, des objets de première nécessité dont nous avons beaucoup plus besoin ici que de tout le contenu de la célèbre bibliothèque de Leipzig, à savoir : chaussettes, caleçons, lainages, savon,

cigarettes, saucisson, chocolat, sucre, conserves, gal... »
Et Blum : « Ça va. Bon. Ça va. Bon. Nous connais-
sons. Bon. Merde pour la bibliothèque de Leipzig. Bon.
D'accord. Mais, encore une fois, ton bonhomme, ton type
du portrait, la gloire et la honte de ta famille, ce n'était
pas le premier général, ou missionnaire, ou commissaire,
ou ce que tu voudras qui... »

Et Georges : « Oui. Sans doute. Je sais bien. Oui. Peut-
être que ce ne fut pas seulement le fait de cette bataille,
d'une simple défaite : non pas uniquement ce qu'il vit là, la
panique, la lâcheté, les fuyards jetant leurs armes, criant
comme toujours à la trahison et maudissant leurs chefs
pour justifier leur panique, et peu à peu les coups de
feu s'espaçant, puis isolés, sans suite, sans conviction, le
combat en train de s'épuiser, de mourir de lui-même dans
la langueur de la fin du jour. Nous avons vu, connu cela :
ce ralentissement, cette progressive immobilisation.
Comme la roue de la loterie foraine, le crépitement serré
de la languette de métal (ou baleine) sur l'étincelante
couronne des butoirs se décomposant pour ainsi dire, les
claquements qui ne faisaient qu'un seul bruit continu de
crécelle se séparant, se dissociant, se raréfiant, ces dernières heures où la bataille semble ne plus continuer
qu'en vertu de la vitesse acquise, ralentir, reprendre,
s'éteindre, se rallumer en d'absurdes et incohérents sur-
sauts pour s'affaler de nouveau tandis que l'on recom-
mence à entendre chanter les oiseaux, se rendant compte
tout à coup qu'ils n'ont jamais arrêté de chanter, pas
plus que le vent n'a cessé de balancer les branches des
arbres, les nuages de cheminer dans le ciel, — quelques
coups de feu, donc, encore, insolites maintenant, absur-

des, çà et là dans la paix du soir, quelques acrochages tardifs d'arrière-gardes et de poursuivants, et non sans doute les troupes espagnoles proprement dites (c'est-à-dire régulières, royales, c'est-à-dire très probablement composées non pas d'Espagnols mais de mercenaires, de soudards irlandais ou suisses et commandées par quelque prince enfant ou quelque vieux général à tête de pharaon momifié, aux mains parcheminées, constellées de taches de son, également (l'enfant ou la vieille momie) couverts d'or, de plaques, d'ordres de diamants, semblables à des châsses, des madones, avec leurs immaculés uniformes blancs, leurs larges rubans de moire bleu ciel en sautoir, leurs mains baguées, le prince enfant à califourchon sur son rouan au sommet d'une colline, s'amusant à chercher dans la plaine à travers une lunette qu'il ne sait pas manier les dernières troupes de l'ennemi battant en retraite, la vieille momie parcheminée assise dans sa berline et à ce moment s'inquiétant déjà du cantonnement, de la ferme, du dîner, du lit — et peut-être de la fillette — que lui trouveront ses officiers), mais tirés (les sporadiques coups de feu) par ces occultes et mystérieux alliés que toute armée victorieuse semble susciter spontanément autour, en avant et en arrière d'elle, sans doute des paysans, ou des contrebandiers, ou les voleurs de grand chemin de l'endroit ou des environs. armés de vieux tromblons et de pistolets rafistolés, un chapelet de médailles et d'ex-votos autour du cou, et à peu près la tête, le bec et les serres de cet honorable gentleman aux ascendances calabraises ou siciliennes qui tient la table de poker là derrière, déguisé en soldat, et fait commerce de cigarettes à raison de deux unités pour

le prix d'environ quatre jours de notre travail, et embras-
sant (les paysans et les contrebandiers) une vieille croix
crasseuse sortie de sous leur chemise avant de décharger à bout portant de derrière un chêne-liège ou un fourré
leur vieux tromblon sur un blessé ou un traînard avec
cette sorte de rage sacrée, de sainte et meurtrière fureur,
criant en même temps que part le coup quelque chose
comme : « Tiens, salaud, mange ça ! », et lui (de Reixach)
apparemment sourd et aveugle (aux coups de feu, aux
chants d'oiseaux, au soleil déclinant), morne, absent, se
laissant conduire par son cheval, les rênes abandonnées,
déjà parvenu ou entré dans un autre état, un autre degré,
soit de connaissance, soit de sensibilité — ou d'insensibilité — et à un moment donné un type — un soldat
tête nue, sans écussons ni armes — sortant de quelque
part (du coin d'une maison, de derrière une haie, du fossé
où il s'était tapi) et se mettant à courir près de lui en
criant : « Emmenez-moi, mon capitaine, emmenez-moi,
laissez-moi aller avec vous ! », et lui ne le regardant
même pas, ou peut-être si, mais comme on regarde un
caillou, une chose, et détournant aussitôt la tête, et
disant seulement un peu plus haut que le ton de la conversation : « Fichez-moi le camp », et le soldat continuant à courir à hauteur de sa botte — ou plutôt à trottiner, et sans doute n'en aurait-il pas eu besoin, n'aurait-
il eu qu'à allonger le pas pour marcher à la même vitesse
que le cheval, mais probablement l'idée de courir était-
elle la chose qui répondait spontanément chez lui à son
désir de fuir, d'échapper —, haletant, psalmodiant :
« Emmenez-moi j'ai perdu mon régiment emmenez-moi
mon capitaine je n'ai plus de régiment emmenez-moi lais-

sez-moi aller avec vous... », et lui ne répondant maintenant même plus, ne l'entendant, ne le voyant sans doute
même plus, retourné, emmuré dans ce silence hautain où
lui parlaient peut-être maintenant déjà d'égal à égal tous
ses barons d'ancêtres morts, tous ces Reixach qui... »

Et Blum : « Mais qu'est-ce que tu... »

Et Georges : « Non, écoute : alors le type a cessé de
courir et il est venu vers nous, ou plutôt il s'est simplement arrêté de courir comme un petit chien, la tête levée,
à peu près à la hauteur du genou de de Reixach, s'est
planté au milieu de la route et a attendu qu'on soit arrivé
à sa hauteur, disant à ce moment : « Laissez-moi monter sur le cheval », et Iglésia qui tenait la bride de ce
sous-verge de la mitraille aux harnais coupés ne lui répondant pas plus que de Reixach, ne semblant pas plus le
voir, et alors j'ai dit : « Tu vois bien qu'il n'a pas de
selle, tu ne pourras pas tenir si on trotte », mais maintenant c'était à côté de nous qu'il s'était mis à courir ou
plutôt à trottiner de nouveau, avançant de cette allure
saccadée, sautillante, sa tête ballottant comme s'il allait
s'effondrer chaque fois au pas suivant, ses yeux me
regardant, répétant sans arrêt sur le même ton monotone, morne, suppliant : « Laissez-moi monter laissez-
moi monter oh dites laissez-moi monter », et moi, à la
fin, j'ai dit : « Hé, monte si tu veux ! », et en réalité, prêt
à s'effondrer comme il était, je n'aurais jamais cru qu'il
en serait capable, mais je n'avais pas plutôt parlé qu'il
était là à se hisser, accroché aux harnais, avec une espèce
de frénésie, de furieux coups de reins, et enfin il y parvint, fut dessus, se redressa, de Reixach se retournant
alors, comme s'il avait eu des yeux dans le dos, lui qui à

ce moment ne semblait même plus voir ce qu'il avait
devant lui, criant : « Qu'est-ce que vous fichez là ? Je
vous ai dit de ficher le camp ! Qui est-ce qui vous a permis de monter sur ce cheval et de me suivre ? » et le type
recommençant à geindre, recommençant sa litanie,
disant : « Laissez-moi aller avec vous J'ai perdu mon régiment et ils vont me prendre laissez-moi... », et lui : « Des-
cendez tout de suite et fichez-moi le camp ! », puis je ne
vis plus le type sur le cheval : encore plus vite qu'il
n'était monté il s'était glissé à terre et en me retournant
je le vis, planté droit au bord de la route, misérable, seul,
désemparé, qui nous regardait nous éloigner, et au bout
d'un moment Iglésia dit : « C'était un espion ! », et moi :
« Qui ? », et Iglésia : « Le type. T'as pas vu ? C'était un
Frisé », et moi : « Un Frisé ? Tu n'es pas fou. Pourquoi
un Frisé ? », et lui haussant les épaules sans me répondre comme si j'étais idiot, et toujours le cliquetis régulier des pas des chevaux, et ce dos raide de de Reixach
droit sur sa selle, oscillant à peine, et ce soleil, et cette
couche de fatigue, de sommeil, de sueur et de poussière
que j'avais comme collée à la figure comme un masque,
m'isolant, et au bout d'un moment la voix d'Iglésia
m'arrivant d'au-delà de cette pellicule, de très loin, quelque part dans le poudroiement de soleil, l'air épais,
disant : « C'était un Frisé que j'te dis. Il parlait trop
bien le français. Et puis t'as pas vu sa tête ? Ses cheveux ? Tout rouquin qu'il était ! », et moi : «Rouquin?»,
et Iglésia : « Oh merde, t'es complètement abruti ou
quoi ? T'es même plus capable de... »

« Et c'est alors que cette rafale de mitraillette est
partie », dit-il (se tenant là, devant elle, tandis qu'elle

continuait à l'examiner avec cette espèce de curiosité
ennuyée, patiente, polie, et parfois quelque chose (non
pas de l'effroi, mais comme une discrète et insolente
méfiance aux aguets, comme ce qui aiguise, insaisissable,
le regard indifférent des chats) quelque chose de furtif,
aigu, foudroyant passant dans ses yeux, et aussitôt
éteint, le visage inaltérable, ce masque régulier, serein,
magnifique et vide, « Comme ces statues, pensa-t-il. Mais
peut-être n'est-elle rien d'autre, ne faut-il rien lui demander de plus que ce que l'on demande à du marbre, à la
pierre, au bronze : seulement de se laisser regarder et
toucher, qu'elle se laisse seulement regarder et toucher... », mais il ne bougeait pas, pensant : « Mais elle
pleurait. Il a dit qu'elle pleurait... »), puis il lui sembla
les voir tous deux, elle et Iglésia, debout parmi le piétinement multiple de la foule, l'incessant crissement du
gravier parsemé ou plutôt souillé de tickets perdants, et
les minuscules mains de singe d'Iglésia en train de déchirer les petits bouts de papier maintenant sans valeur, tous
les deux droits, raides l'un en face de l'autre : lui avec
ce visage couleur de cuir, ahuri, terrifiant et triste, sa
culotte blanche, ses bottes de poupée et ce triangle de
soie brillante et rose de la casaque apparaissant entre les
revers élimés du veston, et elle maintenant non plus
inventée (comme disait Blum — ou plutôt fabriquée
pendant les longs mois de guerre, de captivité, de conti-
nence forcée, à partir d'une brève et unique vision un
jour de concours hippique, des racontars de Sabine ou
des bribes de phrases (elles-mêmes représentant des bribes de réalité), de confidences ou plutôt de grognements
à peu près monosyllabiques arrachés à force de patience

et de ruse à Iglésia, ou à partir d'encore moins : d'une gravure qui n'existait même pas, d'un portrait peint cent cinquante ans plus tôt...), mais telle qu'il pouvait la voir maintenant, réellement devant lui, pour de vrai, puisqu'il pouvait (puisqu'il allait) la toucher, pensant : « Je vais le faire. Elle va me frapper, me faire mettre à la porte, mais je vais le faire... », et elle continuant toujours à le dévisager comme si elle le regardait à travers une plaque de verre, comme si elle se trouvait de l'autre côté d'une paroi transparente mais aussi dure, aussi impossible à traverser que du verre quoique apparemment aussi invisible et derrière laquelle, depuis qu'il était là, elle se serait tenue à l'abri ou plutôt hors d'atteinte tandis qu'elle laissait à ses lèvres (seulement ses lèvres, pas elle, — c'est-à-dire cette chose aiguë ou plutôt affûtée, subtile et foudroyante — et peut-être même inconnue d'elle — qui se mouvait à toute vitesse, traversait par éclairs le regard serein et indifférent) le soin d'élever comme une barrière supplémentaire la suite de mots indifférents, des formules indifférentes (disant : « Ainsi vous étiez... je veux dire : vous faisiez partie du même régiment, je veux dire du même escadron que... », ne finissant pas, ne prononçant pas (comme par une sorte de gêne, de pudeur — ou simplement de paresse) le nom (ou les deux noms) que lui-même n'avait pu se résoudre à écrire dans sa lettre, se contentant de mentionner seulement le numéro du régiment et de l'escadron, comme si lui aussi avait éprouvé cette même gêne, cette même impossibilité), et à un moment il l'entendit rire, disant : « Mais je crois que nous sommes vaguement parents, quelque chose comme cousins par alliance, non ?... »,

231

l'entendant prononcer six ans après et presque mot pour
mot les paroles qu'il (de Reixach) avait lui-même dites
dans un petit matin glacé d'hiver tandis que derrière lui
passaient et repassaient les taches floues et rougeâtres
des chevaux revenant de l'abreuvoir où il fallait casser
la glace pour qu'ils puissent boire, et maintenant c'était
l'été, — non le premier mais le deuxième après que tout
avait pris fin, c'est-à-dire s'était refermé, cicatrisé, ou
plutôt (pas cicatrisé, car aucune trace de ce qui s'était
passé n'était déjà plus visible) rajusté, recollé, et si parfaitement qu'on ne pouvait plus discerner la moindre
faille, comme la surface de l'eau se referme sur un caillou,
le paysage reflété un moment brisé, fracassé, dissocié
en une multitude incohérente d'éclats, de débris enchevêtrés de ciel et d'arbres (c'est-à-dire non plus le ciel,
les arbres, mais des flaques brouillées de bleu, de vert,
de noir), se reformant, le bleu, le vert, le noir se regrou-
pant, se coagulant pour ainsi dire, s'ordonnant, ondulant
encore un peu comme de dangereux serpents, puis s'immobilisant, et plus rien alors que la surface vernie, perfide, sereine et mystérieuse où s'ordonne la paisible opulence des branches, du ciel, des nuages paisibles et lents,
plus rien maintenant que cette surface laquée et impénétrable, pensant (Georges) : « Alors il peut sans doute
recommencer à y croire, à les aligner, les ordonner élé-
gamment les uns après les autres, insignifiants, sonores
et creux, dans d'élégantes phrases insignifiantes, sonores,
bienséantes et infiniment rassurantes, aussi lisses, aussi
polies, aussi glacées et aussi peu solides que la surface
miroitante de l'eau recouvrant, cachant pudiquement... »
Mais Georges n'allait même plus jusqu'au kiosque à

présent, se contentant de le défier, de l'épier sans même
le regarder (car il n'en avait pas besoin, il n'avait pas
besoin de se servir de ses yeux pour cela, pouvant voir
sans avoir besoin que l'image s'en imprime sur sa rétine
la masse du corps à présent de plus en plus envahie par
la graisse, monstrueuse, de plus en plus accablée par son
propre poids, le visage aux traits de plus en plus affais-
sés par l'effet de quelque chose qui n'était pas seulement
la graisse et qui prenait peu à peu possession de lui,
l'envahissait, l'emprisonnait, le murait dans une sorte
de muette solitude, d'orgueilleuse et pesante tristesse),
comme il l'avait défié, épié à son retour, la scène se
déroulant ainsi : Georges déclarant qu'il avait décidé de
s'occuper des terres, et soutenu (quoiqu'il fît semblant
de ne pas l'entendre, quoique affectant de leur parler à
tous deux également, et tourné cependant ostensiblement
vers elle seule et se détournant ostensiblement de son
père, et cependant s'adressant à lui, et ne tenant ostensiblement aucun compte d'elle ou de ce qu'elle pouvait
dire), soutenu, donc, par la bruyante, obscène et utérine
approbation de Sabine ; et pas plus, c'est-à-dire pas un
mot, pas une observation, pas un regret, la pesante montagne de chair toujours immobile, silencieuse, la lourde
et pathétique masse d'organes distendus et usés à l'intérieur de laquelle ou plutôt sous laquelle se tenait quelque
chose qui était comme une partie de Georges, au point
que malgré sa totale immobilité, malgré sa totale absence
de réaction apparente Georges perçut parfaitement et
plus fort que l'assourdissant caquetage de Sabine comme
une sorte de craquement, comme le bruit imperceptible
de quelque organe secret et délicat en train de se briser,

et rien de plus après cela, rien d'autre, sinon cette carapace de silence, lorsque Georges venait s'asseoir à table
dans sa salopette souillée, avec ses mains non pas souillées
mais pour ainsi dire incrustées de terre et de cambouis au
soir des lentes et vides journées tout au long desquelles
il conduisait le tracteur, suivant les lents sillons, regardant à chaque aller et retour son ombre d'abord disten-
due, étirée, changer lentement de forme en même temps
qu'elle tournait lentement autour de lui comme les
aiguilles d'une montre, raccourcissant, se tassant, s'aplatissant, puis croissant, s'allongeant de nouveau, démesurée, gigantesque à la fin, à mesure que le soleil décli-
nait, sur la terre oublieuse et indifférente, le monde perfide de nouveau inoffensif, familier, trompeur, tandis que
passaient parfois confusément les images, le visage
décharné de Blum, Iglésia, et quand ils faisaient cuire les
galettes, et l'obscure silhouette équestre, levant le bras,
brandissant le sabre, s'écroulant lentement sur le côté,
disparaissant, et elle, telle qu'il, ou plutôt ils (mais il
n'avait plus personne avec qui en parler maintenant, et
Sabine avait dit qu'on lui avait dit qu'elle s'était conduite
d'une façon telle qu'on — c'est-à-dire sans doute ceux
et celles qui appartenaient ou que Sabine jugeait dignes
d'appartenir à ce milieu ou cette caste dans laquelle elle
se rangeait elle-même — ne la recevait plus), telle donc
qu'ils (c'est-à-dire lui, Blum — ou plutôt leur imagination, ou plutôt leur corps, c'est-à-dire leur peau, leurs
organes, leur chair d'adolescents sevrés de femmes)
l'avaient matérialisée : debout dans le contre-jour ensoleillé d'une fin d'après-midi, dans cette robe rouge couleur de bonbon anglais (mais peut-être cela aussi l'avait-

il inventé, c'est-à-dire la couleur, ce rouge acide, peut-être simplement parce qu'elle était quelque chose à quoi pensait non son esprit, mais ses lèvres, sa bouche, peut-être à cause de son nom, parce que « Corinne » faisait penser à « corail » ?...) se détachant sur le vert pomme de l'herbe où galopent des chevaux ; et souvent il lui arrivait de la voir sous la forme d'une de ces reines dessinées sur les cartes à jouer qu'il faisait maintenant lui aussi glisser lentement dans sa main en se composant un visage indifférent (pensant : « En tout cas j'aurai au moins appris quelque chose à la guerre. Comme ça je ne l'aurai pas faite pour rien. J'aurai au moins appris à jouer au poker... » Car il jouait maintenant, retrouvait le soir, dans l'arrière-salle d'un bar situé près du marché aux bestiaux (s'y rendant comme il était, comme il avait dîné à la table de son père, c'est-à-dire en salopette et ses mains indécrassables, imprégnées de terre et de cambouis mêlés), trois ou quatre types aux identiques visages inexpressifs, aux identiques gestes brefs, économes, et qui jouaient gros, vidaient (avec les mêmes gestes qu'ils avaient pour jouer, de la même façon, silencieuse, rapide, et apparemment sans plaisir) des bouteilles du champagne le plus cher tandis que deux ou trois filles avec lesquelles chacun avait couché à tour de rôle attendaient en bâillant et se montrant leurs bagues sur les banquettes râpées) : rien qu'un simple bout de carton, donc, une de ces reines vêtues d'écarlate, énigmatiques, et symétriquement dédoublées, comme si elles se reflétaient dans un miroir, vêtues d'une de ces robes mi-partie rouge et verte aux lourds et rituels ornements, aux rituels et symboliques attributs (rose, sceptre, hermine) : quelque

chose sans plus d'épaisseur, sans plus de réalité ni d'existence qu'un visage dessiné au trait sur le fond blanc du
papier, impénétrable, inexpressif et fatal, comme le
visage même du hasard ; puis — par un des joueurs —
il apprit qu'elle s'était remariée et habitait Toulouse, et
alors maintenant tout ce qui le séparait d'elle c'était
cette vitre de derrière laquelle elle semblait à présent le
regarder, lui parler, prononcer des mots, des paroles qu'il
(et probablement elle non plus) n'écoutait pas, exactement comme s'il s'était tenu de l'autre côté de la glace
d'aquarium, lui la regardant, pensant toujours : « Je vais
le faire. Elle va me frapper, appeler quelqu'un et me
faire mettre à la porte, mais je vais le faire... », et elle —
c'est-à-dire sa chair — bougeant imperceptiblement,
c'est-à-dire respirant, c'est-à-dire se dilatant et se contractant tour à tour comme si l'air pénétrait en elle non
par sa bouche, ses poumons, mais par toute sa peau,
comme si elle était faite d'une matière semblable à celle
des éponges, mais d'un grain invisible, se dilatant et se
contractant, semblable à ces fleurs, ces choses marines à
mi-chemin entre le végétal et l'animal, ces madrépores,
palpitant délicatement dans l'eau transparente, respirant,
et lui n'écoutant toujours pas, ne se donnant même pas
la peine de faire semblant d'écouter, la regardant, tandis
qu'elle essayait de nouveau de rire, l'observait derrière
son rire avec cette sorte de circonspection, ce mélange de
curiosité, de méfiance, peut-être de crainte, comme s'il
eût été un peu quelque chose comme un fantôme, un
revenant, lui-même pouvant se voir dans l'épaisseur glauque de la glace derrière elle, avec son visage brûlé, son
air de chien maigre, affamé, pensant : « Ouais ! C'est

à peu près de ça que je dois avoir l'air ! D'avoir envie de mordre... », et elle disant toujours n'importe quoi : Comme vous êtes brun Vous revenez de la mer ? et lui : Quoi ? et elle : Vous êtes tout hâlé par le soleil, et lui : La mer ? Pourqu... Oh ! Non je m'occupe des terres vous savez Je suis toute la journée sur le tract..., puis sa propre main lui apparaissant, entrant dans son champ de vision, c'est-à-dire comme s'il l'avait plongée dans l'eau, la regardant s'avancer, s'éloigner de lui, avec une sorte d'étonnement, de stupeur (comme si elle se séparait de lui, se détachait du bras, par l'effet de cette légère déviation du rayon visuel quand il traverse la surface d'un liquide) : la main maigre, brune, aux doigts longs et fins, dont il n'avait pas réussi, en huit ans, malgré les manches de fourches, de pelles, de pioches, la terre, le cambouis, à faire une main de paysan et qui restait désespérément déliée, faisant dire amoureusement et orgueilleusement à Sabine qu'il avait une main de pianiste, qu'il aurait dû faire de la musique, qu'il avait certainement gâché, gaspillé là un don, une chance unique (mais il ne se donnait même plus la peine maintenant de hausser les épaules), chassant l'image, la voix de Sabine tandis qu'il regardait toujours, comme fasciné, sa propre main devenue maintenant pour ainsi dire étrangère à lui-même, c'est-à-dire faisant partie au même titre que les arbres, le ciel, le bleu, le vert, de ce monde étranger, étincelant et incroyable où elle (Corinne) se tenait, irréelle, incroyable elle aussi malgré son lourd parfum, sa voix, respirant de plus en plus vite maintenant, sa poitrine, ses seins s'élevant et s'abaissant comme ces gorges d'oiseaux, palpitant, l'air (ou le sang) affluant en pulsations rapides tandis que sa voix se faisait plus pressée, montait d'un demi-ton peut-être, disant : « Eh bien j'ai été heureuse de vous voir Je dois maintenant sortir Je crois qu'il doit être assez tard Il faut..., mais ne bougeant pourtant pas, la main maintenant très loin de lui (comme, au cinéma, les gens du balcon, près de la cabine de projection, agitent le bras, leurs mains, les cinq doigts ouverts s'interposant dans le rayon lumineux, projetant leurs ombres immenses et mouvantes sur l'écran comme pour posséder, atteindre, l'inaccessible rêve scintillant), complètement détachée à présent, si bien que lorsqu'il la toucha (le haut du bras nu un peu au-dessous de l'épaule) il éprouva d'abord la bizarre sensation de ne pas la toucher vraiment, comme lorsqu'on prend un oiseau dans la main : cette surprise, cet étonnement provoqué par la différence entre le volume apparent et le poids réel, l'incroyable légèreté, l'incroyable délicatesse, la tragique fragilité des plumes, du duvet, et elle disant : Mais qu'est-ce que... qu'est-ce que vous..., et incapable semblait-il tant de finir sa phrase que de bouger, respirant seulement de plus en plus vite, haletant presque, tandis qu'elle continuait à le fixer avec cette expression d'effroi, d'impuissance, et entre sa paume et la peau soyeuse du bras, encore quelque chose, pas plus épais qu'une feuille de papier à cigarette, mais quelque chose s'interposant, c'est-à-dire la sensation du toucher éprouvée comme légèrement en retrait, comme lorsque les doigts engourdis par le froid se posent sur un objet et ne le perçoivent, semble-t-il, qu'à travers une pellicule, une sorte de corne d'insensibilité, et tous les deux (Corinne et lui) parfaitement immobiles, se dévisageant, puis la main se fermant sur le bras, serrant, et alors il pouvait maintenant fermer les yeux, respirant seulement son odeur de fleur, l'entendant haleter, l'air entrant et ressortant très vite à travers ses lèvres, puis elle fit entendre quelque chose comme un soupir, un gémissement, disant : Vous me faites mal, disant : Lâchez-moi vous me Mais lâchez-moi..., jusqu'à ce qu'il se rendît compte que sa main serrait maintenant de toutes ses forces, mais il ne la retira pas, relâchant seulement un peu ses muscles, se rendant compte en même temps qu'à présent il tremblait, d'une façon continue, imperceptible, incontrôlable, et elle disant : Je vous en prie Mon mari peut rentrer Je vous en prie Lâchez-moi Cessez, mais ne bougeant toujours pas, haletant un peu, répétant d'une voix monotone, mécanique, effrayée : Je vous en prie Voyons Je vous en prie Je vous en prie..., Georges se contentant maintenant de laisser sa main où elle était, sans plus, et absolument immobile lui aussi, comme si non pas entre eux maintenant mais autour d'eux, les enserrant, l'air avait partout cette fallacieuse consistance du verre, invisible et cassant, d'une terrifiante fragilité, et alors restant là (Georges) sans faire un mouvement, sans oser bouger, essayant de retenir sa respiration, de calmer la bruyante rumeur de son sang, le vert et transparent crépuscule de mai tout entier semblable à du verre, et dans la gorge cette espèce de nausée qu'il s'efforçait de contenir, déglutissant, pensant entre deux assourdissantes ruées de l'air : C'est d'avoir trop couru, pensant : Mais c'est peut-être tout cet alcool ? pensant qu'il aurait dû essayer de vomir comme tout à l'heure Iglésia dans le champ, pensant : Mais vomir quoi ? cherchant à se rappeler la dernière fois qu'il avait mangé ah oui ce bout de

239

saucisson ce matin dans la forêt (mais était-ce le matin ou quand ?), son estomac empli par le genièvre qu'il lui semblait sentir à l'intérieur de lui comme un corps étranger, inassimilable, une boule solidifiée ou plutôt à demi solidifiée et lourde, quelque chose comme du mercure, alors tout à l'heure il aurait dû se mettre les doigts dans la gorge et vomir, au moins il aurait été soulagé, quand ils étaient dans la maison en train d'enfiler de nouveau leurs uniformes, et ensuite se tenant (de nouveau lourd, roide, exténué, dans sa gangue roide et lourde de drap et de cuir) seul dans la chambre, toujours en train de se demander s'il allait vomir ou pas et où Iglésia avait bien pu passer, tandis que par la fenêtre il regardait filer rapidement là-bas sur la route les camionnettes du génie battant en retraite, pas plus grosses que des jouets, se succédant sans interruption dans une fuite précipitée, puis Iglésia de nouveau là sans qu'il eût pu dire (pas plus que lorsqu'il avait disparu) quand et comment il était revenu, Georges sursautant, se retournant, le regardant de ce même œil exténué, incrédule, et Iglésia : « Ces pauv' carnes faut quand même qu'elles bouffent », et lui pensant : « Bon Dieu. Il a encore trouvé moyen d'y penser. Presque ivre mort. Comme l'autre ce matin pour les faire boire. Comme si... », puis s'arrêtant de penser, ne finissant pas, cessant de s'intéresser à lui pour regarder lui aussi ce que contemplaient maintenant les deux yeux globuleux et jaunes, ahuris, incrédules eux aussi, tous les deux se tenant un instant immobiles tandis que là-bas, par delà les prés en pente, les petites voitures jouets continuaient à filer à la queue-leu-leu : puis dégringolant ensemble l'escalier, traversant en courant la cour déserte

de la ferme et reprenant en sens inverse le chemin qu'ils
avaient suivi le matin, — et tout ce qu'il pouvait voir
maintenant (couché de tout son long sur le ventre dans
l'herbe du fossé, haletant, essayant toujours sans y parvenir de contenir le formidable bruit de forge dans sa poitrine) c'était l'étroite bande horizontale à quoi, pour
lui, se réduisait à présent le monde, limitée en haut par
la visière de son casque, en bas par l'entrecroisement des
brins d'herbe du fossé juste devant ses yeux, flous, puis
plus nets, puis non plus des brins d'herbe : une tache
verte dans le vert crépuscule, allant se rétrécissant puis
cessant à l'endroit où le chemin empierré débouchait sur
la route, puis les pavés de la route et les deux bottes
noires, soigneusement cirées, de la sentinelle, avec leurs
brillants replis d'accordéon au niveau de la cheville, l'axe
des bottes dessinant la base d'un V renversé dans l'ouverture duquel, de l'autre côté de la route, le cheval mort
apparaissait et disparaissait entre les roues des camions
sautant sur les pavés, toujours là, à la même place que
le matin mais, semblait-il, comme aplati, comme s'il avait
peu à peu fondu au cours de la journée à la façon de ces
personnages de neige qui au fur et à mesure du dégel
semblent s'enfoncer insensiblement dans la terre, comme
attaqués par leur base, se déformant lentement, de sorte
que subsistent seules à la fin les masses les plus importantes et les supports — manches à balais, bâtons, — qui
ont servi d'armature : ici le ventre, maintenant énorme,
gonflé, distendu, et les os, comme si le milieu du corps
avait aspiré à son profit toute la substance de l'interminable carcasse, les os avec leur tête ronde semblables
maintenant à des piquets plantés de traviole et soute-

nant tant bien que mal comme une tente la croûte de boue
écaillée qui lui servait d'enveloppe : mais plus de mouches maintenant, comme si elles-mêmes l'avaient abandonné, comme s'il n'y avait plus rien à en tirer, comme
s'il était déjà — mais ce n'était pas possible, pensa
Georges, pas en un jour —, non plus viande boucanée et
puante mais transmuée, assimilé par la terre profonde
qui cache en elle sous sa chevelure d'herbe et de feuilles
les ossements des défuntes Rossinantes et des défunts
Bucéphales (et des défunts chevaliers, des défunts cochers
de fiacre et des défunts Alexandres) retournés à l'état de
chaux friable ou de... (mais il s'était trompé : il en jaillit
brusquement une — cette fois de l'intérieur des naseaux
— et quoi qu'il se trouvât à plus de quinze mètres il la
vit (grâce sans doute à cette nauséeuse et minutieuse
acuité visuelle que donne l'ivresse) aussi distinctement
(velue, bleu-noir, étincelante, et quoiqu'il eût les oreilles
fracassées par l'incessant tapage des camions lancés à
toute vitesse, il l'entendit aussi : son bourdonnement
impétueux, vorace, furibond) que les têtes des clous dans
les quatre fers du cheval posés de champ sur la surface
de la route et maintenant, par rapport à Georges, au premier plan)... retournés, donc, à l'état de chaux friable, de
fossiles, ce qu'il était sans doute lui-même en passe de
devenir à force d'immobilité, assistant impuissant à une
lente transmutation de la matière dont il était fait
en train de se produire à partir de son bras replié et qu'il
pouvait sentir mourir peu à peu, devenir insensible,
dévoré non par les vers mais par un fourmillement
gagnant lentement et qui était peut-être le secret remue-
ménage d'atomes en train de permuter pour s'organiser

selon une structure différente, minérale ou cristalline dans le cristallin crépuscule dont le séparait toujours l'épaisseur d'une feuille de papier à cigarette, à moins que ce ne fût pas une feuille de papier à cigarette mais le contact du crépuscule lui-même sur sa peau car telle est, pensa-t-il, l'exquise délicatesse de la chair des femmes qu'on hésite à croire qu'on les touche réellement, la chair toute entière comme des plumes, de l'herbe, des feuilles, de l'air transparent, aussi fragile que du cristal, et où il pouvait toujours l'entendre haleter faiblement, à moins que ce ne fût son propre souffle, à moins qu'il ne fût maintenant aussi mort que le cheval et déjà à demi englouti, repris par la terre, sa chair se mélangeant à l'humide argile, ses os se mélangeant aux pierres, car peut-être était-ce une pure question d'immobilité et alors on redevenait simplement un peu de craie, de sable et de boue, pensant que c'était cela qu'il aurait dû lui dire, pouvant le voir, tel qu'il était sans doute à cette même heure, dans la pénombre du kiosque crépusculaire où à travers les carreaux de verres de couleur le monde apparaissait unifié, fait d'une seule et même matière, verte, mauve ou bleue, enfin réconcilié, à moins qu'il ne fît là-bas une de ces soirées de mai trop chaudes pour rester dans le kiosque, auquel cas ils devaient alors se trouver elle et lui encore sous le grand marronnier où ils ont pris le thé, le marronnier en fleurs à cette époque, ses multiples grappes blanches comme des candélabres doucement phosphorescentes dans le crépuscule, l'ombre épaisse s'enténébrant de bleu, tombant sur eux maintenant, les recouvrant comme une couche opaque et uniforme de peinture, lui et ses éternelles feuilles de papier étalées devant lui sur la table à côté du plateau qu'il a écarté, une soucoupe posée dessus pour empêcher que l'haleine du soir ne les disperse car il ne peut sans doute même plus distinguer à présent la fine écriture qui les couvre, se contentant sans doute à présent ou du moins essayant de se contenter de savoir que ces caractères, ces signes sont là, comme dans sa nuit un aveugle sait — connaît — l'existence des murs protecteurs, de la chaise, du lit, encore qu'il puisse au besoin les toucher pour éprouver la certitude de leur présence, — alors que le jour, ou la lumière (pensait Georges, toujours couché dans le fossé, attentif, raide, maintenant complètement insensible et paralysé de crampes, et aussi immobile que la carne morte, le visage parmi l'herbe nombreuse, la terre velue, son corps tout entier aplati, comme s'il s'efforçait de disparaître entre les lèvres du fossé, se fondre, se glisser, se faufiler tout entier par cette étroite fissure pour réintégrer la paisible matière (matrice) originelle, pensant aux soirs où on dînait dehors et où, à cette heure, Julien apportait la lampe à pétrole et, tandis qu'on disposait la table, son père se remettait au travail, enfermé — lui et ces feuillets aux coins retournés, raturés et qui étaient en quelque sorte devenus comme une partie de lui-même, un organe supplémentaire et aussi inséparable de lui que son cerveau ou son cœur, ou sa pesante vieille chair — dans cette espèce de cocon protecteur, d'œuf, de sphère huileuse, jaunâtre et close que délimitait dans la nuit du parc et le zézaiement des moustiques la lueur de la lampe), alors, donc, que la lumière n'apporterait d'autre certitude que la décevante réapparition de griffonnages sans autre existence réelle que celle attribuée à eux par

un esprit lui non plus sans existence réelle pour représenter des choses imaginées par lui et peut-être aussi
dépourvues d'existence, et alors mieux valait à tout prendre son jacassement de volatile, ses colliers entrechoqués,
son perpétuel et insensé verbiage qui avaient au moins la
vertu d'exister, quand ce ne serait que par le bruit et
le mouvement, en admettant que le bruit et le mouvement
ne fussent pas encore des formes futiles et illusoires du
contraire de l'existence : voilà ce qu'il aurait fallu savoir,
ce qu'il aurait fallu pouvoir demander au cheval, et peut-
être était-ce un problème que Georges aurait pu résoudre
s'il avait été moins ivre ou moins las, et, peut-être du reste
la question se résoudrait-elle toute seule d'un instant à
l'autre et cela par le simple effet d'un coup de fusil, c'est-
à-dire par le fait que l'inertie naturelle de la matière
serait pour un instant rompue (une combustion, une dila-
tation, un projectile violemment chassé à l'intérieur d'un
tube), le transformant pour de bon en un simple amas de
matière chevaline que seule sa forme distinguerait de
celle de cette rosse, pour peu qu'il vienne à l'idée de cette
sentinelle qui maintenant allait et venait d'un côté à
l'autre du chemin parallèlement au bord de la route
d'avancer au contraire perpendiculairement à celle-ci
d'une dizaine de mètres dans le chemin, et naturellement
il (Georges) pourrait toujours essayer de tirer le premier
ce qui, en admettant qu'il réussisse à le faire suffisamment vite et sauter ensuite suffisamment vite par dessus
la clôture, lui donnerait bien le temps de goûter une dernière fois à cette forme futile et illusoire de la vie qu'est
le mouvement (le temps de parcourir à son tour une
dizaine ou une quinzaine de mètres) avant de savoir ce

que ne savaient pas encore les mouches, ce qu'elles sau-
raient à leur tour un jour, ce que tout le monde finissait
à la fin par savoir mais que jamais, ni cheval, ni mouche,
ni l'homme n'était jamais revenu raconter à ceux qui
l'ignoraient encore, et alors il serait mort pour de bon, et
si la sentinelle était la plus rapide il n'aurait même pas le
temps de se lever, de sorte qu'il serait à cette même place,
et qu'est-ce qu'il y aurait de changé sinon qu'il ne serait
plus tout à fait dans la même position puisqu'il aurait
essayé d'épauler et viser, et c'était tout, car en définitive
ce serait toujours la même paisible et tiède soirée de mai
avec sa verte senteur d'herbe et la légère humidité
bleuâtre qui commençait à tomber sur les vergers et les
jardins : il y aurait seulement eu un ou deux coups de
feu comme on peut en entendre en septembre après
l'ouverture de la chasse le soir, quand après le travail
un paysan ou un gamin a pris à tout hasard un fusil et
décidé de faire un petit tour du côté où il a levé ce
lièvre l'autre jour et cette fois le lièvre était au rendez-
vous et il l'a tiré, avec cette différence que personne ne le
ramasserait pour le porter par les oreilles mais qu'il
serait toujours là, au même endroit, complètement et
définitivement immobile alors avec sans doute comme
Wack cette expression de surprise stupide des morts, la
bouche bêtement ouverte, les yeux ouverts aussi regardant sans la voir cette étroite bande d'univers qui s'étendait devant lui, ce même mur aux briques rouge foncé
(les briques trapues, courtes et épaisses, d'une matière
grenue, les plus claires tachetées de sombre sur un fond
couleur rouille, les plus foncées couleur de sang séché,
d'un pourpre brunâtre allant parfois jusqu'au mauve

sombre, presque bleu, comme si la matière dont elles étaient faites avait contenu des scories ferrugineuses, du mâchefer, comme si le feu qui les avait cuites avait pour ainsi dire solidifié quelque chose comme, sanglante, minérale et violente, de la viande à l'étal d'un boucher (mêmes nuances allant de l'orange au violacé), le cœur même, la dure et pourpre chair de cette terre à laquelle il était collé pour ainsi dire ventre à ventre), les joints plus clairs faits d'un mortier grisâtre dans lequel il pouvait voir, enchâssés, les grains de sable, une herbe sauvage, d'un vert délicat, poussant irrégulièrement tout contre la base du mur (comme pour dissimuler la ligne de jonction, la charnière, l'arête du dièdre formé par le mur et le sol), et, un peu en avant, le départ des fortes tiges dont la visière de son casque l'empêchait de voir le haut, la fleur (ou les bourgeons : peut-être des roses trémières ou de jeunes tournesols ?) : à peu près de l'épaisseur du pouce, rayées de stries ou plutôt de cannelures longitudinales d'un vert plus clair, presque blanc, et couvertes d'un léger duvet, non pas couché, mais poussant perpendiculairement à la tige, les premières feuilles du bas déjà flétries et desséchées, pendant, flasques, comme des feuilles de salade rongées, leurs bords jaunis, mais celles du dessus encore fermes, fraîches, avec leurs nervures claires et ramifiées comme un réseau symétrique de veinules, de fleuves, d'affluents, la matière même des feuilles moelleuse, veloutée, quelque chose (se détachant sur les briques rugueuses, minérales et sanglantes) d'incroyablement tendre, immatériel, les brins d'herbe à peu près immobiles seulement agités parfois d'un faible frisson, les tiges vigoureuses des hautes plantes abso-

lument immobiles elles, les larges feuilles palpitant mollement de temps à autre dans l'air calme, tandis que, de
la route, continuait toujours à parvenir ce gigantesque
vacarme : pas le canon (on ne l'entendait plus maintenant que lointain, sporadique, dans la paisible et pure
fin du jour, comme les derniers soubresauts, sans conviction, attardés et conventionnels de la bataille —
comme ces gestes, ce simulacre de travail, cette activité
de façade que des employés ou des ouvriers entretiennent
paresseusement en attendant l'heure de la fermeture des
bureaux ou des ateliers), mais la guerre elle-même se
ruant avec un fracas semblable — en démesuré — à celui
que l'on peut entendre dans les gares, fait d'échos de tam-
pons entrechoqués, de ferraille secouée, insolite, métallique et désastreux ; puis, plus à gauche, jaillissant juste de
l'arête du dièdre comme d'une fissure entre la terre et le
mur, il y avait une de ces plantes sauvages : une touffe,
ou plutôt une corolle de feuilles réparties en couronne
(comme un jet d'eau retombant), déchiquetées, dentelées
et hérissées (comme ces anciennes armes ou ces harpons),
vert foncé, râpeuses, puis, après cela, encore la tige —
celle-ci légèrement inclinée vers la droite — d'une de ces
mêmes hautes plantes, puis, fixé au mur par un (sans
doute il y en avait-il encore un autre plus haut, mais il
ne pouvait pas non plus le voir) tenon de fer, le montant
ou plutôt le chevron de bois sur lequel était articulée une
porte de poulailler : le tenon complètement rouillé,
scellé dans le mur de briques, le ciment autour de
l'épaisse lame de fer formant une collerette crémeuse
dans laquelle on pouvait encore voir les traces de la
truelle qui en lissant le mortier y avait laissé des

empreintes dessinées par une bavure (léger bourgeonne-
ment grumeleux de la matière pressée) en relief, le chevron — le montant de la porte, comme d'ailleurs son
châssis lui-même — décoloré par la pluie, grisâtre, et,
pour ainsi dire feuilleté, comme de la cendre de cigare,
le châssis, lui, à moitié déglingué, une des deux chevilles
de bois qui tenaient l'angle inférieur presque sortie de
son logement, le tout ayant pris du jeu, la traverse inférieure faisant donc avec le montant vertical un angle non
pas droit mais légèrement obtus de sorte qu'elle devait
racler le sol quand on ouvrait la porte, l'herbe qui entourait en touffes serrées et drues le pied du chevron fixé
au mur diminuant de hauteur à partir de là jusqu'à n'être
plus qu'une plaque rase aux brins couchés sur le sol, aplatis et courts, puis cessant, la terre nue rayée de courbes
concentriques correspondant aux saillies de la traverse
inférieure lorsqu'elle pivotait en frottant le sol autour du
montant, le grillage de fil de fer galvanisé pas en bien
meilleur état, quoiqu'il ait apparemment été remplacé
à une date assez récente (plus récente en tout cas que la
construction du poulailler et de la porte) car il n'était
pas encore rouillé (mais les petits clous en forme de fer
à cheval qui le maintenaient au châssis, oui), par contre
enfoncé et distendu (le grillage), dessinant une surface
bosselée, une grande poche (peut-être conséquence des
coups de pieds nécessaires à la fermeture de la porte)
s'étant formée dans le bas, distendant, ou plutôt étirant
irrégulièrement les mailles hexagonales, l'herbe poussant de nouveau au pied du second montant de
bois contre lequel venait buter le châssis, de nouveau en touffes serrées, et continant tout le long

du grillage qui reprenait au-delà, le champ de vision
de Georges s'arrêtant là, c'est-à-dire pas d'une façon
nette : par cette sorte de frange qui s'étend à droite et à
gauche de notre vue et à l'intérieur de laquelle les objets
sont moins vus que perçus sous forme de taches, de
vagues contours, trop épuisé (Georges) ou trop ivre pour
seulement tourner la tête : il ne vit pas de poules derrière
le grillage, ou peut-être étaient-elles déjà couchées puisqu'on dit qu'elles le font avec le soleil, et quand il entendit chuchoter Iglésia il ne comprit d'abord pas, répétant : Quoi ? Iglésia lui touchant cette fois la cuisse,
disant : ... les poules. J'parie qu'ils vont venir les chercher. Fait assez noir, non ?... Ils commencèrent alors à
ramper à reculons, la tête toujours fixe, le champ de
leur vision s'agrandissant au fur et à mesure qu'ils s'éloi-
gnaient, la maison apparaissant peu à peu tout entière,
rouge sombre et trapue avec, sur sa gauche, le poulailler
et au-dessus de l'endroit où ils étaient couchés l'instant
d'avant une fenêtre avec un pot à lait en émail bleu, presque plus discernable dans le crépuscule, posé sur le
rebord, mais la fenêtre, quoique ouverte, vide, morte,
noire, et les deux autres, au premier étage, vides et
noires elles aussi, sans vie, eux rampant toujours à reculons dans le fossé, puis quand ils atteignirent le tournant
se redressant, s'élançant, basculant par dessus la clôture
et retombant de l'autre côté, et se tenant encore là, immobiles, tapis, écoutant leurs deux respirations de nouveau
déréglées, et pendant un moment incapables de rien percevoir d'autre, puis — rien ne se produisant — traversant courbés en deux le jardinet, franchissant une
deuxième clôture, et après (c'était un verger) de nou-

veau accroupis l'un derrière l'autre, tout contre la haie,
et de nouveau leur souffle, leur sang tumultueux, mais
ne bougeant pas encore, la lente obscurité s'épaississant
peu à peu, et dans son dos la voix d'Iglésia chuchotant
de nouveau, enrouée, furieuse, empreinte de cette espèce
de puérile indignation (et pas besoin de se retourner pour
voir ses gros yeux de poisson emplis eux aussi de cette
même stupéfaction, moroses, outragés) : « Des camionnettes du génie ! Tu parles... », Georges ne répondant pas,
ne se détournant même pas, le chuchotement indigné,
réprobateur et plaintif s'élevant de nouveau : « Merde.
Un peu plus on lui tombait dans les bras. Où est-ce que
tu regardais ? », Georges ne répondant toujours pas,
commençant à reculer le long de la haie sans quitter un
seul instant des yeux le coin de la maison de briques
là-bas, obscure entre les ténébreuses branches des
pommiers : mais il ne passait plus de camions maintenant et tout ce qu'il pouvait voir c'était la tache claire
que faisait le chiffon rose accroché à la haie non loin
du cheval, mais pas le cheval, et pas la sentinelle non
plus, seulement la tache rose luisant faiblement dans la
pénombre, puis même plus le chiffon parce qu'ils avaient
franchi encore une autre haie, toujours à reculons, la tête
toujours tournée du côté de la route, se heurtant du dos
à la haie, la main tâtonnant derrière eux, levant la jambe,
un moment à cheval sur la haie, le buste couché dessus,
et retombant de l'autre côté sans qu'un seul instant ils
aient cessé de surveiller l'angle de la maison, leurs têtes
et leurs corps absorbés pour ainsi dire par des problèmes
différents, agissant chacun pour leur compte ou, si l'on
préfère, se répartissant les tâches, leurs membres accom-

plissant spontanément et sous leur propre autorité et contrôle la suite des mouvements auxquels leurs cerveaux ne semblaient pas prêter attention, la nuit presque complète à présent, la cacophonique explosion de piaillements effrayés s'élevant soudain du poulailler dans un concert de battement d'ailes et d'air froissé, la dérisoire et déchirante protestation emplissant un moment le crépuscule, discordante, terrifiée et furibonde, comme un parodique appendice à la bataille : quelque chose avec des jurons, des mains, des bras maladroits fauchant l'air parmi les indistinctes boules rousses et hérissées voletant maladroitement, se heurtant, s'égosillant, jusqu'à ce que l'inégal combat s'apaise aussi peu à peu, prenant fin sur un dernier cri terrifié, étranglé, pitoyable, puis plus rien, seulement sans doute dans le poulailler vide la lente et silencieuse retombée des plumes éparpillées descendant en se balançant, et la voix d'Iglésia disant : « Ben merde », et un moment plus tard disant encore : « Mince, c'est au moins toute une division qui nous a défilé sous le nez, j'aurais jamais cru qu'il y en avait tant ! J'aurais jamais cru qu'ils pouvaient aller aussi vite. S'ils font la guerre assis sur des banquettes, qu'est-ce qu'on foutait là, nous, avec nos cagneux. Mince alors ! On avait bonne mine... »

III

La volupté, c'est l'étreinte d'un corps de mort par deux êtres vivants. Le « cadavre » dans ce cas, c'est le temps assassiné pour un temps et rendu consubstantiel au toucher.

MALCOLM DE CHAZAL.

Il parlait et maugréait encore, mais je fis tomber son briquet : nous tâtonnions dans le noir maintenant, trébuchant dans l'escalier de bois, naturellement le vieux n'était pas rentré et pas de canard alors, c'était à prévoir sans doute était-il en train de cuver son genièvre, il persistait comme une faible lueur dans la chambre celle qui s'attarde encore après le crépuscule on pouvait voir luire le bois du lit je me cognai contre la chaise et la fis tomber cela fit un bruit épouvantable dans la maison vide nous restâmes un moment écoutant comme si on avait pu l'entendre de la route puis je tâtonnai de nouveau dans le noir pour la ramasser posai mon fusil m'assis je vis alors qu'il s'était couché tel que sur le lit je dis Merde tu pourrais au moins retirer tes éperons, puis il n'y eut plus rien, c'est-à-dire ne me souvenant de rien, je pense que j'avais dû m'endormir là d'un bloc peut-être avant même d'avoir fini de parler, peut-être n'étais-je même pas arrivé jusqu'à éperons l'avais-je simplement pensé le néant le noir sommeil me tombant dessus comme une cloche m'ensevelissant alors que j'étais assis sur la chaise penché en avant ma main tâtonnant essayant de déboucler la courroie de mes, pensant quelle idée

nous avions eu de les remettre puisque nous avions
laissé les chevaux à l'écurie quel besoin, leurs mollettes
étaient bloquées par les caillots de sang à force de lui
avoir labouré les flancs le dimanche quand nous avions
fait ces quinze kilomètres presque tout le temps au
galop pour repasser le pont avant qu'il saute, une fois
il nous raconta qu'un de ces vieux types en pantalon
rayé tube gris moustache à la phoque et rosette à la
boutonnière l'avait payé pour qu'il le monte (Le monter ?
dis-je, Oui le monter quoi Comme un cheval Faut te faire
un dessin ? — me regardant de ses gros yeux surpris
comme si j'étais un idiot ou à peu près), Iglésia lui passant un filet dans la bouche, la cravache à la main, revêtu
de sa casaque de jockey botté et il avait dû mettre des
éperons, le type tout nu à quatre pattes sur le tapis de sa
chambre il devait le cravacher lui scier la gueule et lui
érafler le ventre de ses éperons, racontant cela de sa
même voix morose perpétuellement et naturellement
scandalisée de sorte qu'il était impossible de savoir s'il
s'indignait réellement : tout au plus trouvait-il peut-être
la chose simplement un peu incompréhensible mais pas
tant que cela après tout, dégoûtante aussi, mais pas tellement non plus, habitué qu'il était aux excentricités des
riches ayant pour eux cette complaisance songeuse plus
stupéfaite qu'outrée et un peu mais pas tellement méprisante des pauvres, putains maquerelles ou larbins ; cela
me tomba dessus comme si on m'avait jeté brusquement
sur la tête une couverture m'emprisonnant, tout à coup
tout fut complètement noir, peut-être étais-je mort peut-
être cette sentinelle avait-elle tiré la première et plus vite,
peut-être étais-je toujours couché là-bas dans l'herbe odo-

rante du fossé dans ce sillon de la terre respirant humant
sa noire et âcre senteur d'humus lappant son chose rose
mais non pas rose rien que le noir dans les ténèbres touf-
fues me léchant le visage mais en tout cas mes mains
ma langue pouvant la toucher la connaître m'assurer,
mes mains aveugles rassurées la touchant partout courant sur elle son dos son ventre avec un bruit de soie ren-
contrant cette touffe broussailleuse poussant comme
étrangère parasite sur sa nudité lisse, je n'en finissais pas
de la parcourir rampant sous elle explorant dans la
nuit découvrant son corps immense et ténébreux, comme
sous une chèvre nourricière, la chèvre-pied (il disait qu'ils
faisaient ça aussi bien avec leurs chèvres qu'avec leurs
femmes ou leurs sœurs) suçant le parfum de ses
mamelles de bronze atteignant enfin cette touffeur lappant m'enivrant blotti au creux soyeux de ses cuisses je
pouvais voir ses fesses au-dessus de moi luisant faiblement phosphorescentes bleuâtres dans la nuit tandis que
je buvais sans fin sentant cette tige sortie de moi cet
arbre poussant ramifiant ses racines à l'intérieur de mon
ventre mes reins m'enserrant lierre griffu se glissant le
long de mon dos enveloppant ma nuque comme une
main, il me semblait rapetisser à mesure qu'il grandis-
sait se nourrissant de moi devenant moi ou plutôt moi
devenant lui et il ne restait plus alors de mon corps
qu'un fœtus ratatiné rapetissé couché entre les lèvres du
fossé comme si je pouvais m'y fondre y disparaître m'y
engloutir accroché comme ces petits singes sous le ventre
de leur mère à son ventre à ses seins multiples m'enfouissant dans cette moiteur fauve je dis N'allume pas,
j'attrapai son bras au vol elle avait un goût de coquil-

lage salé je ne voulais connaître, savoir rien d'autre, rien
que lapper sa

et elle : Mais tu ne m'aimes pas vraiment

et moi : Oh bon Dieu

et elle : Pas moi ce n'est pas moi que tu

et moi : Oh bon Dieu pendant cinq ans depuis cinq
ans

et elle : Mais pas moi Je le sais pas moi M'aimes-tu
pour ce que je suis m'aurais-tu aimé sans je veux dire si

et moi : Oh non écoute qu'est-ce que ça peut faire
laisse-moi te Qu'est-ce que ça peut faire à quoi ça rime
laisse-moi je veux te

moule humide d'où sortaient où j'avais appris à
estamper en pressant l'argile du pouce les soldats fan-
tassins cavaliers et cuirassiers se répandant de la boîte
de Pandore (engeance toute armée bottée et casquée) à
travers le monde la gent d'armes ils avaient une plaque de
métal en forme de croissant suspendue au cou par une
chaîne étincelante comme de l'argent des galons des tor-
sades d'argent ça avait quelque chose de funèbre de
mortel ; je me rappelle ce pré où ils nous avaient mis ou
plutôt parqués ou plutôt stockés : nous gisions couchés
par rangées successives les têtes touchant les pieds
comme ces soldats de plomb rangés dans un carton, mais
en arrivant elle était encore vierge impolluée alors je
me jetai par terre mourant de faim pensant Les chevaux
en mangent bien pourquoi pas moi j'essayai de m'imaginer me persuader que j'étais un cheval, je gisais mort au
fond du fossé dévoré par les fourmis mon corps tout
entier se changeant lentement par l'effet d'une myriade
de minuscules mutations en une matière insensible et

alors ce serait l'herbe qui se nourrirait de moi ma chair
engraissant la terre et après tout il n'y aurait pas grand-
chose de changé, sinon que je serais simplement de l'autre côté de sa surface comme on passe de l'autre côté d'un
miroir où (de cet autre côté) les choses continuaient
peut-être à se dérouler symétriquement c'est-à-dire que
là-haut elle continuerait à croître toujours indifférente et
verte comme dit-on les cheveux continuent à pousser sur
les crânes des morts la seule différence étant que je bouf-
ferais les pissenlits par la racine bouffant là où elle pisse
suant nos corps emperlés exhalant cette âcre et forte
odeur de racine, de mandragore, j'avais lu que les nau-
fragés les ermites se nourrissaient de racines de glands
et à un moment elle le prit d'abord entre ses lèvres puis
tout entier dans sa bouche comme un enfant goulu c'était
comme si nous nous buvions l'un l'autre nous désalté-
rant nous gorgeant nous rassasiant affamés, espérant
apaiser calmer un peu ma faim j'essayai de la mâcher,
pensant C'est pareil à de la salade, le jus vert et âpre faisant mes dents râpeuses un brin effilé me coupa la langue
comme un rasoir me brûlant, par la suite l'un d'eux m'apprit à reconnaître celles que l'on pouvait manger par
exemple la rhubarbe : ils avaient aussitôt retrouvé leurs
instincts de nomades de primitifs s'arrangeant pour faire
un feu et y mettre à cuire un chien qu'ils avaient volé je
me demande à qui sans doute à un de ces imbéciles
un de ces officiers ou sous-off's embusqués dans des
bureaux ou des états-majors comme on en voyait parmi
nous dans leurs élégants uniformes intacts se croyant
bien à l'abri probablement et ramassés un beau matin
par un type ouvrant la porte d'un coup de pied et les

incitant ironiquement du canon de sa mitraillette à s'aligner dans la cour les bras au-dessus de la tête stupéfaits et ne comprenant rien à ce qui leur arrivait, on disait qu'ils en avaient pris comme ça des états-majors entiers pommadés et tirés à quatre épingles, nous ne nous privions pas de les engueuler mais ceux-là avaient trouvé plus profitable de rafler leur chien et de le mettre à la casserole se le partageant entre eux se tenant bistres ou olivâtres, énigmatiques méprisants avec leurs éblouissantes dents de loup leurs noms gutturaux et râpeux Arhmed ben Abdahalla ou Bouhabda ou Abderhamane leur parler brusque guttural et râpeux leurs corps lisses et glabres comme ceux des filles, et il y avait aussi du pissenlit sauvage mais ils en amenaient sans cesse d'autres par troupeaux entiers exténués et débraillés certains avec des casquettes civiles leurs capotes déboutonnées leur battant les mollets et bientôt le pré tout entier se trouva piétiné et souillé entièrement recouvert par les rangées de corps étendus têtes contre pieds et dans les aubes grises l'herbe aussi était grise couverte de rosée que je buvais la buvant par là tout entière la faisant entrer en moi tout entière comme ces oranges où enfant malgré la défense que l'on m'en faisait disant que c'était sale mal élevé bruyant j'aimais percer un trou et presser, pressant buvant son ventre les boules de ses seins fuyant sous mes doigts comme de l'eau une goutte cristalline rose tremblant sur un brin incliné sous cette légère et frissonnante brise qui précède le lever du soleil reflétant contenant dans sa transparence le ciel teinté par l'aurore je me rappelle ces matins inouïs pendant toute cette période jamais le printemps jamais le ciel n'avait été si pur lavé transparent, les fins de nuits froides nous nous serrions l'un contre l'autre dans l'espoir de conserver un peu de chaleur encastrés l'un dans l'autre en chien de fusil je pensais qu'il l'avait tenue comme cela mes cuisses sous les siennes cette soyeuse et sauvage broussaille contre mon ventre enfermant le lait de ses seins dans mes paumes au centre desquelles leurs bouts rose-thé mais humides brillants (quand j'éloignai ma bouche il était d'un rose plus prononcé vif comme irrité enflammé d'une matière grumeleuse meurtrie, un fil étincelant l'unissant encore à mes lèvres, je me rappelle que j'en vis un minuscule sur un brin d'herbe laissant derrière lui une traînée lumineuse et métallique comme de l'argent, si petit qu'il le faisait à peine ployer sous son poids avec sa minuscule coquille en colimaçon chaque volute rayée de fines lignes brunes son cou fait aussi d'une texture grumeleuse en même temps fragile et cartilagineuse s'étirant s'érigeant ses cornes s'érigeant mais rétractiles quand je les touchai pouvant s'ériger et se rétracter, elle qui n'avait jamais allaité désaltéré été bue par d'autres que des rudes lèvres d'homme : au centre il y avait on pouvait deviner comme une minuscule fente horizontale aux bords collés d'où pourrait couler d'où jaillissait invisible le lait de l'oubli) s'érigeant s'appliquant comme deux taches, comme les têtes des clous enfoncés dans mes paumes pensant Ils ont compté tous les os, pouvant semblait-il entendre mon squelette entier s'entrechoquer, guettant la montée de l'aube froide, agités d'un tremblement continu nous attendions le moment où il ferait suffisamment jour pour qu'on aie le droit de se lever alors j'enjambai avec précaution les corps emmêlés (on aurait dit des

morts) jusqu'à l'allée centrale où allaient et venaient les
sentinelles aux colliers de métal comme des chiens :
debout alors j'en avais encore pour un moment à trembler, grelottant, cherchant à me rappeler quelle est cette
cérémonie où ils sont tous étendus par terre rang après
rang les têtes touchant les pieds sur les dalles froides de
la cathédrale, l'ordination je crois ou la prise de voile
pour les jeunes filles les vierges étendues de tout leur
long de part et d'autre de la travée centrale où passe dans
les nuages d'encens le vieil évêque semblable à une momie
desséchée et couverte d'or, de dentelles, agitant faiblement sa main gantée d'amarante et baguée chantant d'une
voix exténuée à peine audible les mots latins disant qu'ils
sont morts pour ce monde et il paraît qu'on étend alors
un voile sur eux, l'aube uniformément grisâtre s'étendant sur la prairie et dans le bas un peu de brume sta-
gnait au-dessus du ruisseau mais ils ne nous permettaient
de nous lever que lorsque le jour était franchement là et
en attendant nous restions à grelotter tremblant de tous
nos membres étroitement encastrés enlacés je roulai sur
elle l'écrasant de mon poids mais je tremblais trop
fébrile tâtonnant à la recherche de sa chair de l'entrée
de l'ouverture de sa chair parmi l'emmêlement cette moiteur légère touffue mon doigt maladroit essayant de les
diviser aveugle mais trop pressé trop tremblant alors elle
le mit elle-même une de ses mains se glissant entre nos
deux ventres écartant les lèvres du majeur et de l'annu-
laire en V tandis que quittant mon cou son autre bras
semblait ramper le long d'elle-même comme un animal
comme un col de cygne invertébré se faufilant le long
de la hanche de Léda (ou quel autre oiseau symbolique

de l'impudique de l'orgueilleuse oui le paon sur le rideau
de filet retombé sa queue chamarrée d'yeux se balançant
oscillant mystérieux) et à la fin contournant passant sous
sa fesse repliée m'atteignant le poignet retourné posant
sa paume renversée à plat sur moi comme pour me
repousser mais à peine contenant mon impatience, puis
le prenant l'introduisant l'enfouissant l'engloutissant respirant très fort elle ramena ses deux bras, le droit entourant mon cou le gauche pressant mes reins où se
nouaient ses pieds, respirant de plus en plus vite maintenant le souffle coupé chaque fois que je retombais la
heurtais l'écrasais sous mon poids m'éloignant et la heurtant elle rebondissait vers moi et à un moment il sortit
mais elle le remit très vite cette fois d'une seule main
sans lâcher mon cou, maintenant elle haletait gémissait
pas très fort mais d'une façon continue sa voix changée
toute autre que je ne connaissais pas c'est-à-dire comme
si c'était une autre une inconnue enfantine désarmée
gémissant se faisant entendre à travers elle quelque
chose d'un peu effrayé plaintif égaré je dis Est-ce que
je t'aime ? Je la heurtai le cri heurtant sa gorge étranglé elle parvint pourtant à dire :
    Non
    Je dis de nouveau Tu ne crois pas que je t'aime, la
heurtant de nouveau mes reins mon ventre la heurtant
la frappant de nouveau tout au fond d'elle sa gorge
s'étranglant un moment elle fut incapable de parler mais
à la fin elle réussit à dire une seconde fois :
    Non
    et moi : Tu ne crois pas que je t'aime Vraiment Tu
ne crois pas que je t'aime Alors est-ce que je t'aime main-

tenant Est-ce que je t'aime dis ? la heurtant chaque fois plus fort ne lui laissant pas le temps la force de répondre sa gorge son cou ne laissant plus passer qu'un son inarticulé mais sa tête roulant furieusement à droite et à gauche sur l'oreiller parmi la tache sombre de ses cheveux faisant Non Non Non Non, ils avaient enfermé un fou dans la porcherie de la ferme en haut du pré qui leur servait de corps de garde, devenu fou dans un bombardement parfois il se mettait à crier sans fin sans but semblait-il, paisiblement non pas tempêtant et tambourinant ou frappant contre la porte simplement il criait et quelquefois dans la nuit je me réveillais l'écoutant je dis Qu'est-ce que c'est, et lui C'est le fou, toujours maussade morose il se recroquevilla essayant d'enfouir sa tête sous son manteau, je pouvais les voir, voir leurs ombres noires allant et venant silencieusement dans l'allée centrale engoncés dans leurs lourdes capotes avec leurs colliers métalliques de chien luisant parfois sous la lune, le fusil à la bretelle, battant des bras eux aussi pour se réchauffer comme des cochers de fiacres, sa voix me parvint de sous son manteau étouffée furieuse disant Si j'étais eux j'y foutrais un bon coup de crosse sur la gueule alors il arrêterait peut-être de nous emmerder il il est foutu de brailler comme ça sans arrêt toute la nuit, hurlant sans fin sans but dans les ténèbres, hurlant puis brusquement elle cessa dénoués nous gisions comme deux morts essayant sans y parvenir de reprendre notre souffle comme si avec l'air le cœur essayait de nous sortir par la bouche, morts elle et moi assourdis par le vacarme de notre sang se ruant refluant en grondant dans nos membres se précipitant à travers les ramifica-

tions compliquées de nos artères comme comment
appelle-t-on cela mascaret je crois toutes les rivières se
mettant à couler en sens inverse remontant vers leurs
sources, comme si nous avions un instant été vidés tout
entiers comme si notre vie tout entière s'était précipitée
avec un bruit de cataracte vers et hors de nos ventres
s'arrachant s'extirpant de nous de moi de ma solitude se
libérant s'élançant au dehors se répandant jaillissant sans
fin nous inondant l'un l'autre sans fin comme s'il n'y
avait pas de fin comme s'il ne devait plus jamais y avoir
de fin (mais ce n'était pas vrai : un instant seulement,
ivres croyant que c'était toujours, mais un instant seulement en réalité comme quand on rêve que l'on croit
qu'il se passe des tas de choses et quand on rouvre les
yeux l'aiguille a à peine changé de place) puis cela reflua
se précipitant maintenant en sens inverse comme après
avoir buté contre un mur, quelque infranchissable
obstacle qu'une petite partie seulement de nous-mêmes
aurait réussi à dépasser en quelque sorte par tromperie
c'est-à-dire en trompant à la fois ce qui s'opposait à ce
qu'elle s'échappe se libère et nous-mêmes, quelque chose
de furieux frustré hurlant alors dans notre solitude frus-
trée, de nouveau emprisonné, heurtant avec fureur les
parois les étroites et indépassables limites, tempêtant,
puis peu à peu cela s'apaisa et au bout d'un moment elle
alluma, je fermai vivement les yeux tout était marron
puis marron rouge je les gardai fermés j'entendis l'eau
couler argentine emportant dissolvant... (je pouvais l'entendre argentine glacée et noire dans la nuit sur le toit
de la grange dégorgeant des chéneaux on aurait dit que
dans l'obscurité la nature les arbres la terre entière était

265

en train de se dissoudre noyée diluée liquéfiée grignotée
par ce lent déluge alors je décidai d'y aller moi aussi de
les rejoindre chez le boiteux qui nous avait invités pour la
soirée au lieu de monter m'étendre dans le foin marron
ou de m'en retourner boire au café ; Wack n'avait pas
cessé de le veiller, ce n'était pas lui le garde d'écurie pour
ce soir et pourtant il restait là : il me regarda passer sans rien dire et sortir dans la pluie noire mais pas
plus que pendant la journée je ne réussis à la voir, les
trouvant déjà installés, trois avec le boiteux autour de
la table, Iglésia et un autre discutant à mi-voix avec le
valet à côté du fourneau ; seulement elle n'était pas là,
debout sur le seuil je la cherchai des yeux, mais elle
n'était pas là et à la fin je demandai si c'était le soviet
des soldats et des paysans, mais ils tournèrent vers moi
leurs regards méfiants désapprobateurs je leur dis de ne
pas se déranger je leur dis que je n'avais jamais pu
apprendre à jouer à autre chose qu'à la bataille et j'allai
m'asseoir à côté du fourneau : dessus il y avait une grosse
cafetière en fer émaillé et la table sur laquelle ils jouaient
était recouverte d'une toile cirée jaune aux dessins rouges
représentant des palmiers des minarets des cavaliers à
yatagans et des femmes à la fontaine remplissant ou
portant sur leurs épaules des urnes aux formes allongées,
chaque fois que l'un des joueurs abattait une carte il la
tenait d'abord en l'air une ou deux secondes puis la pla-
quait d'un geste (triomphal, furieux ?) sur la table qu'il
heurtait violemment du poing, puis je la vis : non pas
elle, cette blancheur, cette espèce de suave et tiède apparition entrevue le matin dans le clair-obscur de l'écurie,
mais pour ainsi dire son contraire ou plutôt sa négation

ou plutôt sa corruption la corruption même de l'idée de
femme de grâce de volupté, son châtiment : une effroya-
ble vieille à profil et barbiche de bouc la tête agitée d'un
tremblement continu et qui tourna vers moi quand je
m'assis auprès d'elle sur le banc derrière le fourneau deux
prunelles bleu pâle presque blanches comme liquéfiées
m'observant m'épiant un moment sans cesser de mâchon-
ner, de ruminer, son bouc grisâtre montant et descendant, puis se penchant vers moi approchant de mon
visage jusqu'à le toucher son masque jaune et desséché
(comme si j'étais là dans cette cuisine de paysans victime
de quelque enchantement — et en fait il y avait quelque
chose comme cela ici dans ce pays perdu coupé du
monde avec ces vallées profondes d'où parvenait seul un
faible tintement de cloches ces prés spongieux ces pen-
tes boisées roussies par l'automne couleur rouille ;
c'était cela : comme si le pays tout entier enfermé dans
une sorte de torpeur de charme noyé sous la nappe
silencieuse de la pluie se rouillait se dépiotait rongé pou-
rissant peu à peu dans cette odeur d'humus de feuilles
mortes accumulées s'entassant se putréfiant lentement,
et moi le cavalier le conquérant botté venu chercher au
fond de la nuit au fond du temps séduire enlever la liliale
princesse dont j'avais rêvé depuis des années et au
moment où je croyais l'atteindre, la prendre dans mes
bras, les refermant, enserrant, me trouvant face à face
avec une horrible et goyesque vieille...) disant : Je l'ai
bien reconnu. Ouais. 'vec sa barbe !

et l'un d'eux s'arrêtant de parler avec le valet, me
regardant me clignant de l'œil par dessus le fourneau,
disant T'as fait une touche

et moi C'est pour ça que je suis venu

et lui Seulement elle n'avait peut-être pas tout à fait le même âge

et moi A peu près dans les deux cents ans de moins. Mais ça ne fait rien. Qu'est-ce que vous avez vu grand-mère ?

elle se pencha encore plus jeta un rapide coup d'œil dans la direction du boiteux, des joueurs toujours occupés à jeter bruyamment leurs cartes sur la table : Le Jésus dit-elle. Le Jésus. Le Christ. Mais c'est un malin.

par dessus le fourneau je le regardai il me cligna le nouveau de l'œil Je crois bien dis-je C'est le plus malin de tous Où est-il ?

Dans les chemins

Oui ? Comment ça ?

Avec sa barbe dit-elle Et un bâton

Je l'ai vu aussi dis-je

Il a toujours son bâton Il a voulu me battre

Putain de bon Dieu, cria le boiteux en se retournant T'as donc jamais fini de raconter tes bêtises Tu peux pas aller te coucher hein

Merd' dit la vieille. Les trois soldats assis à la table éclatant de rire, pendant un moment la vieille se tenant coite observant le boiteux attendant qu'il reprenne ses cartes tapie recroquevillée sur son banc ses petits yeux décolorés bordés de rose brillant d'un éclat méchant haineux, Cocu ! dit-elle, (parlant toujours entre ses dents, marmonnant encore :) Ils sont méchants Je suis toute seule, répétant Cocu ! et encore Cocu ! mais ils avaient recommencé à jouer, elle me jeta un regard triomphant se pencha de nouveau vers moi, L'a chassé avec son fusil, dit-elle, L'a pris son fusil mais l'est cocu quand même. Par dessus le poêle je le regardai de nouveau et de nouveau il me cligna de l'œil

Il peut bien l'enfermer dans sa chambre dit-elle avec un petit rire Elle se pencha davantage me poussa du coude ses petits yeux de morte aux coulées jaunâtres riant silencieusement Mais il y a pas qu'une clef dit-elle

Quoi

Il y a pas qu'une clef

Qu'est-ce que tu racontes encore, cria le boiteux Va donc te coucher ! Elle sursauta s'écarta précipitemment se rencogna silencieusement à l'autre bout du banc sans cesser pourtant de me faire des signes grimaçant les yeux toujours tournés vers moi haussant les sourcils tandis que sa bouche muette dessinait la forme des mots disant sans bruit Méchants, Méchants, tordant sa hideuse face de chèvre)... puis le lit fléchit de nouveau sous son poids je continuai à les garder fermés essayant de retenir de conserver cette obscurité sans limites sous mes paupières elle passait alternativement du marron au rougeâtre puis au pourpre puis un noir violacé des marbrures des taches floues se formaient et se déformaient glissant lentement des sortes de pâles soleils s'allumant et s'éteignant poilus je savais qu'elle avait laissé la lampe allumée et qu'elle me regardait me scrutait avec cette attention aiguisée et perspicace qu'elles peuvent mettre en œuvre j'enfouis mes joues mon front dans son aisselle pouvant maintenant entendre l'air pénétrer en elle, creuse, à chaque inspiration puis s'exhaler son cœur battait encore vite peu à peu il ralentit, les yeux toujours fermés je me laissai glisser le long d'elle longeant son

flanc son ventre se soulevait et s'abaissait palpitait
comme une délicate gorge d'oiseau (le paon palpitant tout
entier avec le rideau son cou galbé s'infléchissant en
forme d'S et surmonté de la petite tête bleue ornée d'un
éventail de plumes le rideau continuant à osciller après
qu'elle l'eut laissé retomber palpitant comme une chose
vivante comme la vie qui se cachait derrière, j'avais levé
la tête une fraction de seconde trop tard avais-je vu
n'avais-je pas vu seulement cru voir la moitié d'un visage
la main qui s'étaient vivement retirés le laissant retomber seule maintenant la longue queue de l'oiseau continuait à se balancer puis elle s'immobilisa elle aussi, et le
lendemain non plus nous ne réussîmes pas à l'apercevoir,
le cheval était mort pendant la nuit et nous l'enterrâmes
au matin dans un coin du verger dont les arbres aux
branches noires vernies par la pluie presque complètement dépouillées de leurs feuilles à présent s'égout-
taient dans l'air humide : nous hissâmes le corps sur un
charreton et le fîmes basculer dans la fosse et tandis que
les pelletées de terre l'ensevelissaient peu à peu je le
regardai osseux lugubre plus insecte plus mante religieuse que jamais avec ses pattes de devant repliées
son énorme tête douloureuse et résignée qui peu à peu
disparut emportant sous la lente et sombre montée de
la terre que jetaient nos pelles l'amer ricanement de ses
longues dents découvertes comme si par delà la mort il
nous narguait prophétique fort d'une connaissance
d'une expérience que nous ne possédions pas, du déce-
vant secret qu'est la certitude de l'absence de tout secret
et de tout mystère, puis la pluie se remit à tomber et
quand l'ordre de départ arriva elle tombait dru interpo-

sant entre l'autre versant de la vallée et nous un voile gris presque opaque tandis qu'assis dans la grange tout équipés les chevaux sellés nous attendions le signal du rassemblement regardant dans l'encadrement de la porte le rideau la herse d'argent qui se déversait du toit creusant dans le sol un mince sillon parallèle au seuil et un peu en avant (à la verticale du toit) où les cailloux apparaissaient nus lavés déchaussés, l'air pénétrant humide glacé une épaisse buée bleuâtre s'échappant de nos bouches quand nous parlions, sur le rideau le paon se tenait toujours immobile énigmatique, tout en parlant nous levions parfois furtivement les yeux vers lui, le visage livide de Blum ressemblait à un cachet d'aspirine sous ses cheveux noirs avec seulement les deux taches de ses yeux noirs et fiévreux il tenait son casque à la main sa tête son cou maigre sortaient bizarrement nus du col de son manteau de cet équipement guerrier de drap raide de cuir de courroies à l'intérieur duquel il semblait se tenir fragile et délicat comme à l'intérieur d'une carapace

on partira pas dit Wack Y a déjà une heure qu'on attend je parie qu'on partira pas Ils vont nous faire rester toute la journée comme ça et puis à minuit ils viendront nous dire de desseller et d'aller nous coucher

commence pas à pleurer dit Blum

je pleure pas dit Wack seulement je fais pas le malin c'est tout je

bon Dieu dis-je je donnerai cher pour avoir cette clef

quelle clef dit Wack

Le paon ne bougeait toujours pas

la clef des champs dit Iglésia. Nous regardions tou-

271

jours au-delà de la herse de pluie la maison silencieuse les fenêtres closes la porte fermée la façade semblable à un impénétrable visage, de temps en temps une feuille du gros noyer se détachait venait mollement s'affaler sur le sol presque noire déjà rongée pourrie

je parie que c'est cet adjoint dit Blum

c'est pas vrai dit Wack Elle l'a chassé Elle a décroché le fusil quand il est rentré dans sa chambre

tiens ? dit Blum Parce qu'il est rentré dans sa chambre ?

j'en sais rien dit Wack Pourquoi tu vas pas i demander

il n'en sait rien dit Iglésia Alors de quoi tu causes de rien dit Wack

Wack a fait copain avec leur valet dit Iglésia Ce type qui ressemble à un ours

entre ours on se comprend dit Blum

je t'emmerde dit Wack

allons dis-je Te fâche pas Tu l'as aidé à rentrer ses patates alors il t'a aidé à savoir ce qui se passait Raconte-nous ça

il m'a toujours pas aidé à faire crever un cheval dit Wack

ça va dit Iglésia c'est pas toi qui étais obligé de le monter

c'est pas moi non plus qui l'ai fait crever dit Wack oh ta gueule dis-je

laisse-le dit Blum Si ça l'amuse. Il se tourna vers lui : Alors c'est l'adjoint ?

pourquoi tu vas pas i demander toi-même dit Wack alors c'est lui ?

c'est un vieil ami de la famille dis-je C'est le meilleur ami de la famille Il les aime beaucoup Il les a toujours beaucoup aimés

mais elle l'a chassé à coups de fusil dit Blum

c'est une famille de chasseurs dis-je

ça c'est ce que raconte l'ours dit Blum Ce n'est pas ce que dit la vieille

c'te vieille folle dit Wack

peut-être qu'elle confond dis-je Peut-être qu'elle croit que c'est encore l'autre

quel autre ? dit Blum

j'croyais que tu savais tout dit Wack

il y en avait un autre ? dit Iglésia

La herse d'eau coulait sans discontinuer, comme des fils d'argent, comme des traits métalliques parallèles barrant l'entrée de la grange, quelque part un chéneau dégorgeait à pleine bouche avec un bruit de lointaine cataracte : C'est pour ça qu'il a pris son fusil dis-je Pour l'empêcher d'entrer

rentrer où dit Wack

oh là là dit Blum Tu ne comprends donc rien ? Dans la maison parce qu'il voulait aussi rentrer dans la maison

puisque tu dis qu'il a une autre clef dit Wack

mais en plein jour au vu et au su de tous de plein droit sous prétexte de montrer les chambres aux margis entrant en maître tu ne comprends décidément rien de rien non ?

c'est un homme d'intérieur dit Blum Il aime rentrer tout partout

je comprends rien à ce que vous racontez dit Wack

Vous vous croyez trop malins Moi je vous dis vous vous cr
    seulement l'autre doit veiller sur sa famille dis-je
    qui
    le boiteux c'est une question d'honneur
    ouais dit Blum Je ne savais pas que l'honneur était
fendu par le milieu avec du poil autour
    espèce de con dit Wack
    voilà le mot que je cherchais Je l'avais sur le bout
de la langue mais je ne le trouvais pas Ces types de la
campagne quand même ils n'ont l'air de rien et puis tout
à coup
    et les youpins de la ville dit Wack de quoi ils ont
l'air ?
    oh dis-je tu vas la fermer ?
    tu crois que tu me fais peur dit Wack
    Un lacis de rigoles emmêlées courait sur le sable
blond du chemin le bord du talus s'effritait peu à peu se
dépiotait glissait en de minuscules et successifs éboule-
ments qui obstruaient un moment un des bras du réseau
puis disparaissaient attaqués rongés emportés le monde
entier s'en allait avec un murmure continu de source de
gouttes se poursuivant le long des branches luisantes se
rattrapant se rejoignant se détachant tombant avec les
dernières feuilles les derniers vestiges de l'été des jours
à jamais abolis qu'on ne retrouve ne retrouve jamais
qu'avais-je cherché en elle espéré poursuivi jusque sur
son corps dans son corps des mots des sons aussi fou
que lui avec ses illusoires feuilles de papier noircies de
pattes de mouches des paroles que prononçaient nos
lèvres pour nous abuser nous-mêmes vivre une vie de
sons sans plus de réalité sans plus de consistance que ce

rideau sur lequel nous croyions voir le paon brodé remuer palpiter respirer imaginant rêvant à ce qu'il y avait derrière n'ayant même pas vu sans doute le visage coupé en deux la main qui l'avait laissé retomber épiant passionnément le faible mouvement d'un courant d'air), elle dit A quoi penses-tu ? je dis A toi, elle dit de nouveau Non Dis-moi à quoi tu penses, je dis A toi tu le sais bien, je posai la main sur elle juste au milieu c'était comme du duvet de légères plumes d'oiseau un oiseau dans la main mais aussi un buisson proverbe anglais elle dit Pourquoi fermes-tu les yeux, je les ouvris la lumière était toujours allumée elle était couchée sur le dos une jambe légèrement ouverte l'autre repliée haute comme une montagne au-dessus de moi le pied à plat sur le drap froissé et en arrière un peu plus bas que la cheville la peau plus épaisse à cet endroit faisait trois plis horizontaux au-dessus du talon légèrement teinté d'orangé, ma joue sur la face interne de l'autre cuisse qui dans cette position devenait la face supérieure je pouvais voir à l'endroit où elle s'attachait au corps sous les poils légers qui commençaient là le renflement formé par le tendon qui traverse l'aine en diagonale, la peau très blanche en haut de la cuisse se teintant d'un bistre clair à partir de l'aine, les lèvres de la fente d'un bistre plus prononcé avant l'endroit où commence la muqueuse comme s'il restait persistait là mal effacé quelque chose de nos ancêtres sauvages primitifs sombres s'étreignant s'accouplant roulant nus violents et brefs dans la poussière les fourrés : dans cette posture elle était à peine ouverte, on voyait un peu de mauve pâle comme un ourlet une doublure dépassant légèrement, la couleur bistre allant

275

encore s'accentuant plus prononcée fauve à mesure que le regard descendait vers les replis on aurait dit une étoffe une soie légèrement teintée pincée du dedans par deux doigts le haut dessinant comme une boucle ou plutôt une fronce une boutonnière de chair, elle dit A quoi penses-tu réponds-moi Où es-tu ? de nouveau je posai ma main dessus : Ici, et elle : Non, et moi : Tu trouves que je ne suis pas là ? J'essayai de rire, elle dit Non pas avec moi Tout ce que je suis pour toi c'est une fille à soldats quelque chose comme ce qu'on voit dessiné à la craie ou avec un clou sur les murs des casernes dans le plâtre effrité : un ovale partagé en deux et des rayons tout autour comme un soleil ou un œil vertical fermé entouré de cils et même pas de figure..., je dis Oh arrête veux-tu est-ce que tu peux comprendre est-ce que tu peux imaginer que pendant cinq ans je n'ai rêvé que de toi, et elle : Justement, et moi : Justement ? et elle : Oui Laisse-moi, elle essaya de se dégager je dis Qu'est-ce que tu as Qu'est-ce qui te prend ? elle essayait toujours de se dégager et de se lever, elle pleurait, elle dit encore une fois Des dessins comme en font les soldats, des propos de soldats, je les écoutais continuer à se disputer dans le soir regardant tomber le jour la pluie, Blum dit qu'il boirait bien quelque chose de chaud et Wack lui dit que puisqu'il était si malin pourquoi n'allait-il pas frapper à la maison et demander qu'elle lui fasse un peu de café, et Blum dit qu'il n'aimait pas les fusils qu'il en portait un sur le dos mais qu'il n'avait jamais eu des goûts de chasseur encore moins de gibier et que ce boiteux avait l'air d'avoir une telle envie de se servir du sien, disant « Après tout il a bien le droit de tirer son coup lui aussi

quand tout le monde tout partout brandit sa petite
pétoire Après tout c'est la guerre » mais à présent je
n'entendais plus que sa voix il faisait noir de nouveau
et on ne voyait plus rien et toute la connaissance du
monde que nous pouvions avoir c'était ce froid cette eau
qui maintenant nous pénétraient de toutes parts, ce
même ruissellement obstiné multiple omniprésent qui se
mélangeait semblait ne faire qu'un avec l'apocalyptique
le multiple piétinement des sabots sur la route, et caho-
tés sur nos montures invisibles nous aurions pu croire
que tout cela (le village la grange la laiteuse apparition
les cris le boiteux l'adjoint la vieille folle tout cet obscur
et aveugle et tragique et banal imbroglio de personnages
déclamant s'injuriant se menaçant se maudissant trébuchant dans les ténèbres tâtonnant jusqu'à ce qu'ils finissent par se cogner contre un obstacle une machine
cachée là dans l'obscurité (et même pas pour eux, même
pas spécialement à leur intention) qui leur exploserait en
pleine figure en leur laissant juste le temps d'entrevoir
pour la dernière fois (et probablement la première) quelque chose qui ressemble à de la lumière) que tout cela
n'avait existé que dans notre esprit : un rêve une illusion
alors qu'en réalité nous n'avions peut-être jamais arrêté
de chevaucher chevauchant toujours dans cette nuit ruisselante et sans fin continuant à nous répondre sans nous
voir... Alors peut-être avait-elle raison après tout peut-être
disait-elle vrai peut-être étais-je toujours en train de lui
parler, d'échanger avec un petit juif maintenant mort
depuis des années des vantardises des blagues des obscénités des mots des sons rien que pour ne pas nous endormir nous donner le change nous encourager l'un l'autre,

Blum disant maintenant : Mais peut-être ce fusil n'était-il même pas chargé peut-être ne savait-il même pas comment on s'en sert Les gens aiment tellement faire de la tragédie du drame du roman

et moi : Mais peut-être était-il chargé quelquefois ça arrive On en voit tous les matins dans les journaux

Alors il faudra acheter le journal demain il y aura au moins quelque chose d'intéressant à lire

Je croyais que cette guerre t'intéressait Je me figurais même que tu y étais directement intéressé

Pas à quatre heures du matin à cheval sur une carne et sous la pluie

Tu crois qu'il est quatre heures du matin Tu crois qu'il finira tout de même par faire jour ?

Est-ce que ce n'est pas le jour qui se lève Qu'est-ce qu'on voit d'un peu moins noir là-bas à droite

Où ? Où vois-tu quelque chose dans cette espèce de chaudron

De temps en temps on voit une plaque claire

C'est peut-être de l'eau Peut-être que c'est la Meuse Ou le Rhin

Ou l'Elbe

Non pas l'Elbe on l'aurait su

Bon alors quoi ?

Une rivière qu'est-ce que ça peut faire

Quelle heure crois-tu qu'il peut être

Qu'est-ce que ça peut faire

Il doit bien y avoir trois jours qu'on est dans ce wagon

Alors mettons que ce soit l'Elbe

Les deux voix sans visage alternant se répondant

dans le noir sans plus de réalité que leur propre son,
disant des choses sans plus de réalité qu'une suite de
sons, continuant pourtant à dialoguer : au commencement seulement deux morts en puissance, puis quelque
chose comme deux morts vivants, puis l'un d'eux véritablement mort et l'autre toujours vivant (à ce qu'il paraissait, pensa Georges, et à ce qu'il paraissait aussi cela ne
valait guère mieux), et tous deux (celui qui était mort et
celui qui se demandait s'il ne valait pas mieux être mort
pour de bon puisque au moins on ne le savait pas) pris,
enserrés par cette chose à la fois immobile et mouvante
qui rabotait lentement sous son poids la surface de la
terre (et peut-être était-ce cela que Georges continuait
toujours à percevoir, comme un glissement, un raclement
imperceptible, monstrueux et continu derrière le menu et
patient piétinement des sabots : cette olympienne et
froide progression, ce lent glacier en marche depuis le
commencement des temps, broyant, écrasant tout, et
dans lequel il lui semblait les voir, lui et Blum, raides et
glacés, juchés avec leurs bottes, leurs éperons, sur leurs
carnes exténuées, intacts et morts parmi la foule des
fantômes debout eux aussi dans leurs costumes aux couleurs suaves et fanées s'avançant tous à la même imperceptible vitesse comme un cortège figé de mannequins
oscillants par saccades sur leurs socles, uniformément
englobés dans cette épaisseur glauque à travers laquelle il
essayait de les deviner, de les préciser, se répétant à l'infini
dans les vertes profondeurs des miroirs), la voix pathétique et bouffonnante de Blum disant : « Mais qu'en sais-
tu ? Tu ne sais rien. Tu ne sais même pas si ce fusil était
chargé. Tu ne sais même pas si ce coup de pistolet n'est

pas parti par hasard. Nous ne savons même pas quel temps il faisait ce jour-là, si c'était de la poussière ou de la boue qui le recouvrait, lui revenant bredouille avec son stock de bons sentiments invendus, et non seulement invendus mais accueillis à coups de pétoires, et trouvant sa femme (c'est-à-dire ton arrière-arrière-arrière-grand-mère qui n'est plus maintenant que quelques ossements friables dans une robe de soie flétrie au fond d'un caveau dans un cercueil lui-même mangé par les vers, de sorte que l'on ne sait pas non plus si la fine poudre jaunâtre qui se trouve dans les plis de taffetas est d'os ou de bois, mais qui alors était jeune, était chair, avait un ventre ombreux, des seins lilas, des lèvres, des joues avivées par le plaisir par dessus ces os jaunis), trouvant donc sa femme occupée à mettre en pratique ces principes naturistes et effusionnistes dont n'avaient pas voulu les Espagnols... »

Et Georges : « Mais non, il... »

Et Blum : « Non ? Tu as pourtant toi-même reconnu qu'il planait là-dessus dans ta famille une sorte de doute : d'embarras, de pudique silence. Ce n'est tout de même pas moi qui ai parlé de gravure galante, de porte enfoncée d'un coup d'épaule, de confusion, de cris, de désordre, de lumières dans la nuit... »

Et Georges : « Mais... »

Et Blum : « Et ne m'as-tu pas dit que sur ce second portrait, cette miniature, ce médaillon qui datait d'après sa mort à lui, tu ne l'avais pour ainsi dire pas reconnue, qu'il a fallu que tu lises plusieurs fois le nom et la date écrits au dos pour t'en convaincre, que tu... »

Et Georges : « Oui. Oui. Oui. Mais... » (elle avait un

peu grossi entre les deux, c'est-à-dire qu'elle avait pris
cette sorte de voluptueux embonpoint, s'était en quelque
sorte épanouie, comme il arrive aux jeunes filles après
leur mariage, un peu empâtée peut-être, mais toute sa
personne exhalant — dans ce costume qui était comme
une négation de costume, c'est-à-dire une simple robe,
c'est-à-dire une simple chemise, et à demi transparente,
et qui la laissait à demi nue, ses tendres seins offerts sou-
lignés par un ruban, et jaillissant presque complètement
hors de l'impalpable tissu d'un rose parme — quelque
chose d'impudique, de repu et de triomphant, avec cette
tranquille opulence des sens et de l'âme tout ensemble
apaisés et rassasiés — et même gorgés — et ce sourire
indolent, candide, cruel, que l'on peut voir sur certains
portraits des femmes de cette époque (mais peut-être
était-ce seulement l'effet d'une mode, d'un style, l'habileté, le savoir-faire, le conformisme du peintre habitué à
représenter du même pinceau ou du même voluptueux
crayon les mères de famille et les lascives odalisques
mollement abandonnées sur les coussins des bains
turcs ?) aux cous flexibles, aux gorges de colombes, et très
certainement ce n'était plus là la même femme que celle,
un peu sèche, un peu guindée, apprêtée, corsetée, balei-
née et parée de durs et froids bijoux, qui avait posé dans
la lourde robe à crevées, Georges pensant : « Oui, comme
si elle avait été, entre temps, libérée, comme si sa mort
à lui l'avait... »), et entendant de nouveau la voix de Blum
(s'élevant, ironique, et même sarcastique, mais sans
s'adresser, semblait-il, à qui que ce fût, sinon peut-être au
fond de sa gamelle, avec laquelle il semblait parler, dialoguer, s'entretenir avec tendresse, sollicitude, et Georges

se demandant jusqu'à quel point un homme pouvait mai-
grir sans pour cela disparaître, être anéanti par ce qui
serait le contraire, en quelque sorte, d'une explosion :
une aspiration de la peau, de l'être tout entier, vers l'intérieur, une succion, car Blum était alors d'une maigreur
véritablement effrayante, les yeux enfoncés, sa pomme
d'Adam pointue, saillant à trouer la peau, sa voix ironique comme décharnée elle aussi disant :) « Mais est-ce
que par hasard il n'avait pas traîné, en plus de ses idées
genevoises, quelque autre tare, quelque malformation
honteuse ? Est-ce qu'il n'était pas aussi boiteux, ou pied-
bot ou quelque chose de ce genre : ça se portait pas mal
dans ce temps-là chez les nobles marquis, évêques réné-
gats ou ambassadeurs. Après tout tu ne l'as jamais vu
qu'en peinture et en buste, avec son fusil de chasse à
deux coups sur l'épaule, comme l'autre Othello bancal de
village. Peut-être après tout qu'il boitait. Simplement. Que
ça lui avait donné un complexe, qu'il... », et Georges :
« Peut-être », et Blum : « Ou peut-être encore avait-il
simplement des dettes, peut-être l'affreux juif local le
tenait-il solidement avec quelque bon billet à ordre. Les
nobles seigneurs, tu sais, ça vivait surtout d'emprunts.
Ils étaient essentiellement animés de purs et généreux
sentiments mais ils ne savaient pas faire grand'chose
d'autre que des dettes, et sans la Providence que consti-
tuait pour eux l'usurier juif aux doigts crochus ils n'auraient sans doute pas su accomplir grand'chose, sinon
peut-être ce genre d'exploits qu'on raconte ensuite
orgueilleusement dans les familles, pour la noblesse du
geste, pour épater les relations, pour le prestige, la tradition, pour que cent cinquante ans plus tard un de ses

petits-fils parte à la guerre en amenant avec lui celui —
une sorte de domestique ou faisant fonction — qui avait
chevauché, sailli sa femme ni plus ni moins qu'une
jument, vivant l'un à côté de l'autre pendant tout un
automne, et tout un hiver, et la moitié d'un printemps
sans échanger un mot (excepté à l'occasion d'un cheval
qui boite ou d'une question de service) jusqu'à ce qu'ils
finissent par se trouver tous deux, l'un suivant toujours
fidèlement l'autre, ou l'un réussissant à se faire fidèlement suivre par l'autre, sur cette route où c'était non
plus la guerre, comme tu l'as dit, mais de l'assassinat, du
coupe-gorge, et où n'importe lequel des deux aurait pu
descendre l'autre d'un coup de flingue ou de revolver
sans jamais avoir de compte à rendre à personne, et
même alors, dis-tu, ils ne se parlèrent pas (peut-être tout
simplement parce qu'ils n'en éprouvaient le besoin ni
l'un ni l'autre : ce n'est sans doute pas plus compliqué
que cela), se tenant l'un l'autre à distance comme il convenait à la fois à leurs grades et à leurs conditions socia-
les respectives, comme deux étrangers, même dans cette
arrière-cour d'estaminet de campagne où il vous a payé
à boire un demi bien frais à peu près cinq minutes avant
de recevoir cette giclée de mitraillette, comme il aurait
payé un verre après une monte gagnante à la buvette des
jockeys, ce qui fait que par les trous il est peut-être sorti
non du sang mais des jets de bière, c'est peut-être ce que
tu aurais vu si tu avais bien regardé, la statue équestre du
Commandeur pissant des jets de bière, transformée en
fontaine de bière flamande sur le piédestal de son...», mais
ne finissant même pas, uniquement préoccupé maintenant, acharné à racler les dernières traînées de soupe

aigre, écœurante, à goût de métal, au fond de sa gamelle, et Georges se taisant, le regardant, c'est-à-dire, maintenant, derrière le crâne baissé, les deux tendons de la nuque comme deux cordes étirées, saillant, sa voix, sa bouche baissée parlant pour ainsi dire à présent dans sa gamelle, disant : « Comme ça devait être chouette d'avoir autant de temps à perdre, comme ça doit être chouette d'avoir tellement de temps à sa disposition que le suicide, le drame, la tragédie deviennent des sortes d'élégants passe-temps », disant : « Mais chez moi on avait trop à faire. Dommage. Je n'ai jamais entendu parler d'un de ces distingués et pittoresques épisodes. Je me rends compte que c'est une lacune dans une famille, une déplorable faute de goût, non pas qu'il n'y ait pas eu un ou deux ou peut-être même plusieurs Blum qui aient dû être tentés de le faire un jour ou l'autre, mais sans doute n'ont-ils pas trouvé un moment, la minute nécessaire, pensant sans doute Je le ferai demain, et remettant de jour en jour parce que le lendemain il fallait de nouveau se lever à six heures et se mettre aussitôt à coudre ou tailler ou porter des ballots de tissus enveloppés dans un carré de serge noire : après la guerre il faudra que tu viennes me voir, je te ferai visiter ma rue, il y a d'abord un magasin peint en jaune imitation bois avec écrit en lettres dorées sur fond de verre noir au-dessus des vitrines : Draperie Tissus Maison ZELNICK Gros Détail, et à l'intérieur rien que des rouleaux de tissus, mais pas comme dans ces magasins où un élégant vendeur parfumé sort des rayons une mince planche de bois sur laquelle est enroulée une fine draperie qu'il déploie avec des gestes élégants : des rouleaux à peu près de l'épais-

seur d'un vieux tronc d'arbre, et à peu près de quoi, dans
un seul, habiller dix familles, et des tissus laids, épais
et sombres, et le magasin où il fait nuit en plein jour est
éclairé par six ou sept de ces globes dépolis pendant au
bout d'un tuyau de plomb dans lequel on s'est seulement
contenté de faire passer un fil électrique à la place du
gaz mais ce sont toujours les mêmes globes depuis cinquante ou soixante ans, et le magasin suivant est peint
d'une couleur rougeâtre cette fois, se différenciant aussi
du précédent par un soubassement en imitation marbre,
vert à veinules vert clair, la raison sociale s'étalant toutefois sur le même fond de verre noir avec les mêmes lettres
dorées, et cette fois c'est : Gros Doublures Lainages
Z. DAVID et Cie Draperie Française, et à l'intérieur les
mêmes énormes troncs d'arbres aux enroulements concentriques de tissus tristes, utilitaires et laids, et la boutique suivante est de nouveau peinte de ce jaune pisseux
imitation bois, et cette fois c'est : Draperies WOLF Doublures, après quoi il y a une large porte cochère au-dessus de laquelle un cartouche allongé porte l'enseigne :
Location de voitures à bras Charbons, du bougnat qui est
au fond de la cour, et au-dessus de l'enseigne, dans
l'étroit demi-cercle que dessine le haut de la porte, il y a
une fenêtre à peu près carrée qui doit correspondre à
une pièce située au-dessus du porche et dans laquelle je
me suis toujours demandé comment un type pouvait se
tenir debout et qui est cependant habitée puisqu'il y a
des rideaux de tulle et des plantes vertes dans des pots
accrochés à la petite balustrade de fer, après quoi le
mur lui-même est recouvert d'une peinture brun-rou-
geâtre, et également la boutique qui vient après le por-

che, portant comme enseigne en caractères gothiques :
Vins Fins La Vieille Cave Liqueurs, puis de nouveau une
devanture en imitation bois, jaune : Tissus Gros et
Demi-Gros SOLINSKI Confection pour Hommes et Jeunes
Gens, et après c'est le coin de la rue et en face le bistrot :
Café AU VOLTIGEUR Tabac, écrit en rouge sur fond blanc,
la devanture rouge sombre avec des panneaux rouge
clair, la porte en pan coupé sur l'angle des deux rues,
et celle-là ouverte en permanence, sauf quand il fait très
froid, de sorte qu'on peut toujours y voir deux ou trois
types accoudés devant le zinc (mais pas des gens de la
rue : des ouvriers, des encaisseurs, des représentants
venus là faire une réparation ou leur tournée) et luire les
percos bien astiqués, et la serveuse derrière le
zinc, une boîte aux lettres bleue à gauche de la
porte, et au-dessus de la boîte, peint verticalement en
lettres jaunes sur le fond rouge, de nouveau le mot TABAC,
et de l'autre côté, c'est-à-dire à droite de la porte, un panneau étroit et haut, gris, avec un losange vertical rouge
dans lequel, encore une fois, est écrit, en jaune, le mot
TABAC, et au-dessous PAPIERS, TIMBRES, puis au-dessous
deux espèces d'astragales calligraphiées au pinceau, deux
doubles boucles, puis encore au-dessous TÉLÉPHONE, puis
après le café une boutique, ou plutôt pas une boutique
car il n'y a pas à proprement parler de devanture mais
simplement une grande fenêtre et une porte, le mur de la
maison peint jusqu'au premier étage en marron avec, en
lettres blanches : MANUF^re d'Ouate, Cotons cardés et
Epaulettes en tous genres, Demi-Gros, Spécialités pour
Tailleurs, Fourreurs, Casquettiers, Fleuristes, Gainiers,
Maroquiniers, Polisseurs, Carrossiers, Bijoutiers, etc....,

je pourrais continuer, te réciter tout ça par cœur, à l'envers, en prenant par le milieu ou par le bout que tu voudras, j'ai vu ça pendant vingt ans de notre fenêtre du matin au soir, ça et les gens en blouses grises cheminant chargés comme des fourmis de ces énormes rouleaux de tissus comme s'ils passaient leur temps à les porter et à les remporter sans fin d'une boutique à l'autre, d'un arrière-magasin à un autre, et dans toutes les maisons les lumières sont allumées de six heures du matin jusqu'à onze heures ou minuit sans interruption, et si elles s'éteignent c'est qu'on n'a pas encore trouvé le moyen de passer vingt-quatre heures sur vingt-quatre à tirer sur une aiguille ou manier des ciseaux ou porter des rouleaux de tissus ou fabriquer des rembourrages d'épaulettes ou des molletonnages, alors même en admettant qu'un tas de Blum aient eu je ne sais combien de fois envie de se suicider comme c'est d'ailleurs probable, comment veux-tu qu'ils aient trouvé je ne dis même pas le temps mais seulement l'espace nécessaire pour le faire, même pas la...

— N'empêche que ça arrive, dis-je. Il n'y a qu'à lire les journaux. Il y a tous les jours des choses comme ça dans les journaux ». Il me regardait, la petite pluie fine se déposait en minuscules gouttelettes d'argent, de mercure, sur le drap de sa vareuse, une poussière d'un gris métallique là où l'épaule dépassait de l'abri de l'auvent, tandis que nous parvenaient les discordants échos, les éclats de voix incohérents, fragments de colère de passion détachés de ce comment dire : ce permanent et inépuisable stock ou plutôt réservoir ou plutôt principe de toute violence et de toute passion qui semble errer imbécile désœuvré et sans but à la surface de la terre comme ces vents ces typhons sans autre objet qu'une aveugle et nulle fureur secouant sauvagement et au hasard ce qu'ils rencontrent sur leur chemin ; maintenant peut-être avions-nous appris ce que savait ce cheval en train de mourir son œil allongé velouté pensif doux et vide dans lequel je pouvais pourtant voir se refléter nos minuscules silhouettes, cet œil du portrait ensanglanté lui aussi allongé énigmatique et doux que j'interrogeais : Du théâtre de la tragédie du roman inventé, disait-il, tu t'y complais tu en rajoutes tu, et moi Non, et lui Et au besoin tu inventes, et moi Non ça arrive tous les jours, nous pouvions entendre cette vieille à moitié idiote en train de gémir patiemment interminablement à l'intérieur de la maison l'œil sec, se balançant d'avant en arrière sur sa chaise tandis que le boiteux faisait ses rondes avec ce fusil chargé de chevrotines et prêt à partir tout seul claudiquant pataugeant dans les champs spongieux le verger détrempé où les empreintes de ses pas remontaient lentement avec un léger bruit de succion, et le général lui aussi suivi de son état-major pataugeant s'essoufflant à le suivre vif preste aussi sec et aussi insensible aurait-on dit qu'un vieux bout de bois, se tirant une balle dans la tête ce qui n'avait pas dû faire beaucoup plus de tapage qu'une branche pourrie se brisant, et gisant mort avec sa petite tête ridée de jockey ses étincelantes petites bottes de jockey Est-ce que je l'ai inventé dis-je Est-ce que je l'ai inventé ? Je l'imaginais claudiquant rongé dévoré par ce tourment comme un chien malheureux animal traqueur et traqué par la honte l'insupportable affront enduré dans la femme de son frère lui dont on n'avait pas voulu pour faire la guerre à qui l'on n'avait pas voulu confier un

fusil, Allons dit-il lâchez cette arme c'est comme ça que
des accidents arrivent, mais il ne voulait rien entendre,
apparemment il tenait à cet attirail de chasseur à ce
fusil avec lequel il s'était fait représenter symbole ou
quoi, longtemps j'ai cru à un accident de chasse je pensais que c'était pour ça qu'elle ne voulait pas m'acheter
cette carabine, à force de raconter de ressasser ses sempi-
ternelles histoires de famille, d'ancêtres, comme elle
s'était toujours obstinément refusée à me laisser faire de
l'escrime sous prétexte que je ne sais lequel encore des
membres de sa famille était mort au cours d'un assaut le
cou traversé par un fleuret démoucheté à moins qu'elle
ne l'ait lu elle aussi dans un journal dans la rubrique des
faits divers des accidents des crimes la rubrique mondaine
des naissances les passions déchaînées engendrées par la
chair délicate de la belle au bois dormant emmurée cachée,
derrière, la queue du paon oscillait encore faiblement mais
pas de Léda visible de qui donc le paon de quelle divinité
est-il l'oiseau vaniteux fat stupide promenant solennel ses
plumes multicolores sur les pelouses des châteaux et les
coussins de concierges ? Je l'imaginais sous la forme
d'une de ces, je pouvais toucher presser palper ses seins
son ventre soyeux à peine voilé à peine couverte qu'elle
était par cette chemise dont émergeait son cou semblable
dis-je à du lait tu entends dis-je la seule chose dont elle
peut donner l'idée c'est de ramper se pencher comme
une source et de lapper, robes qui ressemblaient à des
chemises, mauve pâle et un ruban vert enserrant ses...
oui quelle différence avec cet autre portrait cruel et dur
sorte de Diane alors elle aurait dû sur celui-là avoir
auprès d'elle un lévrier allongé ras aigu tandis que plus

tard au contraire un de ces petits chiens poils frisés où
l'on passe les doigts frétillant d'aise léchant les doigts de
sa langue mouillée se roulant de plaisir en gémissant frétillant comme un poisson dans l'eau, comme ce qu'on
voit dessiné sur les murs avait-elle dit les deux hiérogly-
phes les deux principes : féminin et masculin, quelquefois
celui-ci n'est plus qu'un signe ressemblant à des ciseaux
fermés avec en bas deux ronds comme les anneaux dans
lesquels on passe le pouce et l'index et la pointe dressée
vers le haut les ronds symboliques en bas symboliquement
aussi entourés de traits comme des rayons et l'autre aussi
ovale avec sa ligne médiane deux astres rayonnants dans
le firmament des murs noirâtres dessinés avec la pointe
d'un clou, vaincue maintenant, renonçant, elle se contentait de faire entendre ce bruit enfantin qui pouvait aussi
bien être des sanglots une plainte ou le contraire, quelquefois je m'écartai le retirai complètement pouvant le
voir au-dessous de moi sorti d'elle luisant mince à la
base puis renflé comme un fuseau un poisson (on disait
qu'ils se reconnaissaient en traçant sur les murs des
villes et des catacombes le signe du poisson) avec au bout
cette espèce de tête, d'ogive ou plutôt comme une sorte
de bonnet avec sa fente en haut à la fois bouche muette
et œil furieux et mort aux bords rosis comme ceux de ces
animaux poissons qui vivent dans les rivières souterrai-
nes les cavernes, devenus aveugles à force d'habiter les
ténèbres bouche et œil suppliants et furibonds de carpe
ou quoi apoplectique hors de l'eau exigeant suppliant
de retourner aux humides et secrètes cachettes, la bouche d'ombre, on dit gland à cause de la peau qui le recou-
vre à moitié, c'était alors de nouveau l'automne mais en

un an nous avions appris à nous dépouiller non seulement
de cet uniforme qui n'était plus maintenant qu'un dérisoire
et honteux stigmate mais encore pour ainsi dire de notre
peau ou plutôt notre peau dépouillée de ce qu'un an plus
tôt encore nous nous imaginions qu'elle renfermait, c'est-
à-dire même plus des soldats même plus des hommes,
ayant peu à peu appris à être quelque chose comme des
animaux mangeant n'importe quand et n'importe quoi
pourvu qu'on puisse réussir à le mâcher et l'avaler, et il
y avait de grands chênes en lisière de la forêt qui longeait
le chantier les glands tombant jonchant le chemin sur
lequel les Arabes allaient les ramasser, la sentinelle commençant d'abord à crier et à les chasser mais ils revenaient
comme des mouches obstinés patients tenaces et à la fin
elle dut y renoncer haussa les épaules et prit le parti de les
ignorer attentive surtout à surveiller si aucun officier ne
s'amenait, je me mêlai à eux courbé vers le sol faisant
semblant de chercher et de les mettre dans mes poches
le guettant du coin de l'œil et à un moment il tourna le
dos alors je fus dans le fourré haletant courant à quatre
pattes comme une bête à travers les taillis traversant les
buissons me déchirant les mains sans même le sentir toujours courant galopant à quatre pattes j'étais un chien
la langue pendante galopant haletant tous deux comme
des chiens je pouvais voir sous moi ses reins creusés,
râlant, la bouche à moitié étouffée voilant son cri mouillé
de salive dans l'oreiller froissé et par delà son épaule
sa joue d'enfant couchée sa bouche d'enfant aux lèvres
gonflées meurtries entr'ouvertes exhalant le râle tandis
que je m'enfonçais lentement entrant m'engloutissant il
me semblait de nouveau que cela n'aurait pas ne pouvait

pas avoir de fin mes mains posées, appuyées sur ses hanches écartant je pouvais le voir brun fauve dans la nuit
et sa bouche faisant Aaah aaaaaaaah m'enfonçant tout
entier dans cette mousse ces mauves pétales j'étais un
chien je galopais à quatre pattes dans les fourrés exactement comme une bête comme seule une bête pouvait le
faire insensible à la fatigue à mes mains déchirées j'étais
cet âne de la légende grecque raidi comme un âne idole
d'or enfoncée dans sa délicate et tendre chair un membre
d'âne je pouvais le voir allant et venant luisant oint de
ce qui ruisselait d'elle je me penchai glissai ma main mon
bras serpent sous son ventre atteignant le nid la toison
bouclée que mon doigt démêlait jusqu'à ce que je le
trouve rose mouillé comme la langue d'un petit chien frétillant jappant de plaisir sous laquelle l'arbre sortant de
moi était enfoncé sa gorge étouffée gémissant maintenant régulièrement à chaque élan de mes reins combien
l'avaient combien d'hommes emmanchée seulement je
n'étais plus un homme mais un animal un chien plus qu'un
homme une bête si je pouvais y atteindre connaître l'âne
d'Apulée poussant sans trêve en elle fondant maintenant
ouverte comme un fruit une pêche jusqu'à ce que ma
nuque éclate le bourgeon éclatant tout au fond d'elle
l'inondant encore et encore l'inondant, inondant sa blancheur jaillissant l'inondant, pourpre, la noire fontaine
n'en finissant plus de jaillir le cri jaillissant sans fin de
sa bouche jusqu'à ce qu'il n'y ait plus rien sourds tous
les deux tombés inanimés sur le côté mes bras l'enserrant toujours se croisant sur son ventre sentant contre
moi ses reins couverts de sueur les mêmes coups sourds
le même bélier nous ébranlant tous deux comme un ani-

mal allant et venant cognant allant et venant violemment
dans sa cage puis peu à peu je commençai à voir de nouveau, distinguer le rectangle de la fenêtre ouverte et le
ciel plus clair et une étoile puis une autre et une autre
encore, diamantines froides immobiles tandis que respirant péniblement j'essayais de dégager une de mes jambes prises sous le poids de nos membres emmêlés nous
étions comme une seule bête apocalytique à plusieurs
têtes plusieurs membres gisant dans le noir, je dis Quelle
heure peut-il être ? et lui Qu'est-ce que ça peut faire
qu'est-ce que tu attends Le jour ? qu'est-ce que ça changera Tu as tellement envie de voir nos sales gueules ?
j'essayai de respirer d'écarter ce poids de sur moi de trouver l'air puis je ne sentis plus de poids, seulement dans
l'ombre des mouvements furtifs silencieux, des froisse-
ments, je me réveillai tout à fait je dis Qu'est-ce que tu
fais ? elle ne répondit pas, on commençait à pouvoir
vaguement distinguer les choses mais pas beaucoup, peut-
être y voyait-elle dans l'obscurité comme les chats je
dis Bon Dieu qu'est-ce qui se passe qu'est-ce que tu fais
Réponds, et elle Rien, et moi Tu..., je me réveillai tout à
fait m'assis sur le lit et allumai elle était déjà habillée
tenait un de ses souliers à la main : un instant je la vis
son visage fragile trop beau tragique deux traînées brillantes sur les joues, en ce moment il avait quelque chose
de hagard égaré puis furieux dur sa bouche dure criant
Eteins cette lampe je n'ai pas besoin de lumière, et moi
Mais qu'est-ce que, et elle Eteins je te dis éteins éteins tu
entends éteins, puis le bruit de lampe de la table de che-
vêt se brisant dégringolant pêle-mêle avec le soulier
qu'elle avait jeté et pendant un moment je ne vis plus

rien disant Mais qu'est-ce qui te prend, et elle Rien, entendant de nouveau les bruits furtifs silencieux dans le noir comprenant qu'elle cherchait son soulier me demandant comment elle faisait dans cette obscurité, disant Mais enfin qu'est-ce qui se passe, et elle cherchant toujours son soulier Il y a un train à huit heures, et moi Un train ? Mais qu'est-ce que... Tu m'as dit que ton mari ne rentrait que demain, et elle ne répondant pas conti-nuant à s'affairer dans le noir elle avait dû trouver son soulier maintenant et le mettre, je pouvais l'entendre la deviner debout allant et venant, et moi Bon Dieu ! Je me levai mais elle me frappa je retombai sur le lit elle me frappa encore, de sa figure tout près de moi sortait comme un gargouillis qu'elle s'efforçait de ravaler je crois qu'elle disait Laisse-moi, disant Espèce de sale salaud, et moi Quoi ? et elle Espèce de salaud Espèce de salaud Tu ne pouvais pas me laisser tranquille jamais encore quelqu'un ne m'a traitée comme, et moi Traitée ? et elle Rien Je ne suis rien pour toi moins que rien moins que, et moi Oh, et elle Moi qui... Moi qui..., et moi Allons, et elle Ne me touche pas, et moi Allons, et elle Ne me... et moi Je vais te raccompagner Tu ne vas pas prendre le train Je vais te raccompagner avec la voiture Je, et elle Laisse-moi laisse-moi laisse-moi, dans la chambre à côté quelqu'un frappa contre le mur, je me levai cherchai mes vêtements disant Bon Dieu ! disant Où est mon... mais elle me frappa de nouveau n'importe comment dans le noir avec quelque chose de dur, son sac je pense, frap-pant à plusieurs reprises de toutes ses forces une fois elle m'atteignit à la figure je sentis l'espèce de saveur bizarre des coups, violente comme si la chair éclatant sur la pommette répandait à l'intérieur en même temps que la douleur comme un jus vert âpre pas désagréable, s'irradiant, pensant à la peau, à la saveur des prunes des reines-claudes mûres bleuâtres se fendant et leur jus sucré, je la lâchai retombai sur le lit tâtant ma pommette pouvant l'entendre de nouveau aller et venir rapide avec ces mouvements rapides précis qu'ont les femmes pour ranger, se baissant ramassant quelque chose je me demandai comment elle pouvait faire mais sans doute décidément pouvait-elle voir dans le noir, puis j'entendis le fermoir de sa mallette puis le choc des hauts talons traversant vivement la pièce et un moment je la vis à la lumière de l'ampoule du couloir mais pas son visage : ses cheveux, son dos se découpant en noir, puis la porte se referma j'entendis son pas rapide s'éloigner décroître puis plus rien et au bout d'un moment je sentis la fraîcheur de l'aube, ramenant le drap sur moi, pensant que l'automne n'était plus bien loin maintenant, pensant à ce premier jour trois mois plus tôt où j'avais été chez elle et avais posé ma main sur son bras, pensant qu'après tout elle avait peut-être raison et que ce ne serait pas de cette façon c'est-à-dire avec elle ou plutôt à travers elle que j'y arriverai (mais comment savoir ?) peut-être était-ce aussi vain, aussi dépourvu de sens de réalité que d'aligner des pattes de mouches sur des feuilles de papier et de le chercher dans des mots, peut-être avaient-ils raison tous deux, lui qui disait que j'inventais brodais sur rien et pourtant on en voyait aussi dans les journaux, de sorte qu'il faut croire qu'entre les magasins aux devantures en faux bois jaune et aux enseignes noires et or et le café-tabac, ou entre minuit et six heures du matin, ou entre

deux rouleaux de drap, ils trouvaient parfois assez de
temps et assez de place pour s'occuper de ces choses
— mais comment savoir, comment savoir ? Il aurait fallu
que je sois aussi celui-là caché derrière la haie le regardant s'avancer tranquillement au-devant de lui, au-devant
de sa mort sur cette route, se pavanant comme avait dit
Blum, insolent imbécile orgueilleux et vide dédaignant
ou peut-être n'ayant pas même l'idée de mettre son cheval au trot n'entendant même pas ceux qui lui criaient
de ne pas continuer ne pensant peut-être même pas à la
femme de son frère chevauchée ou plutôt à la femme
chevauchée par son frère d'armes ou plutôt son frère en
chevalerie puisqu'il le considérait en cela comme son égal,
ou si l'on préfère le contraire puisque c'était elle qui écar-
tait les cuisses chevauchait, tous deux chevauchant (ou
plutôt qui avaient été chevauchés par) la même houri la
même haletante hoquetante haquenée, avançant donc
dans le paisible et éblouissant après-midi me demandant
quelle heure pouvait-il être ?

en tenant compte que la route se dirigeait à peu près
est-ouest et qu'à ce moment je pouvais voir son ombre
équestre et raccourcie sur la droite et dirigée en arrière
de lui selon un angle d'environ quarante degrés et que nous
étions maintenant déjà dans la seconde quinzaine de mai je
suppose que le soleil en face de nous et à gauche (ce pourquoi les yeux à demi aveugles et avec en plus cette espèce
de gravier, de toile émeri conséquence du manque de
sommeil sous nos paupières nous ne pouvions voir que
la face ombrée noire des arbres, des toits d'ardoise, des
granges, des maisons étincelant comme du métal comme
des casques au milieu de cette sombre verdure vert-noir,

sans être roussis les champs étaient d'un vert tirant sur le jaune, devant nous l'asphalte de la route étincelait aussi) le soleil se trouvait dans la position sud-ouest donc environ deux heures de l'après-midi mais comment savoir ?

cherchant à nous imaginer nous quatre et nos ombres nous déplaçant à la surface de la terre, minuscules, parcourant en sens inverse un trajet à peu près parallèle à celui que nous avions emprunté dix jours plus tôt en nous portant à la rencontre de l'ennemi l'axe de la bataille s'étant entre temps légèrement déplacé l'ensemble du dispositif ayant subi de ce fait une translation du sud vers le nord d'environ quinze à vingt kilomètres de sorte que le trajet suivi par chaque unité aurait pu être schématiquement représenté par une de ces lignes fléchées ou vecteur figurant les évolutions des divers corps de troupes (cavalerie, infanterie, voltigeurs) engagés dans les batailles sur la carte desquelles figurent en grosses lettres parce que passés à la postérité les noms d'un simple village ou même hameau ou même une ferme ou un moulin ou une butte ou un pré, lieux-dits

les Quatre Vents
l'Epine
l'Ecrevisse
Trou des Loups
le Fond du Baudet
la Belle Tandinière
Perche à l'Oiseau
Trieux du Diable
le Lapin Blanc
Baise Cul

la Croix du Carme
Ferme aux Puces
Ferme de la Folie
Ferme Blanche
Ferme des Fils de Fer
Bois Chuté
Bois du Roy
Long du Bois
les Dix Journels
la Savate
le Chaudron
la Cendrière
les Joncs
le Pré de la Rosière
Champ Martin
Champ Benoît
Champ des Lièvres
les collines figurées sur la carte au moyen de petits traits en éventail bordant la ligne onduleuse d'une crête, de sorte que le champ de bataille semble parcouru de mille-pattes sinueux, chaque corps de troupe étant représenté par un petit rectangle à partir duquel s'élance le vecteur correspondant, chacun d'eux se recourbant en l'occurence de façon à affecter à peu près la forme d'un hameçon, c'est-à-dire le dard dirigé au rebours de la partie du trait formant pour ainsi dire la hampe, le sommet de la courbe ainsi décrite coïncidant avec le point où le contact avait été pris avec les troupes ennemies l'ensemble de la bataille qui venait de se dérouler pouvant donc être représenté sur la carte d'état-major par une série de hameçons disposés parallèlement et la pointe retournée

vers l'ouest, cette représentation schématique des évolutions des différentes unités ne tenant évidemment compte ni des accidents du terrain ni des obstacles imprévus surgis au cours du combat, les trajets réels ayant en réalité la forme de lignes brisées zigzaguant et quelquefois se recoupant s'embrouillant sur elles-mêmes et qu'il aurait fallu dessiner au départ à l'aide d'un trait épais vigoureux allant ensuite s'amenuisant et (comme les tracés de ces oueds d'abord impétueux et qui peu à peu — au contraire des autres fleuves dont la largeur va constamment croissant depuis la source jusqu'à l'embouchure — disparaissent s'effacent évaporés bus par les sables du désert) se terminant par un pointillé les points s'espaçant s'égrenant puis finissant eux-mêmes par disparaître tout à fait

mais comment appeler cela : non pas la guerre non pas la classique destruction ou extermination d'une des deux armées mais plutôt la disparition l'absorption par le néant ou le tout originel de ce qui une semaine auparavant était encore des régiments des batteries des escadrons des escouades des hommes, ou plus encore : la disparition de l'idée de la notion même de régiment de batterie d'escadron d'escouade d'homme, ou plus encore : la disparition de toute idée de tout concept si bien que pour finir le général ne trouva plus aucune raison qui lui permît de continuer à vivre non seulement en tant que général c'est-à-dire en tant que soldat mais encore simplement en tant que créature pensante et alors se fit sauter la cervelle

luttant pour ne pas céder au sommeil

les quatre cavaliers avançant toujours parmi les

pâturages cloisonnés de haies les vergers les archipels
de maisons rouges tantôt isolées tantôt se rapprochant
s'agglutinant au bord de la route jusqu'à former une rue
puis s'espaçant de nouveau les bois épars sur la campagne taches semblables à des nuages verts déchiquetés
hérissés de sombres cornes triangulaires

et encore des soldats du fait qu'ils étaient revêtus
d'un uniforme et armés c'est-à-dire tous les quatre également munis d'un sabre dit bancal d'environ un mètre de
long d'un poids de deux kilogs à la lame légèrement
courbe soigneusement affûtée dans un fourreau de métal
lui-même à l'abri d'un fourreau de tissu marron, sabre
et fourreau maintenus par deux courroies dites courroie
de pommeau et courroie de sabre sur le côté gauche de la
selle entre le quartier et le faux quartier de sorte que le
fourreau dessinait un léger renflement sous la cuisse gauche du cavalier la poignée de cuivre du sabre venant se
placer à gauche du pommeau et pouvant être facilement
saisie en cas de besoin par la main droite du cavalier, les
deux officiers étant en outre pourvus chacun d'un revolver d'ordonnance et les deux simples cavaliers d'un mousqueton à canon court porté en bandoulière

et plus tout à fait des soldats du fait qu'ils se trouvaient coupés de toute formation régulière et dans l'igno-
rance de ce qu'ils devaient faire non seulement parce que
le plus élevé en grade des quatre (le capitaine) n'avait reçu
aucune directive (sauf peut-être celle de gagner un certain point de repli, ordre datant vraisemblablement de la
veille ou de l'avant-veille si bien qu'il était impossible de
savoir si ce point de repli n'était pas déjà occupé par
l'ennemi (ce que prétendaient les blessés ou les gens ren-

contrés sur la route) et si par conséquent cet ordre pouvait encore être considéré comme valable et devant être exécuté) mais encore parce qu'il apparaissait qu'il (le capitaine) n'était même plus disposé à en donner (des ordres) ni animé du désir de se faire obéir comme il était apparu un peu plus tôt lorsque deux estafettes cyclistes qui suivaient encore avaient déclaré qu'elles se refusaient à continuer plus longtemps et qu'il n'avait même pas détourné la tête pour les écouter ni ouvert la bouche pour leur interdire de déserter ni fait mine de tirer son revolver pour les en menacer, mais comment savoir ?

les cinq chevaux avançant d'un pas pour ainsi dire somnambulique quatre demi-sang tarbais produits de croisement connu sous l'appellation d'anglo-arabe deux d'entre eux entiers celui du capitaine hongre le quatrième (monté par le simple cavalier) étant en fait une jument, âges s'échelonnant entre six et onze ans, robes : celui du capitaine bai-brun c'est-à-dire presque noir avec une pelote en tête, celui du sous-lieutenant alezan doré, la jument montée par le simple cavalier baie avec liste en tête et deux balzannes (antérieur et postérieur droit), celui de l'ordonnance bai clair (acajou) une balzanne à l'antérieur gauche, et le cheval de main (un sous-verge d'un attelage de mitrailleuse, les bricoles coupées (à coup de sabre ?) traînant par terre) percheron de réquisition, alezan ou plutôt rouquin ou plutôt rose lie-de-vin, moucheté de gris la queue d'un gris jaunâtre légèrement ondulée, liste en tête, descendant jusqu'aux naseaux et la lèvre supérieure d'un blanc rosé, le cheval étant alors dit « buvant dans son blanc », les crinières des cinq chevaux réglementairement tondues présentant (sauf celle des alezans) l'aspect de chenilles noires velues et annelées lorsque le cheval porte la tête haute de sorte que la peau sur l'arête supérieure de l'encolure se gonfle en replis superposés, les queues longues jusqu'au jarret, l'une des cinq bêtes — celle du sous-lieutenant — ferrant c'est-à-dire entrechoquant la pince de son postérieur gauche contre le talon de son antérieur droit à l'allure du trot, la monture de l'ordonnance boitant légèrement du postérieur gauche du fait d'une blessure à la sole causée probablement par une des pierres du ballast de la voie de chemin de fer sur laquelle elle a été contrainte de galoper l'avant-veille lorsque le peloton s'est dégagé d'une précédente embuscade les bêtes n'ayant pu être dessellées ni déharnachées depuis six jours et présentant probablement de ce fait de larges blessures à la selle provoquées par le frottement et le manque d'aération

mais comment savoir, comment savoir ? les quatre cavaliers et les cinq chevaux somnambuliques et non pas avançant mais levant et reposant les pieds sur place pratiquement immobiles sur la route, la carte la vaste surface de la terre les prés les bois se déplaçant lentement sous et autour d'eux les positions respectives des haies des bouquets d'arbres des maisons se modifiant insensiblement, les quatre hommes reliés entre eux par un invisible et complexe réseau de forces d'impulsions d'attractions ou de répulsions s'entrecroisant et se combinant pour former pour ainsi dire par leurs résultantes le polygone de sustentation du groupe se déformant lui-même sans cesse du fait des incessantes modifications provoquées par des accidents internes ou externes

par exemple le simple cavalier chevauchant en

arrière et à la droite du sous-lieutenant entrevoyant un instant (à un moment où celui-ci tourne la tête pour répondre au capitaine) le profil qui présente un dessin dénotant une nature prétentieuse ou stupide, de sorte que l'indifférence qu'éprouvait ou que croyait éprouver le simple cavalier un moment auparavant pour le sous-lieutenant se mue d'une façon irraisonnée en un sentiment proche de l'hostilité et du mépris tandis qu'au même moment, découvrant au-dessous du casque la nuque juvénile presque enfantine, mince et même maigre et même, apparemment, malingre, le regard descendant encore détaille le buste les épaules les omoplates souffreteuses, si bien que l'hostilité fraîchement née se trouve balancée par une certaine forme de pitié les deux impulsions pitié et hostilité se neutralisant l'indifférence se réinstallant alors

les rapports des deux officiers sans doute assez distants teintés cependant d'une certaine reconnaissance et estime réciproque pour un savoir-vivre qui leur permettait d'entretenir une conversation anodine dépourvue d'intérêt et futile particulièrement précieuse dans ce moment — proche de leur mort — où une commune préoccupation d'élégance et de bonne tenue leur faisait une nécessité d'échanger des propos anodins dépourvus d'intérêt et futiles

le capitaine et l'ordonnance se suivant à une distance d'environ quatre mètres sans que jamais le premier ne se retourne pour adresser la parole au second que, mis à part cet impérieux souci d'élégance, il eût sans doute préféré comme interlocuteur au sous-lieutenant (mais comment savoir ?) en raison des liens plus anciens et plus étroits qui s'étaient formés entre eux conséquence d'un caprice (d'un besoin) du premier qui l'avait amené à épouser une jeune fille d'environ la moitié de son âge dont un caprice l'avait amené à monter une écurie de courses et engager un jockey dont le caprice de la jeune femme ou plutôt un caprice de la chair de la jeune femme ... A moins que ce ne fût un caprice de son esprit si l'on tient compte de la personnalité purement physique du jockey qui ne semblait rien présenter de particulièrement séduisant, à moins que sans plus tenir compte de son aspect extérieur que des qualités (comme son habileté à monter les chevaux de course) qui pouvaient faire oublier sa conformation physique peu séduisante elle n'ait vu en lui (mais comment le savoir puisque par la suite — c'est-à-dire la guerre finie — elle se refusa à admettre qu'elle ait pu entretenir avec lui à un moment ou à un autre des rapports personnels, ne s'enquérant même pas de ce qu'il était devenu, ne cherchant pas à le revoir (et lui non plus), de sorte qu'il n'y avait peut-être de réel dans tout ceci que de vagues racontars et médisances et les vantardises auxquelles deux adolescents captifs imaginatifs et sevrés de femmes le poussèrent ou plutôt qu'ils lui extorquèrent) à moins donc qu'elle n'ait vu en lui qu'un instrument (pour ainsi dire phallique ou priapique comme ce comment s'appelle que les épouses japonaises attachent à leur talon pour, s'asseyant dessus dans une position incommode particulière à la science érotique et légèrement acrobatique des Orientaux, s'en pourfendre, introduisant en elles (et se remplissant de) cet orgueilleux et invincible succédané de la virilité) un instrument commode de par sa dépendance servile et les facilités qu'elle avait de le joindre chaque fois qu'elle désirait apaiser d'élémentaires besoins physiques ou peut-être de l'esprit — tels que défi revanche vengeance et non seulement à l'égard de l'homme qui l'avait épousée (achetée) et prétendait la posséder mais encore d'une classe sociale d'une éducation de coutumes de principes et de contraintes qu'elle avait en haine.

les rapports entre le capitaine et l'ancien jockey grevés en plus de cette hypothèque pratiquement impossible à lever que constitue entre deux êtres humains une énorme différence de disponibilités monétaires, puis de grades, aggravée par le fait que chacun d'eux usait d'un langage différent ceci élevant entre eux une barrière d'autant plus infranchissable que sauf en ce qui concernait le problème technique et passionnel qui les avait réunis (c'est-à-dire les chevaux) ils employaient non pas des mots différents pour désigner les mêmes choses mais les mêmes mots pour désigner des choses différentes le capitaine nourrissant peut-être un certain ressentiment ou une certaine jalousie pour les dons dont faisait montre l'ancien jockey pour monter chevaux et autres créatures et celui-ci éprouvant de façon toute naturelle et dépourvue d'arrière-pensée (ayant eu la chance de naître dans un milieu social où faute de temps et de loisirs ce sous-produit parasitaire du cerveau (la pensée) n'a pas encore eu la possibilité de faire ses ravages, le viscère enfermé par la cavité cervicale restant par conséquent apte à aider l'homme dans l'accomplissement de ses fonctions naturelles), éprouvant donc le genre de sentiments que peut nourrir un individu originaire d'une classe laborieuse envers la personne dont il dépend matériellement et —

par la suite — hiérarchiquement, c'est-à-dire avant tout (quelques impulsions d'estime de sympathie ou de commisération étonnée qui aient pu naître par la suite) déférents, admiratifs (ceci pour l'argent et le pouvoir détenus) et aussi respectueusement que totalement indifférents, le capitaine n'ayant d'existence pour lui que dans la mesure où il le payait (pour monter et entraîner ses chevaux), et plus tard était habilité à lui donner des ordres, toute espèce de liens ou de sentiments étant de ce fait condamnés à disparaître au moment précis où pour une raison quelconque (ruine, liquidation de l'écurie de courses, choix d'un autre jockey ou d'un autre entraîneur) le capitaine cesserait de vouloir ou de pouvoir le rétribuer ou (mutation, blessure, mort) le commander

le simple cavalier et l'ancien jockey libres l'un et l'autre (quoique pour des raisons différentes) de tout souci d'élégance et de distinction, échangeant de loin en loin des propos dont le caractère épisodique bref et à la limite de l'incohérence tenait d'une part au tempérament naturellement renfermé et peu communicatif du jockey, de l'autre à l'état d'extrême fatigue dans lequel ils se trouvaient tous deux, le cavalier se contentant donc de continuer à suivre le (ou plutôt à laisser son cheval suivre celui du) capitaine à l'égard duquel il ne nourrissait à présent qu'une vague stupéfaite et impuissante fureur

mais comment savoir, que savoir ? Environ donc deux heures de l'après-midi, le moment où les oiseaux s'arrêtent de chanter où les fleurs se recroquevillent et pendent à demi flétries sous le soleil, où les gens finissent d'habitude de boire leur café où les vendeurs de journaux du soir proposent leur première ration de gros titres mais pas encore Sport-Complet ou La Veine, la cloche de la première course tintant seulement appelant au départ et en passant je vis sur un mur de briques une vieille affiche délavée déchirée annonçant Courses à la Capelle, là-bas dans le Nord ils aiment les paris les combats de coqs les queues multicolores avec leurs plumes à reflets bleus et verts voletant éparpillées, pays de prés de bois d'étangs paisibles pour les pêcheurs du dimanche (mais où étaient les pêcheurs les baigneurs les gamins s'éclaboussant en caleçons rayés les buveurs des guinguettes à tonnelles à balançoires pour les petites filles — mais où étaient-elles, elles et leurs courtes robes blanches leurs maladroites et fraîches jambes nues...), Flamands, Flahutes, visages hauts en couleurs et les maisons sang de bœuf, les réclames jaunes d'Anis Pernod sur les façades de briques, on prétendait que celles pour une marque de chicorée portaient au dos des renseignements pour l'ennemi, des plans, des cartes : peut-être aurions-nous pu nous échapper le lendemain ne pas être pris si nous en avions eu une, si nous étions allés vers le nord au lieu de, mais il aurait fallu savoir, connaître les chemins creux les layons dans la forêt les boqueteaux(nous glissant de nouveau haletants et furtifs de haie en haie guettant haletants avant de franchir les prés les endroits découverts) l'arbre en boule la corne du bois carrière briqueterie combe clôture de barbelés remblai devers, le sol la terre entière étroitement inventoriée décrite possédée dans ses moindres replis sur les cartes d'état-major les forêts sont figurées au moyen d'un semis de petits ronds de lunules entourées de points comme si elles avaient été récemment coupées, les rejets

repartant en taillis pointillistes autour des troncs sciés au
pied (il faudrait les colorier de ce jaune fauve du bois
fraîchement abattu) les troncs et le piquetis se faisant
plus denses se resserrant le long des lisières comme une
impénétrable et mystérieuse barrière, nous pouvions la
voir s'étendre laineuse et vert sombre sur les collines
au sud, c'est sans doute pour ça que nous nous sommes
dirigés par là pensant que si nous pouvions l'atteindre
mais d'abord il nous fallait retraverser la route rien ne
paraissait y bouger cependant nous nous sommes appro-
chés en nous cachant, nous élançant pour la traverser,
courant et une dernière fois je le vis j'eus le temps de le
reconnaître pensant que maintenant il devait commencer
à puer pour de bon oh très bien qu'il pourrisse sur place
qu'il infecte qu'il empeste, jusqu'à ce que la terre entière
le monde entier soit obligé de se boucher le nez mais il
n'y avait plus personne rien qu'une vieille portant un
bidon de lait longeant le mur de l'usine et qui s'est arrêtée comme effrayée ou peut-être simplement étonnée
pour nous regarder passer semblables à des voleurs

quelque chose comme la scène vide d'un théâtre
comme si une équipe de nettoyage était passée des pillards ou les vainqueurs ne laissant que ce qui avait été
trouvé trop lourd ou trop encombrant pour être emporté
ou vraiment inutilisable maintenant il n'y avait même
plus la valise crevée je ne vis pas non plus le chiffon rose
et pas non plus les mouches mais certainement elles
devaient être de nouveau au travail c'est-à-dire à table
bourdonnant entrant et sortant par les naseaux puis toujours courant nous tournâmes au coin du mur et je ne
le vis plus, après tout ce n'était qu'un cheval mort une

charogne juste bonne pour l'équarisseur : sans doute
passerait-il aussi avec les chiffonniers et les ramasseurs
de ferraille d'ordures récupérant les accessoires oubliés
ou hors d'usage maintenant que les acteurs et le public
étaient partis, le bruit du canon s'éloignant lui aussi, sur
la droite à présent, vers l'ouest, on pouvait voir un haut
clocher gris à bulbes au-dessus de la campagne mais
savoir s'ils avaient pris le patelin comment savoir comment savoir nous pouvions voir leurs noms énigmatiques
sur les plaques indicatrices les bornes, coloriés eux aussi
et moyennâgeux Liessies comme liesse kermesse Hénin
nennin Hirson hérisson hirsute Fourmies tout entier
vermillon-brique théorie d'insectes noirs se glissant le
long des murs disparaissant on se demandait où dans les
renfoncements des portes les fissures le moindre recoin
le moindre trou là où un cafard lui-même n'aurait pas
réussi à s'introduire s'applatissant disparaissant s'éva-
nouissant chaque fois qu'un obus arrivait éclatait nuage
poussiéreux et sale on ne savait trop pourquoi dans ces
plâtras cette ville où il n'y avait plus rien que cette lamen-
table procession de fourmis et nous quatre sur nos rosses
fourbues, mais il faut croire qu'ils en avaient une provi-
sion un stock à écouler, peut-être les avaient-ils déchar-
gés pendant la nuit et tiraient-ils maintenant au petit
bonheur seulement pour s'éviter la peine de les rechar-
ger dans le camion à munitions, femmes protégeant
l'enfant sorti de leur ventre le fruit de leurs entrailles
serré contre elles transportant des ballots des édredons
rouges crevés dont les plumes le duvet se répandait traînant au dehors les entrailles les tripes blanches des maisons qui se déroulaient comme des bandes des serpen-

tins des guirlandes parfois accrochées aux arbres quel
est donc ce saint dont j'avais vu le supplice représenté
sur un tableau les bourreaux musculeux enroulant sur un
treuil les intestins livides et sanglants sortis de son ventre, une seconde fois je revis la même affiche elles
devaient dater d'au moins un an mais c'étaient des courses de trot, des chevaux attelés, pas montés, ce n'était
pas le mien que je montais mais celui d'un inconnu mort
sans doute cela n'avait pas grande importance pourtant
je regrettais ma lampe électrique neuve et ce jambon que
j'avais tout de même réussi à trouver hier dans une maison pourtant déjà pillée de fond en comble, sale affaire
d'être dans la cavalerie couvrir une retraite passer les
derniers quand les autres biffins ou artilleurs ont déjà
tout raflé : tout ce que nous avions trouvé pour bouffer
depuis huit jours c'étaient des compotes de fruits seules
choses à manger qu'ils avaient négligées, buvant avalant
à même les bocaux le jus sucré et poisseux dégoulinant
des deux côtés de la bouche, toujours à cheval jetant le
bocal encore aux trois quarts plein qui se cassait sur
le bord de la route impossible à emporter parce que ça
aurait coulé partout, je regrettais aussi mes affaires de
toilette j'aurais voulu me laver me baigner me rafraîchir
sentir l'eau ruisseler sur moi les morts étaient tous d'une
saleté répugnante leur sang pareil à d'inconvenantes
déjections comme s'ils s'étaient laissé aller sous eux mais
allez donc vous laver à la guerre contre la sacoche de
gauche bouclé par les courroies il y avait le seau de toile
réglementaire applati replié comme une lanterne véni-
tienne en principe pour faire boire les chevaux mais
ils nous avaient surtout servi pour nous raser chaque

310

fois que je pense à ces seaux je les revois pleins d'une
eau recouverte comme d'une taie par une pellicule savon-
neuse bleuâtre et craquelée et contre les parois rugueuses
des grappes de bulles agglutinées, à droite il y avait une
pince à couper les barbelés, je me demandais ce que cet
idiot de mort pouvait bien transporter dans ses mono-
sacs ils étaient gonflés à craquer sans doute une chemise
un caleçon sales peut-être des lettres d'une femme qui lui
demandait Est-ce que tu m'aimes, tu parles qu'est-ce
qu'elle voulait de plus quand je n'avais fait que penser
à elle pendant quatre ans peut-être des chaussettes aussi
qu'elle lui avait tricotées en tout cas il devait être petit
parce que les étriers étaient trop courts pour moi faisaient remonter mes genoux et les coinçaient contre les
sacoches alors que j'avais l'habitude je veux dire j'habi-
tais l'attitude je veux dire j'habitudais de monter long
pas comme ces singes de jockeys j'avais bien l'intention
de les allonger depuis que j'étais dessus je me répétais
qu'il fallait que je les allonge d'un et même de deux trous
mais il y avait bien maintenant une heure déjà et je ne
le faisais toujours pas pensant espérant d'un instant à
l'autre qu'il allait tout de même se décider à prendre le
trot pensant Bon Dieu filer d'ici nous sortir ventre à terre
de ce coupe-gorge où tout ce qu'on faisait c'était se
promener noblement comme des cibles mais probablement que sa dignité le lui interdisait sa race sa caste les
traditions à moins que ce ne fût tout bêtement son amour
des chevaux parce qu'il avait sans doute dû piquer un
fameux galop pour se tirer de cette embuscade et peut-
être estimait-il simplement que son cheval avait besoin
de repos même si cela devait lui coûter la vie comme un

311

peu plus tôt il avait eu le souci de le faire boire : continuant donc à mener son cheval au pas parce qu'il avait ancestralement appris qu'on doit laisser souffler une bête à laquelle on vient de demander un effort violent voilà pourquoi nous avancions aristocratiquement cavalièrement à une majestueuse allure de tortue lui continuant comme si de rien n'était à parler avec ce petit lieutenant l'entretenant sans doute de ses succès équestres et des mérites de la bride en caoutchouc pour monter en course magnifique cible pour ces Espagnols impénétrables absolument rebelles allergiques il faut croire aux larmoyantes homélies sur la fraternité universelle la déesse Raison la Vertu et qui l'attendaient embusqués derrière les chênes-lièges ou les oliviers je me demande quelle odeur quelle haleine avait alors la mort si comme aujourd'hui elle sentait non pas la poudre et la gloire comme dans les poésies mais ces écœurants nauséeux relents de soufre et d'huile brûlée les armes noires et huileuses grésillant fumant comme une poêle oubliée sur le feu puanteur de graillons de plâtre de poussière

sans doute aurait-il préféré ne pas avoir à le faire lui-même espérait-il que l'un d'eux s'en chargerait pour lui, lui éviterait ce mauvais moment à passer mais peut-être doutait-il encore qu'elle (c'est-à-dire la Raison c'est-à-dire la Vertu c'est-à-dire sa petite pigeonne) lui fût infidèle peut-être fut-ce seulement en arrivant qu'il trouva quelque chose comme une preuve comme par exemple ce palefrenier caché dans le placard, quelque chose qui le décida, lui démontrant de façon irréfutable ce qu'il se refusait à croire ou peut-être ce que son honneur lui interdisait de voir, cela même qui s'étalait devant ses yeux

puisque Iglésia lui-même disait qu'il avait toujours fait
semblant de ne s'apercevoir de rien racontant la fois où
il avait failli les surprendre où frémissante de peur de
désir inassouvi elle avait à peine eu le temps de se rajus-
ter dans l'écurie et lui ne lui jetant même pas un coup
d'œil allant tout droit vers cette pouliche se baissant pour
tâter les jarrets disant seulement Est-ce que tu crois que
ce révulsif suffira il me semble que le tendon est encore
bien enflé Je pense qu'il faudrait quand même lui faire
quelques pointes de feu, et feignant toujours de ne rien
voir pensif et futile sur ce cheval tandis qu'il s'avançait
à la rencontre de sa mort dont le doigt était déjà posé
dirigé sur lui sans doute tandis que je suivais son buste
osseux et raide cambré sur sa selle tache d'abord pas
plus grosse qu'une mouche pour le tireur à l'affût mince
silhouette verticale au-dessus du guidon de l'arme poin-
tée grandissant au fur et à mesure qu'il se rapprochait
l'œil immobile et attentif de son assassin patient l'index
sur la détente voyant pour ainsi dire l'envers de ce que je
pouvais voir ou moi l'envers et lui l'endroit c'est-à-dire
qu'à nous deux moi le suivant et l'autre le regardant
s'avancer nous possédions la totalité de l'énigme (l'assassin sachant ce qui allait lui arriver et moi sachant ce
qui lui était arrivé, c'est-à-dire après et avant, c'est-à-
dire comme les deux moitiés d'une orange partagée et
qui se raccordent parfaitement) au centre de laquelle il
se tenait ignorant ou voulant ignorer ce qui s'était passé
comme ce qui allait se passer dans cette espèce de néant
(comme on dit qu'au centre d'un typhon il existe une
zone parfaitement calme) de la connaissance, de point
zéro : il lui aurait fallu une glace à plusieurs faces,

alors il aurait pu se voir lui-même, sa silhouette grandissant jusqu'à ce que le tireur distingue peu à peu les galons, les boutons de sa tunique les traits mêmes de son visage, le guidon choisissant maintenant l'endroit le plus favorable sur sa poitrine, le canon se déplaçant insensiblement, le suivant, l'éclat du soleil sur l'acier noir à travers l'odorante et printanière haie d'aubépines. Mais l'ai-je vraiment vu ou cru le voir ou tout simplement imaginé après coup ou encore rêvé, peut-être dormais-je n'avais-je jamais cessé de dormir les yeux grands ouverts en plein jour bercé par le martèlement monotone des sabots des cinq chevaux piétinant leurs ombres ne marchant pas exactement à la même cadence de sorte que c'était comme un crépitement alternant se rattrapant se superposant se confondant par moments comme s'il n'y avait plus qu'un seul cheval, puis se dissociant de nouveau se désagrégeant recommençant semblait-il à se courir après et cela ainsi de suite, la guerre pour ainsi dire étale pour ainsi dire paisible autour de nous, le canon sporadique frappant dans les vergers déserts avec un bruit sourd monumental et creux comme une porte en train de battre agitée par le vent dans une maison vide, le paysage tout entier inhabité vide sous le ciel immobile, le monde arrêté figé s'effritant se dépiautant s'écroulant peu à peu par morceaux comme une bâtisse abandonnée, inutilisable, livrée à l'incohérent, nonchalant, impersonnel et destructeur travail du temps.

CET OUVRAGE A ÉTÉ ACHEVÉ
D'IMPRIMER LE HUIT OCTOBRE
MIL NEUF CENT SOIXANTE-QUINZE
SUR LES PRESSES DE L'IMPRIMERIE
DE LA MANUTENTION A MAYENNE
ET INSCRIT DANS LES REGISTRES
DE L'ÉDITEUR SOUS LE NUMÉRO 1135

Imprimé en France